Von Ellis Peters
sind als Heyne-Taschenbücher erschienen:

Im Namen der Heiligen · Band 01/6475
Ein Leichnam zuviel · Band 01/6523
Das Mönchskraut · Band 01/6702
Der Aufstand auf dem Jahrmarkt · Band 01/6820
Der Hochzeitsmord · Band 01/6908
Die Jungfrau im Eis · Band 01/6629
Zuflucht im Kloster · Band 01/7617
Des Teufels Novize · Band 01/7710
Lösegeld für einen Toten · Band 01/7823
Pilger des Hasses · Band 01/8382
Ein ganz besonderer Fall · Band 01/8004
Mörderische Weihnacht · Band 01/8103
Der Rosenmord · Band 01/8188
Der geheimnisvolle Eremit · Band 01/8230
Bruder Cadfael und das fremde Mädchen · Band 01/8669

ELLIS PETERS

LÖSEGELD FÜR EINEN TOTEN

Ein mittelalterlicher Krimi

Deutsche Erstausgabe

WILHELM HEYNE VERLAG
MÜNCHEN

HEYNE ALLGEMEINE REIHE
Nr. 01/7823

Titel der englischen Originalausgabe
DEAD MAN'S RANSOM
Übersetzt von Jürgen Langowski

9. Auflage

ISBN 3-453-02950-X

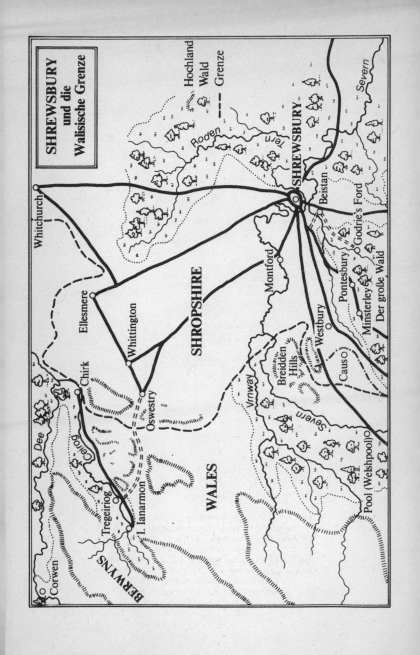

SHREWSBURY
und die
Walisische Grenze

Hochland
Wald
Grenze

Severn

Roden
Tern

SHREWSBURY

Whitchurch

Beistan

Godrie's Ford

Ellesmere

Montford

Pontesbury

Whittington

SHROPSHIRE

Minsterley

Der große Wald

Chirk

Westbury

Dee

Ceiriog

Oswestry

Breidden
Hills

Causo

Tregeiriog

l. lanarmon

WALES

Vrnway

Severn

Corwen

BERWYNS

Pool (Webhpool)O

1

An jenem Tage, es war der siebte Februar im Jahre unseres Herrn 1141, hatte man bei jedem Gottesdienst besondere Gebete gesprochen – nicht etwa für den Sieg der einen oder die Niederlage der anderen Partei auf den Schlachtfeldern im Norden, sondern um Beistand und Trost, um das Ende des Blutvergießens und um die Achtung vor dem Leben zwischen den Bewohnern ein und desselben Landes. Äußerst begrüßenswerte Anliegen waren das, seufzte Bruder Cadfael innerlich beim Gebet, aber in diesem zerrütteten und zerworfenen Land würden die Gebete kaum auf einen Widerhall stoßen. Selbst Gott braucht die Mitwirkung seiner Geschöpfe, um aus Menschen vernunftbegabte und wohlwollende Wesen zu machen.

Shrewsbury hatte König Stephen eine recht ansehnliche Streitmacht zur Verfügung gestellt, die mit ihm zusammen gegen den Norden zog, wo die Grafen von Chester und Lincoln, die ehrgeizigen Halbbrüder, die Gnade des Königs verhöhnten und sich daran machten, ein eigenes Reich zu errichten; und tatsächlich sprach vieles zu ihren Gunsten. Die Bänke im Gemeindeteil der großen Kirche waren selbst bei den mönchischen Gottesdiensten voller als üblich: ängstliche Frauen, Mütter und Großeltern beteten eifrig für ihre Mannsleute. Nicht jeder Mann, der mit Sheriff Gilbert Prestcote und seinem Stellvertreter Hugh Beringar marschiert war, würde unversehrt nach Shrewsbury zurückkehren. Es gab reichlich Gerüchte, doch kaum wirkliche Neuigkeiten. Allerdings hatte man vernommen, daß Chester und Lincoln, die sich gegenüber den um den Thron streitenden Parteien lange Zeit neutral verhalten hatten, mittlerweile ganz eigene, ehrgeizige Pläne verfolgten; als König Stephens Annäherung sie bedrohte, verbündeten sie sich kurz entschlossen mit seiner wichtigsten Gegenspielerin, der Kaiserin Maud. Damit hatten sie sich für die Zukunft so klar festgelegt, daß sie es womöglich eines Tages bereuen würden.

Cadfael verließ den Vespergottesdienst voller trübseliger Zweifel an der Kraft und sogar der Aufrichtigkeit seiner eigenen Gebete, so sehr er sich auch gemüht hatte, sie mit dem Herzen zu sprechen. Von Ehrgeiz und Macht trunkene Männer lassen nicht so einfach die Waffen sinken, noch halten sie inne und besinnen sich auf die Menschlichkeit der Brüder, die sie erschlagen wollen. Nicht hier — noch nicht. Stephen war gen Norden gezogen, eine große, tapfere, schlichte und wankelmütige Seele, deren Zorn durch Chesters Undankbarkeit, durch seinen Verrat aufgestachelt war, und mit ihm zogen viele andere, die nicht selten klüger und ausgeglichener waren als er und die ihm gute Ratschläge hätten erteilen können, wenn sie zu Wort gekommen wären. Die Angelegenheit stand auf Messers Schneide, und die braven Männer von Shropshire hatten sich ihrem Herrn verpflichtet. Unter ihnen war Cadfaels enger Freund, Hugh Beringar aus Maesbury, der stellvertretende Sheriff der Grafschaft, dessen Frau unten in der Stadt voller Sorge auf Nachrichten wartete. Hughs Sohn, inzwischen ein Jahr alt, war Cadfaels Patenkind, und Cadfael bekam, wann immer er es wünschte, Urlaub, um ihn zu besuchen, denn die Pflichten eines Paten waren wichtig und heilig.

Cadfael verzichtete auf das Abendbrot im Refektorium und machte sich auf den Weg durch das Tor der Abtei. Er ging über die Hauptstraße zwischen der Mühle der Abtei und dem Mühlteich zur Linken und dem Streifen Waldland, der die großen Gärten der Abtei in der Gaye zu seiner Rechten schützte. Dann kam die Brücke über den Severn, der im winterlichen, sternenhellen Reif glänzte, und dahinter das große Stadttor des Ortes.

Vor der Tür von Hughs Haus, nahe bei der St. Mary's Church, brannten Fackeln, und es schien Cadfael, als wären dahinter am High Cross weitaus mehr Menschen unruhig auf den Beinen, als man zu dieser Stunde an einem Winterabend erwarten konnte. Seltsame Unruhe lag in der Luft, und als er den Fuß auf die Türschwelle setzte, kam Aline ihm durch die offene Tür mit ausgebreiteten Armen entgegengestürzt. Als sie ihn erkannte, blieb ihr Gesicht zwar erfreut und willkommenheißend, verlor aber doch gleich das ganz besondere, begeisterte Strahlen.

»Es ist nicht Hugh!« sagte Cadfael mitfühlend, denn er wußte natürlich, für wen die Tür so weit aufgerissen worden war. »Noch nicht. Aber wie steht es — gibt es Neuigkeiten? Kommen sie heim?«

»Will Warden gab vor einer Stunde im letzten Tageslicht Bescheid. Von den Türmen konnte man Stahl blinken sehen, noch ein gutes Stück entfernt zwar, doch mittlerweile müssen sie schon in der Vorstadt sein. Das Tor ist für sie geöffnet. Kommt doch ans Feuer, Cadfael, und wartet mit mir auf ihn.«

Sie zog ihn bei den Händen herein und schloß die Tür so resolut hinter ihm, als wolle sie die Nacht und ihre schmerzende Ungeduld aussperren.

»Er ist es bestimmt«, sagte sie, als sie in Cadfaels Gesicht den Widerschein ihrer eigenen ergebenen Liebe und ihrer Furcht sah. »Man hat seine Farben erkannt. Und die Truppe marschiert wohlgeordnet. Aber eines weiß ich — nämlich, daß sie nicht mehr ganz so stark sein wird, wie sie auszog.«

Das gewiß nicht. Wer in die Schlacht zieht, kehrt nie ohne klaffende Wunden in den eigenen Reihen zurück. Eine wahre Schande ist es, daß die Anführer meist nichts dazulernen und daß die wenigen klugen Männer unter den Geführten kaum jemals in die Lage kommen, etwas von ihrer Weisheit weiterzugeben. Doch unverbrüchlicher Glaube und Treueschwüre wiegen schwerer als jede Furcht, dachte Cadfael, und dies ist vielleicht, selbst im Angesicht des Todes, die wahre Tugend. Denn schließlich ist der Tod das, was jeder von Geburt an erwarten kann. Kein Held und kein Feigling kann ihm entgehen.

»Hat er denn keine Boten vorausgeschickt, um zu verkünden, wie es ausging?« fragte er.

»Nein. Aber wie man hört, steht es nicht zum besten.« Sie sagte es fest und frei heraus und strich sich mit ihrer kleinen Hand das helle Goldhaar aus der Stirn. Ein schlankes Mädchen, einundzwanzig Jahre jung, Mutter eines einjährigen Sohnes und so hell, wie ihr Gatte dunkelhäutig war. Aus dem schüchternen Mädchen war eine junge Frau mit sanfter Würde geworden.

»Es ist eine ganz und gar unberechenbare Woge, die uns alle hier in England treibt und trägt«, sagte sie. »Sie kann nicht ewig in die gleiche Richtung strömen, es muß auch eine Ebbe geben.« Sie sprach feurig und gleichzeitig realistisch; es schien sie nicht zu kümmern, was sie diese Aufrichtigkeit kosten konnte. »Ihr habt sicher noch nicht gegessen, sondern das Abendbrot ausgelassen«, fuhr sie dann fort, ganz Hausfrau. »Setzt Euch und hütet eine Weile Euer Patenkind. Ich will Euch gleich Fleisch und Dünnbier bringen.«

Der kleine Giles, mit einem Jahr schon recht groß, hielt sich an Bänken, Gestellen oder Schränken aufrecht, um nicht das Gleichgewicht zu verlieren. Er bewegte sich vorsichtig, doch mit erstaunlicher Geschwindigkeit durch das Zimmer zum Schemel am Kamin, um ohne Hilfe auf Cadfaels Schoß zu klettern. Munter schnatterte er Worte, die er zumeist selbst erfunden hatte, wenn auch hin und wieder ein Laut den Erwachsenen verständlich war. Seine Mutter und ihre Zofe Constance, ihre ergebene Dienerin, sprachen viel mit ihm, und dieser vornehme Sprößling lauschte und gab alles zungenfertig zurück. Adlige Schreibkundige, dachte Cadfael, während er das stämmige Bürschlein behaglich in den

Armen wiegte, können wir gar nicht genug haben. Ob er sich für die Kirche oder das Schwert entscheidet, mit einem behenden und geschulten Geist ist er in jedem Falle gut gerüstet. Wie ein junger Hund verströmte Hughs Nachkomme eine glühende Wärme auf seinem Schoß und den an frischgebackenes Brot erinnernden Geruch junger, makelloser Haut.

»Er wird nicht schlafen«, sagte Aline, als sie zurückkam und ein Holztablett auf die Kommode neben dem Kamin setzte, »denn er weiß, daß etwas in der Luft liegt. Fragt mich nicht wie, ich habe ihm kein Wort verraten, aber er weiß es. So, nun gebt ihn mir und langt zu. Vielleicht müssen wir lange warten, denn auf der Burg gibt es wohl allerhand zu erledigen, bevor Hugh zu mir kommen kann.«

Es dauerte mehr als eine Stunde, bis Hugh eintraf. Constance hatte unterdessen die Überbleibsel von Cadfaels Abendbrot abgeräumt und den schläfrigen Stammhalter hinausgetragen, der allen seinen Bemühungen zum Trotz die Augen nicht mehr aufhalten konnte und in ihren Armen in entspannter Selbstvergessenheit weiterschlummerte, als sie ihn hochnahm.

Trotz Cadfaels scharfer Ohren war es Aline, die als erste den Kopf hob, als sie die leichten Schritte vor der Tür hörte. Ihr strahlendes Lächeln verblaßte plötzlich, denn die Füße bewegten sich zögernd.

»Er ist verletzt!«

»Nur steif vom langen Ritt«, sagte Cadfael rasch. »Seine Beine werden ihm noch lange dienen. Er kann laufen und rennen, und was wirklich nicht ganz in Ordnung ist, wird heilen.«

Sie stürzte hinaus, und Hugh zog sie in seine Arme. Sobald sie ihren müden, wettergegerbten Mann von Kopf bis Fuß gemustert hatte und wußte, daß er nicht verletzt war, wurde sie ruhig, zuversichtlich und gelassen und zeigte keine besondere Angst mehr, wenn auch immer wieder heimliche Sorge die schöne Maske ihres zarten Gesichts durchbrach. Er war ein kleiner Mann, fast zierlich gebaut, nicht viel größer als seine Frau, schwarzhaarig und mit schwarzen Brauen. Seinen Bewegungen fehlte die gewohnte fließende Leichtigkeit — kein Wunder nach einem langen Tag im Sattel, sein Lächeln war knapp und schief, als er seine Frau küßte und Cadfael freundlich mit der Faust auf die Schulter klopfte. Er ließ sich mit einem tiefen, heiseren Seufzen auf die gepolsterte Ofenbank sinken und streckte behaglich die bestiefelten Beine aus, das rechte eindeutig unter Schmerzen. Cadfael kniete nieder und zog ihm die steifen, eisüberkrusteten Stiefel herunter, von denen schmelzende Rinnsale auf die Dielenbretter liefen.

»Um aller Christenseelen willen!« sagte Hugh, indem er sich vorbeugte und seinem Freund über die Tonsur strich. »Das hätte ich nicht mehr geschafft. Mein Gott, bin ich müde! Aber egal..., denn nun ist das Wichtigste geschafft — die Männer sind daheim und ich auch.«

Constance eilte mit Essen und einem Becher warmem Wein herbei, Aline kam mit seinem Hauskleid und befreite ihn aus dem Ledermantel. Die letzten Etappen war er leicht bekleidet geritten, ohne den schweren Kettenpanzer. Er rieb sich mit beiden Händen über die vor Kälte steifen Wangen, dehnte in der Wärme des Feuers wohlig die Schultern und atmete tief und erleichtert auf. Sogar die Stimme wird nach langen Entbehrungen und großer Mühsal rauh und unsicher. Wenn er sich erholt hatte, würden die Worte wieder ohne Krächzen herauskommen.

»Dein Stammhalter«, sagte Aline fröhlich, während sie jede seiner Bewegungen beobachtete, als er aß und sich aufwärmte, »hat die Augen aufgehalten, bis es nicht mehr ging. Er ist wohlauf und selbst in dieser kurzen Zeit gewachsen — Cadfael wird es dir erzählen. Er läuft schon tüchtig und macht sich nichts daraus, wenn er ab und zu mal stürzt.« Sie erbot sich nicht, ihn zu wecken und herzubringen, denn es war klar, daß es an diesem Abend keinen Raum für Kinder gab, wie heiß geliebt sie auch sein mochten.

Hugh lehnte sich nach seinem Mahl zurück, gähnte gewaltig, schaute plötzlich lächelnd zu seiner Frau auf und zog sie zu sich herunter. Constance trug das Tablett hinaus, füllte seinen Becher nach und und schloß leise die Tür des Zimmers, in dem der Kleine schlief.

»Mach dir keine Sorgen um mich, Liebste«, sagte Hugh, indem er Aline an sich drückte. »Ich bin müde und zerschlagen vom Reiten, aber es ist nichts Schlimmes. Nun, den einen oder anderen Verlust haben wir natürlich zu beklagen, und das ist nicht schön. Doch habe ich die meisten Männer, die mit uns gen Norden ritten, zurückgebracht, wenn auch nicht alle — nicht alle! Den Anführer nicht — Gilbert Prestcote ist fort. Nur gefangengenommen und nicht tot, so hoffe und glaube ich, aber ob von Robert von Gloucester oder den Walisern... Ich wünschte, ich wüßte es.«

»Die Waliser?« fragte Cadfael und spitzte die Ohren. »Wie das? Owain Gwynedd hat doch noch nie für die Kaiserin die Hand ins Feuer gelegt. Nachdem er sich so lange heraushielt und so viel dabei gewann? So ein Narr kann er nicht sein! Warum sollte er einem seiner Feinde helfen? Es sähe ihm ähnlicher, zuzusehen, wie sie sich gegenseitig die Kehlen durchschneiden.«

»Ihr sprecht wie ein wahrer Christenmensch«, erwiderte Hugh mit einem knappen, düsteren Lächeln und schien erfreut, als Cadfael schnaufte und errötete. »Nein, Owain besitzt Urteilsvermögen und Verstand, doch zu seinem Unglück hat er einen Bruder. Cadwaladr war mit einem Trupp Bogenschützen da, und Madog ap Meredith aus Powys war bei ihm, ganz versessen aufs Plündern. Sie sind über Lincoln hergefallen und haben jeden gefangengenommen, von dem man sich Lösegeld versprach, sogar die Halbtoten. Aber ich bezweifle, daß Gilbert darunter ist.« Er bewegte sich etwas und brachte seinen steifen, geschundenen Körper auf den Kissen in eine bequemere Position. »Doch sind es nicht die Waliser«, fuhr er grimmig fort, »welche die größte Beute erwischt haben. Robert von Gloucester ist heute abend wohl schon auf halbem Wege zu seiner Stadt – um den einen Gefangenen, der ein ganzes Königreich wert ist, an die Kaiserin Maud zu übergeben. Gott weiß, was jetzt kommen mag, aber ich weiß, was ich zu tun habe. Mein Sheriff ist außer Reichweite, und niemand ist hier, der einen Nachfolger benennen könnte. Also muß ich, so gut ich es vermag, diese Grafschaft beschützen, und das werde ich tun, bis sich das Blatt wieder wendet. König Stephen nämlich wurde in Lincoln bezwungen und als Gefangener nach Gloucester verschleppt.«

Als seine Zunge gelöst war, wollte er sogleich die ganze Geschichte erzählen, sowohl um sich selbst noch einmal Klarheit zu verschaffen als auch um seine Zuhörer zu unterrichten. Er war jetzt Herr eines ganzen Landes, das er im Auftrag eines unglücklichen Königs halten und schützen mußte, und es war seine Aufgabe, das Land so zu hüten, daß es in seinen Grenzen unverletzt blieb, bis wieder ein wirklicher Herrscher an der Spitze stand.

»Ranulf von Chester stahl sich aus der Burg von Lincoln und schaffte es, die ihm feindliche Stadt zu verlassen, ehe wir in die Nähe kamen. Er wandte sich in großer Eile an Robert von Gloucester und versicherte der Kaiserin seine Treue im Kampf gegen uns. Chesters Frau ist schließlich Roberts Tochter, und der hatte sie beim Herzog von Lincoln im Schloß gelassen. Die ganze Stadt stand unter Waffen und brodelte um sie herum. Das gab ein Willkommen, als Stephen mit seinem Aufgebot eintraf – die Stadt lag ihm zu Füßen. Arme Hunde, sie haben danach schwer dafür gebüßt. Nun denn, da waren wir, die Stadt war unser und die Burg unter Belagerung, und mit dem Winter auf unserer Seite und der Entfernung, die Robert zu überwinden hatte und bei all dem widrigen Schnee und den Überschwemmungen hätte jede gesagt, daß alle Vorteile auf unserer Seite lagen. Doch ein Robert läßt sich nicht so leicht beirren.«

»Ich war noch nie im Norden«, sagte Cadfael mit einem Glitzern im Auge und einer Unruhe im Blut, die er nur mühsam unterdrücken konnte. Die Zeit seiner Waffengänge war vorbei, er hatte alledem abgeschworen, doch er sehnte sich immer noch nach dem Prickeln des Kampfes, in den seine Freunde sich wagen durften. »Lincoln soll eine hügelige Stadt sein, und die Garnison sehr beengt. Robert oder nicht, die Stadt sollte leicht zu halten sein. Was kam dazwischen?«

»Nun, zwar unterschätzten wir Robert wie immer, aber das allein wäre noch nicht verhängnisvoll gewesen. Nach dem Regen, den es da oben gegeben hatte, war die Flußbiegung im Süden und Westen der Stadt überschwemmt, die Brücke war bewacht und die Furt unpassierbar. Aber Robert passierte sie dennoch. Er stürzte sich in die Flut, und was konnten seine Männer tun, außer ihm zu folgen? ›Der Weg führt nach vorn, niemals zurück!‹ rief er — das hat uns ein Gefangener erzählt. Und da sie dichtgedrängt das Wasser durchquerten, kamen sie fast ohne Verlust hinüber. Oh, natürlich hätten sie bergauf gemußt, aus den überschwemmten Niederungen zu uns auf den Hügel — wenn Stephen nicht eben Stephen wäre! Der größte Teil ihrer Truppe lagerte unten in den feuchten Feldern, und bei der Messe hatten alle heiligen Zeichen gegen sie gesprochen — Ihr wißt ja, daß Stephen mitunter auf solche Zeichen etwas gibt —, ja, und was meint ihr, was er tat? Mit dieser wahnwitzigen Ritterlichkeit, Gott weiß, ich liebe ihn dafür genauso, wie ich ihn verfluche, führt er doch seine Truppen vom Hügel herunter in die Ebene, um sich dem Feind unter ausgeglichenen Bedingungen zu stellen.«

Hugh ließ die Schultern gegen die massive Wand sinken, hob die Augenbrauen und grinste, zwischen Bewunderung und Verzweiflung schwankend.

»Sie hatten sich auf das höchste und trockenste Stück Land zurückgezogen, das sie finden konnten, und das war eine halb gefrorene Marsch. Robert hatte alle Enteigneten – Mauds Lehnsmänner, die in ihrem Dienst im Osten Land verloren hatten – mit Pferden versorgt und sie in die erste Reihe gestellt, da sie nichts zu verlieren und alles zu gewinnen hatten und zuallererst Rache nehmen wollten. Und unsere Ritter hatten alles zu verlieren und nichts zu gewinnen und waren weit von ihren Burgen und Ländereien entfernt; sie sehnten sich danach, zurückzukehren und ihre Verteidigungsanlagen zu befestigen. Und dann waren da die walisischen Horden, die auf Plünderungen aus waren und die ihr Hab und Gut wohlbehalten und sicher im Westen wußten, völlig unbedroht. Was hatten wir zu erwarten? Als die Enteigneten unsere Reiter angriffen, verloren fünf Grafen die Nerven und flohen. Links trieben Stephens Flamen die Waliser zurück, aber Ihr wißt ja, wie die sind – sie zogen sich gerade weit genug zurück, um sich ohne Verluste neu sammeln zu können, und dann waren sie wieder da, auf jeden unserer Männer kam ein Bogenschütze, und sie konnten nach Belieben ihre Ziele auswählen. Als die flämischen Soldaten schließlich davonliefen, rannten ihre Hauptleute hinterher – William von Ypres und Ten Eyck und alle anderen. Stephen blieb unberitten bei uns, und seine dezimierte Schar, beritten und zu Fuß, schloß sich uns an. Der Feind überrollte uns einfach, und schließlich verlor ich Gilbert aus den Augen. Kein Wunder, denn es war ein schlimmes Durcheinander, und niemand konnte weiter als bis zur Spitze seines Schwertes oder Dolches sehen, je nachdem, womit er seinen Kopf zu schützen suchte. Stephen hatte noch sein Schwert. Cadfael, ich schwöre Euch, Ihr habt noch nie einen Mann in der Schlacht so wild gesehen, denn wild wird Stephen, wenn sein freundliches Wesen einmal aufgestachelt ist. Es war eher die Belagerung einer Burg als die Überwindung eines einzigen Mannes.

Um ihn lag ein Wall von Männern, die er erschlagen hatte, und wer ihn angreifen wollte, mußte darüberklettern und blieb schließlich doch als oberster auf den Toten liegen. Chester ging ihn an − und er setzte ihm zu, denn es gibt nicht viel, was Ranulf schrecken kann −, doch wäre das Schwert des Königs nicht gebrochen, dann wäre er ein Stein in dem Schutzwall aus Leibern geworden. Irgend jemand, der in seiner Nähe war, drückte Stephen eine dänische Axt in die Hand, doch Chester hatte sich schon durch einen Sprung in Sicherheit gebracht. Und dann klaubte jemand, der am Handgemenge nicht direkt beteiligt war, einen großen Stein vom Boden und traf Stephen damit von der Seite. Es fällte ihn wie einen Baum, er verlor sofort das Bewußtsein, und dann fielen sie über ihn her und hielten den Bewußtlosen an Händen und Füßen fest. Ich wurde von einer anderen Woge überspült«, sagte Hugh traurig, »wurde niedergetrampelt und lag zwischen den toten Männern. Als ich wieder zu mir kam, hatten sie den König fortgeschleppt und waren in die Stadt geschwärmt, um sie auszuplündern. Sie würden später zurückkommen, um das Schlachtfeld nach allem abzusuchen, was des Mitnehmens wert war. Ich sammelte alle aus unserer Stadt, die noch lebten, es waren mehr, als ich gehofft hatte, schaffte sie außer Reichweite und suchte mit einem oder zweien meiner Männer nach Gilbert. Wir fanden ihn nicht, und als die Feinde befriedigt aus der Stadt zurückkamen, um auch das Schlachtfeld zu plündern, zogen wir ab, um wenigstens das heimzubringen, was wir noch hatten. Was sonst hätten wir tun können?«

»Nichts weiter, wie ich es sehe«, sagte Cadfael fest. »Und ich danke Gott, daß Ihr unversehrt davonkamt und noch so viel tun konntet. Wenn es einen Ort gibt, an dem Stephen Euch jetzt braucht, dann ist es diese Grafschaft, die Ihr für ihn schützen müßt.«

Das verstand sich von selbst. Hugh hätte sich sonst nie aus Lincoln zurückgezogen. Über das Gemetzel dort wurde also kein weiteres Wort verloren. Natürlich war es besser gewesen, den größten Teil der Überlebenden aus Shrewsbury, die seinem Befehl unterstellt gewesen waren, zurückzubringen, und das hatte er ja auch getan.

»Stephens Königin ist in Kent, und als Herrin von Kent hält sie mit einer starken Armee den ganzen Süden und Osten«, sagte Hugh. »Sie wird zwischen hier und London jeden Stein umdrehen, und irgendwie wird sie Stephen befreien können. Dies ist nicht das Ende. Eine Wende kann wieder umgewendet, ein Gefangener kann aus dem Gefängnis befreit werden.«

»Oder ausgetauscht«, entgegnete Cadfael, wenn auch zweifelnd. »Hat denn die Seite des Königs keine wichtigen Gefangenen gemacht? Allerdings glaube ich, daß die Kaiserin Stephen nicht einmal für drei ihrer liebsten Grafen gehen ließe, selbst wenn es Robert wäre, ohne den sie doch völlig hilflos ist. Nein, sie wird ihren Gefangenen sicher verwahren und versuchen, den Thron zu erringen. Glaubt Ihr, die Prinzen der Kirche würden ihr den Weg versperren?«

»Nun«, sagte Hugh, während er sich unter Schmerzen reckte und dabei neue Prellungen entdeckte, »eines weiß ich jedenfalls: Es ist meine Pflicht dafür zu sorgen, daß hier in Shropshire alles nach dem Willen des Königs geschieht. Wenigstens diese Grafschaft muß dem König erhalten bleiben.«

Hugh kam zwei Tage später in die Abtei herunter, um der Messe beizuwohnen, die Abt Radulfus für die Seelen all jener, die in Lincoln auf beiden Seiten gestorben waren, und zur Heilung von Englands offenen, schwärenden Wunden abhalten wollte. Ganz besonders wollte man für die unglücklichen Bewohner der Stadt im Norden beten, die eine leichte Beute der feindlichen Armeen geworden waren. Man hatte ihnen alles geraubt, was sie besaßen, vielen sogar das Leben, und viele waren in die Wildnis des winterlichen Landes geflohen. Jetzt wurde näher an Shropshire gekämpft als noch vor drei Jahren, denn man hatte einen Grafen von Chester zum Nachbarn, der sich vom Erfolg beflügelt fühlte und nach neuen Eroberungen gierte. Jede einzelne von Hughs ausgelaugten Garnisonen stand unter Waffen und war bereit, das bedrohte Land zu verteidigen.

Nach der Messe, als Hugh im großen Hof mit dem Abt plauderte, entstand im Bogengang des Torhauses plötzlich Unruhe, und aus der Klostersiedlung kam eine kleine Prozession herein. Vier stämmige Landbewohner in selbstgewirkten Kleidern schritten energisch durchs Tor. Zwei hatten sich ihre Bogen so über die Schulter gelegt, daß sie jederzeit danach greifen konnten, einer trug eine Hippe auf der Schulter, und der vierte schwenkte eine langstielige Mistgabel. Zwischen ihnen ritt eine füllige Frau in mittleren Jahren, die die schwarze Tracht einer Benediktinernonne trug, auf einem schmächtigen Maultier. Die weißen Bänder ihrer Haube umrahmten ein rundes, rosiges Gesicht, gutgenährt und mit kräftigen Zügen, in dem hellbraune Augen strahlten. Sie trug Stiefel wie ein Mann und hatte die Tracht zum Reiten hochgerafft, doch als sie abstieg, löste sie das Gewand mit einer raschen Bewegung ihrer kräftigen Hand. Sie blieb wachsam und besonnen stehen und sah sich gelassen nach jemand um, der hier die Befehlsgewalt hatte.

»Eine Schwester besucht uns«, sagte der Abt freundlich, während er sie interessiert betrachtete, »aber es ist keine, die ich kenne.«

Bruder Cadfael, der auf dem Weg zum Garten und seinem Herbarium gemächlich den Hof durchquerte, hatte ebenfalls die plötzliche Unruhe am Tor bemerkt und beim Anblick der ihm offensichtlich vertrauten Gestalt einen Augenblick innegehalten. Er war dieser Dame schon einmal begegnet und fand sie durchaus erinnernswert. Und es schien, als erinnerte auch sie sich erfreut an die Begegnung, denn sobald ihr Blick auf ihn fiel und ein Funke des Wiedererkennens in ihren Augen aufflammte, schritt sie auf ihn zu. Er ging ihr entgegen und begrüßte sie freudig. Ihre stämmigen Leibwächter, zufrieden, sie sicher dort abgeliefert zu haben, wo sie hinwollte, standen gelassen auf dem Pflaster am Torhaus und waren anscheinend in keiner Weise von der Umgebung eingeschüchtert oder beeindruckt.

»Ich dachte doch, daß ich diesen Gang kenne«, sagte die Dame befriedigt. »Ihr seid Bruder Cadfael, der einmal geschäftlich zu unserer Klause gekommen ist. Ich bin froh, Euch hier anzutreffen, denn ich kenne sonst niemand. Wollt Ihr mich Eurem Abt vorstellen?«

»Sehr gern«, sagte Cadfael, »und tatsächlich beobachtet er Euch schon von der Ecke des Klosters aus. Es ist jetzt zwei Jahre her... Darf ich ihm sagen, daß er die Ehre hat, Schwester Avice zu empfangen?«

»Schwester Magdalena«, entgegnete sie bescheiden und lächelte leicht, und so kurz und artig das Lächeln auch war, blitzte dabei doch das verschmitzte Grübchen, an das er sich erinnerte, wie ein Stern auf ihrer wettergegerbten Wange auf. Er hatte sich damals gefragt, ob sie bei ihrer Berufung als Braut Christi nicht besser dieses Lächeln hätte irgendwie ausmerzen sollen; vielleicht war es eben die stärkste Waffe in ihrem Arsenal. Unwillkürlich zwinkerte er ihr zu, und sie bemerkte es. Avice von Thornbury hatte eine verschwörerische Art, die jeden Mann glauben machte, er sei der einzige, dem sie vertraute.

»Mein Auftrag«, begann sie sachlich, »gilt Hugh Beringar, denn wie ich hörte, ist Gilbert Prestcote nicht aus Lincoln zurückgekehrt. In der Vorstadt erfuhren wir, daß Hugh Beringar hier zu finden sei, sonst hätten wir erwartet, ihn oben auf der Burg zu treffen.«

»Er ist da«, sagte Cadfael. »Gerade aus der Messe gekommen, und nun redet er mit Abt Radulfus. Dort hinten seht Ihr die beiden.«

Sie blickte in die angegebene Richtung, und ihrem Gesichtsausdruck war zu entnehmen, daß ihr gefiel, was sie sah. Abt Radulfus war überdurchschnittlich groß, aufrecht wie eine Lanze und sehnig, mit einem Adlergesicht und einem ruhigen, abwägenden Blick; und auch Hugh, einen ganzen Kopf kleiner und eher ein Leichtgewicht, war kaum zu übersehen, obwohl er stets ruhig sprach und sich nur selten in den Mittelpunkt drängte. Schwester Magdalena musterte ihn mit einem raschen Blick aus ihren braunen Augen von Kopf bis Fuß. Sie wußte Männer einzuschätzen, und sie erkannte einen guten Mann auf den ersten Blick.

»Sehr gut denn!« sagte sie nickend. »Kommt mit, ich will meine Aufwartung machen.«

Abt Radulfus merkte auf, als sie sich ihm näherten, und er und Hugh kamen den beiden entgegen.

»Ehrwürdiger Vater«, sagte Cadfael, »Schwester Magdalena aus unserem Orden ist aus der Klause von Polesworth gekommen, die einige Meilen im Südwesten im Wald bei Godric's Ford liegt. Ihr Auftrag gilt Hugh Beringar als dem Sheriff dieser Grafschaft.«

Sie machte eine sehr anmutige Ehrenbezeugung und beugte sich über die Hand des Abtes. »In Wirklichkeit betrifft das, was ich zu sagen habe, alle, die hier mit Ordnung und Frieden zu tun haben, Vater. Bruder Cadfael hat unsere Klause besucht und weiß, wie es uns in diesen unruhigen Zeiten ergeht, so einsam und so nahe an Wales. Er kann erklären und ergänzen, was ich versäume.«

»Seid willkommen, Schwester«, sagte Radulfus, indem er sie ebenso genau abschätzte, wie sie ihn abgeschätzt hatte. »Bruder Cadfael soll unser Berater sein. Seid zum Mittagessen mein Gast. Und ich werde Befehl geben, daß Eure Wächter – die, wie ich sehe, ergeben auf Euch warten – angemessen untergebracht werden. Und da Ihr Euch noch nicht kennt – hier an meiner Seite ist Hugh Beringar, der Mann, den Ihr sucht.«

Obwohl diese Seite ihres Gesichts von ihm abgewandt war, war Cadfael sicher, daß das Grübchen auf der Wange sichtbar wurde, als sie sich an Hugh wandte und ihn förmlich begrüßte: »Mein Herr, ich hatte noch nie das Glück«, sagte sie – wobei infrage stand, ob dies ausgesuchte Höflichkeit oder eine Schelmerei war – »Euch zu begegnen, denn bisher wechselte ich nur einige Worte mit Eurem Sheriff. Wie ich hörte, kehrte er nicht mit Euch zurück und wurde womöglich gefangen genommen, was mir für ihn sehr leid tut.«

»Mir auch«, sagte Hugh. »Allerdings hoffe ich, ihn zu befreien, sobald sich eine Gelegenheit dazu bietet. Da Ihr mit einer Eskorte kamt, Schwester, nehme ich an, daß Ihr Grund hattet, Euch vorsichtig durch den Wald zu bewegen. Ich denke, dies ist nun, da ich zurück bin, ebenfalls meine Angelegenheit.«

»Laßt uns in mein Sprechzimmer gehen«, sagte der Abt, »und hören, was Schwester Magdalena zu erzählen hat. Und Ihr, Bruder Cadfael, wollt unterdessen bitte Bruder Denis Bescheid geben, daß den Wächtern unserer Schwester das Beste aufgetischt wird, was das Haus zu bieten hat. Und dann gesellt Euch zu uns, denn Euer Wissen mag von Nutzen sein.«

Sie saß ein Stück vom Feuer entfernt, als Cadfael einige Minuten später das Sprechzimmer des Abtes betrat. Die Füße sittsam unter den Saum ihres Gewandes gezogen, saß sie aufrecht an der holzvertäfelten Wand. Je länger und genauer er sie musterte, desto wärmer wurden seine Erinnerungen an sie. Sie war viele Jahre lang, seit ihre Schönheit in der Jugend aufgeblüht war, die Geliebte eines Barons gewesen und hatte diese Situation als faire Geschäftsvereinbarung betrachtet, denn die Gegenleistung für die Hingabe ihres Körpers war die Möglichkeit gewesen, aus der Armut zu entkommen und ihren Geist zu bilden. Sie hatte sich loyal und sogar liebevoll an diesen Handel gehalten, solange ihr Herr lebte. Sein Tod hatte beachtliche Talente in ihr geweckt. Mit Entschlossenheit machte sie sich in einem Alter, in dem derlei Offenbarungen höchst selten sind, auf die Suche nach neuen lohnenden Aufgaben. Die Priorin von Godric's Ford und später die Priorin von Polesworth, zunächst erstaunt, als sie mit einer solchen Postulantin konfrontiert waren, hatten in Avice von Thornbury anscheinend etwas gesehen, das sie würdig machte, in den Orden aufgenommen zu werden. Eine Frau, die ohne Murren zu einer jetzt erloschenen Verpflichtung gestanden hatte, würde ebenso fest zu dem Wort stehen, das sie nun geben wollte. Ob man es tatsächlich eine Berufung nennen konnte, schien äußerst zweifelhaft, doch mit Hingabe und Geduld würde es gewiß eine werden.

»Als diese Angelegenheit in Lincoln im Januar so plötzlich für Unruhe sorgte«, begann sie, »vernahmen wir Gerüchte, daß einige Waliser bereit wären, die Waffen zu erheben. Wie ich glaube wohl nicht aus Treue zu einer der Parteien, sondern um unbehelligt plündern zu können, wenn diese beiden Mächte aneinander gerieten. Prinz Cadwaladr von Gwynedd sammelte eine Streitmacht, und die Waliser aus Powys erhoben sich und schlossen sich ihm an; man hörte, daß sie marschieren wollten, um dem Grafen von Chester zur Hilfe zu kommen. So erhielten wir schon vor der Schlacht eine Warnung.«

Sie hatte natürlich alles vorausgeahnt. Wer sonst in diesem kleinen Nest frommer Frauen hätte spüren können, woher der Wind wehte, wie die Lage zwischen den Konkurrenten um die Krone, zwischen Walisern und Engländern, zwischen ehrgeizigen Grafen und gierigen Stammesangehörigen tatsächlich war.

»Und deshalb, Vater, überraschte es uns nicht, als vor etwa vier Tagen ein Junge von einem Gut im Westen Hals über Kopf zu uns gerannt kam und uns erzählte, daß die Kate und das Land seines Vaters verwüstet und seine Familie nach Osten geflohen sei, während walisische Plünderer sich zwischen den Trümmern seines Heims betranken und damit prahlten, als nächstes die Nonnen in Godric's Ford aufzuschlitzen. Ein Jäger auf dem Heimweg verschmäht keineswegs ein paar zusätzliche Stücke Wild. Wir wußten da noch nichts von der Niederlage bei Lincoln«, sagte sie, indem sie Hughs aufmerksamem Blick begegnete, »doch wir schätzten die Lage ein, so gut wir es vermochten und ließen Vorsicht walten. Wenn Cadwaladr auf dem Heimweg zu seiner Burg in Aberystwyth den kürzesten Weg wählt, kommt er nahe an Shrewsbury vorbei. Anscheinend fürchtete er sich, der Stadt zu nahe zu kommen, obwohl die Garnison, wie er wußte, unterbesetzt war. Bei uns im Wald fühlte er sich da sicherer, und da er es bei uns nur mit einer Handvoll Frauen zu tun hatte, war es ihm die Sache wert, einen Tag dem Vergnügen zu widmen und uns auszurauben.«

»Und das war vor vier Tagen?« fragte Hugh scharf.

»Vor vier Tagen kam der Junge. Er ist in Sicherheit, und ebenso sein Vater, doch ihr Vieh ist fort, nach Westen davongetrieben. Vor drei Tagen kamen sie zu uns. Uns blieb ein Tag für die Vorbereitungen.«

»Das war eine verabscheuungswürdige Tat«, sagte Radulfus voller Zorn und Widerwillen, »sich wie ein Feigling auf ein Haus voller schutzloser Frauen zu stürzen. Schande über die Waliser oder jeden anderen, der solche Greueltaten begeht. Und wir hier wußten nichts von eurer Not!«

»Keine Sorge, Vater, wir haben diesen Sturm gut überstanden. Unser Haus steht noch und ist nicht geplündert und keiner unserer Frauen wurde ein Härchen gekrümmt, und auch die Waldarbeiter haben kaum mehr als einen Kratzer abbekommen. Wir waren nicht ganz ohne Verteidigung. Sie kamen von Westen, so daß unser Bach sie von uns abhielt. Bruder Cadfael kennt die Gegend dort.«

»Der Bach ist für den größten Teil des Jahres kein großes Hindernis«, sagte Cadfael zweifelnd. »Wir hatten in diesem Winter zwar schwere Regenfälle, doch es blieben immer noch die Furt und die Brücke zu bewachen.«

»Wohl wahr, doch unter guten Nachbarn ist es nicht schwer, in Kürze ein stattliches Aufgebot zusammenzubekommen. Wir sind bei den Waldleuten gut gelitten, und es sind kräftige Männer.«

Vier kräftige Männer ihrer Armee labten sich gerade im Torhaus an Fleisch und Brot und Dünnbier, stolz und zufrieden und in ihrem Selbstbewußtsein gestärkt; und mit Recht, da sie aus eigener Kraft gesiegt hatten.

»Der Bach führte Hochwasser, doch für alle Fälle hoben wir die Furt aus, falls sie es dennoch versuchen sollten, und dann öffnete John Miller seine Schleusen, um das Wasser noch weiter anschwellen zu lassen. Was die Brücke angeht — nun, wir sägten die Tragbalken an, bis sie nur noch von einem Span gehalten wurden, und legten von ihnen aus Seile in die Büsche. Ihr werdet Euch erinnern, daß dort an beiden Ufern dichter Wald steht, so konnten wir aus guter Deckung heraus jederzeit die Tragbalken niederreißen. Außerdem kamen die Waldleute mit Äxten, Mistgabeln und Bogen und besetzten unser Ufer, um sich jeden vorzunehmen, der den Übergang schaffte.«

Es war keine Frage, wer dieses prächtige Empfangskomitee befehligt hatte. Und da saß sie nun, stämmig, gelassen und gewinnend wie eine gottgesegnete Dorfälteste, die liebevoll und zärtlich über das Betragen und das rasche Heranwachsen ihrer Kinder und Enkelkinder spricht.

»Die Waldleute sind die besten Bogenschützen weit und breit«, fuhr sie fort. »Wir verteilten sie an unserem Ufer zwischen den Bäumen. Und die Männer an dem anderen Ufer hielten sich abseits in der Deckung, um dem Feind die Peitsche zu geben, wenn er davonrannte.«

Der Abt beobachtete sie mit besorgtem, respektvollem Gesicht und hob schließlich die Augen, um seiner verhaltenen Verwunderung Ausdruck zu geben. »Ich erinnere mich, daß Mutter Mariana alt und gebrechlich ist«, sagte er. »Dieser Angriff muß sie in große Verzweiflung und Furcht versetzt haben. Nur gut, daß sie Euch hatte und ihre Amtsgewalt einer so beherzten und fähigen Vertreterin übergeben konnte.«

Schwester Magdalenas wohlwollendes Lächeln, dachte Cadfael, konnte sehr gut eine diskrete Tarnung ihrer Erinnerung an Mutter Mariana sein, die angesichts der Bedrohung verzweifelt und hilflos vor Furcht gewesen war. Doch sie sagte nur: »Unsere Oberin war zu jener Zeit nicht wohlauf, doch, dem Himmel sei Dank, sie hat sich inzwischen erholt. Wir überredeten sie, die älteren Schwestern mit sich in die Kapelle zu nehmen und sich dort mit ihnen und allen heiligen Wertgegenständen, die wir haben, einzuschließen und darum zu beten, daß wir diese Prüfung sicher überstehen. Und zweifellos half uns das noch mehr als Äxte und Bogen, denn wir kamen ohne jeden Kratzer davon.«

»Und dennoch konnten ihre Gebete die Waliser nicht bewegen, vom Angriff abzusehen«, sagte Hugh, der lächelnd ihren arglosen Blick erwiderte. »Was kam dann? Ihr sagtet, alles ging gut aus. Habt Ihr denn eure Seile benutzt?«

»Das haben wir. Sie kamen rasch und eng gedrängt, und wir ließen sie fast ganz herüberkommen, ehe wir die Tragbalken niederrissen. Die erste Angriffswelle stürzte ins Wasser, und ein paar, die es an der Furt versuchten, verloren den Halt und wurden fortgeschwemmt. Nachdem unsere Bogenschützen die ersten Pfeile abgeschossen hatten, gaben die Waliser Fersengeld. Die jungen Burschen, die auf der anderen Seite in Deckung lagen, setzten ihnen nach und scheuchten sie fort. John Miller hat seine Schleusen wieder geschlossen. Gebt uns ein paar Wochen ohne Regen, und wir haben auch die Brücke wieder aufgebaut. Die Waliser ließen drei tote Männer zurück, die im Bach ertranken; die anderen zogen sie wie nasse Katzen heraus und schleppten sie mit, als sie flohen. Alle bis auf einen, und er ist der Anlaß für diese meine Reise. Ein sehr braver junger Mann«, sagte sie, »wurde stromab gespült und wir zogen ihn halb ertrunken wieder heraus. Er wäre gestorben, wenn wir nicht das Wasser aus ihm herausgeschüttelt und ihn mit Klapsen ermuntert hätten, uns seine Geschichte zu erzählen. Ihr könnt jederzeit nach ihm schicken und ihn zu Euch transportieren lassen. Denn wie die Dinge stehen, mag es sein, daß Ihr ihn brauchen könnt.«

»Ich kann jeden walisischen Gefangenen gebrauchen«, sagte Hugh erregt. »Wo haltet Ihr ihn eingesperrt«?

»John Miller hat ihn hinter Schloß und Riegel gesetzt und läßt ihn bewachen. Ihr werdet verstehen, daß ich es nicht wagte, ihn gleich mitzubringen. Er ist unberechenbar wie ein Eisvogel und schlüpfrig wie ein Fisch, und ohne ihn an Händen und Füßen zu fesseln, hätten wir ihn wohl kaum herbringen können.«

»Wir werden versuchen, ihn wohlbehalten herzuschaffen«, sagte Hugh munter. »Für was für einen Mann haltet Ihr ihn? Und hat er Euch seinen Namen genannt?«

»Er will nur walisisch sprechen, und keine von uns beherrscht diese Spache. Aber er ist jung, angezogen wie ein Prinz und benimmt sich überheblich genug, um tatsächlich ein Prinz zu sein und nicht von gewöhnlicher Abstammung. Er mag wertvoll sein, wenn es zu einem Austausch kommt.«

»Ich will ihn gleich morgen holen, und ich danke Euch herzlich für ihn«, versprach Hugh. »Morgen früh will ich ein Fähnlein Reiter aufstellen, und ich will auch gleich nach der Grenze sehen. Wenn Ihr über Nacht bleiben könnt, Schwester, dann können wir Euch sicher nach Hause geleiten.«

»Damit wärt Ihr tatsächlich gut beraten«, sagte der Abt. »Unser Gästehaus und alles, was wir haben, steht Euch zur Verfügung. Natürlich sind auch Eure Nachbarn, die Euch so tapfer geholfen haben, willkommen wie Ihr. Es ist gewiß besser, in der Sicherheit einer großen bewaffneten Gruppe heimzukehren. Wer weiß, ob nicht irgendwo im Wald noch Marodeure lauern, wenn die Feinde schon so kühn geworden sind.«

»Ich bezweifle es«, gab sie zurück. »Auf dem Weg hierher sahen wir keine Anzeichen dafür. Nun, die Männer würden mich nicht allein ziehen lassen, und ich will gern Eure Gastfreundschaft annehmen, Vater. Außerdem freue ich mich darauf, mit Euch heimzureisen, mein Herr«, sagte sie, indem sie Hugh verschmitzt anlächelte.

»Wenn ich ehrlich bin«, sagte Hugh zu Cadfael, als sie gemeinsam den Hof durchquerten, während Schwester Magdalena am Tisch des Abtes zu Gast war, »dann würde ich ihr eher das Oberkommando über den ganzen Wald übergeben, als ihr meinen Schutz anzubieten. Wir hätten sie in Lincoln haben sollen, wo unsere Feinde die Fluten überquerten, während ihre Gegner das nicht vermochten. Morgen mit ihr nach Süden zu reiten, wird gewiß ebenso eine Freude sein, wie es sich als nützlich erweisen könnte. Ich werde mit gespitzten Ohren auf jeden Rat hören, den diese Dame etwa zu geben hat.«

»Ihr werdet genausoviel Freude geben wie empfangen«, entgegnete Cadfael lächelnd. »Sie mag Enthaltsamkeit geschworen haben, und was sie schwört, das hält sie auch. Doch hat sie nicht geschworen, sich nicht an der Plauderei und an der Gesellschaft eines stattlichen Mannes zu erfreuen. Ich bezweifle, ob man ihr so etwas jemals verbieten könnte, denn sie hält es gewiß für eine Verschwendung und eine Schande, Gottes Geschenke nicht anzunehmen.«

Die Reisegefährten fanden sich am nächsten Morgen nach der Prim zusammen: Schwester Magdalena und ihre vier Knappen, Hugh und sein halbes Dutzend bewaffneter Wachleute aus der Burggarnison. Bruder Cadfael sah zu, wie sie sich sammelten und die Pferde bestiegen. Er verabschiedete sich warm und liebevoll von der Schwester.

»Ich glaube, es wird mir schwerfallen, Euch ganz selbstverständlich bei Eurem neuen Namen zu rufen«, gab er zu.

Und ihr Grübchen formte sich und blitzte auf und verschwand wieder. »Ach, das! Ihr glaubt wohl, ich hätte noch nie etwas bereut, was ich getan habe — und ich gestehe, daß ich mich an nichts dieser Art erinnern kann. Nun, es war den Nonnen ein solcher Trost und eine solche Befriedigung, mich aufzunehmen. Sie schlossen mich so freudig in ihre Herzen, die guten Frauen, hatten sie doch eine gefallene Schwester zurückgewonnen. Ich konnte nicht anders als ihnen zu geben, was sie wollten und für richtig hielten. Ich bin ihr ganzer Stolz, sie brüsten sich mit mir.«

»Nun, dazu haben sie allen Grund, nachdem Ihr gerade Plünderung, Verwüstung und wahrscheinlich Mord von ihrem Heim abgewendet habt«, sagte Cadfael.

»Ah, das halten sie eigentlich für recht unschicklich für eine Frau, wenn sie auch über das Ergebnis sehr froh sind. Die Tauben flatterten wild durcheinander — aber ich war ja schließlich noch nie eine Taube, und nur die Männer können den Falken in mir wirklich bewundern.«

Und sie lächelte, stieg auf ihr kleines Maultier und ritt in Richtung Heimat davon, umgeben von Männern, die sie bereits bewunderten und die mehr als bereit waren, ihre Bewunderung zu zeigen. Ob bei Hofe oder im Kloster, Avice von Thornbury konnte keinen Schritt tun, ohne daß sich Männerköpfe nach ihr umdrehten.

2

Hugh kehrte vor Einbruch der Dunkelheit mit seinem
Gefangenen zurück, nachdem er den Saum des großen
Waldes inspiziert und weder plündernde Waliser noch
herrenlos umherstreifende Männer gefunden hatte. Bruder Cadfael sah die Gruppe auf dem Weg zur Burg über
der Stadt am Torhaus der Abtei vorbeiziehen. Der möglicherweise wertvolle walisische Bursche würde in der
Burg sicher eingesperrt werden, und da man ihm nicht
trauen konnte, wahrscheinlich hinter Schloß und Riegel
in einer mehr oder weniger ausbruchsicheren Zelle.
Hugh konnte es sich nicht leisten, ihn zu verlieren.

Cadfael konnte nur einen flüchtigen Blick auf ihn werfen, als der Trupp in der beginnenden Dämmerung vorbeiritt. Anscheinend hatte er unterwegs Schwierigkeiten
gemacht, denn seine Hände waren gebunden und sein
Pferd wurde an der Leine geführt. Die Füße waren an
die Steigbügel gefesselt, und ein Bogenschütze ritt drohend nahe hinter ihm. Wenn die Vorsichtsmaßnahmen
gedacht waren, um ihn sicher herzubringen, dann waren sie erfolgreich gewesen; sollten sie ihn aber einschüchtern, wie der junge Mann selbst zu vermuten
schien, dann waren sie offenbar fehlgeschlagen, denn er
gab sich überheblich, herablassend und unverschämt,
ritt aufrecht und pfeifend vorbei und wandte sich gelegentlich mit einem Schwall walisischer Worte an den Bogenschützen, der diese Ausbrüche gewiß nicht so stoisch hingenommen hätte, wenn er ihren Sinn ebenso gut
verstanden hätte wie Cadfael. Dieser Gefangene war tatsächlich ein sehr mutiger und edler junger Bursche,
wenn er auch etwas übertrieb.

Und er war ein sehr gutaussehender junger Mann,
hoch aufgeschossen für einen Waliser und mit den vorspringenden Wangenknochen und dem Kinn und der
rötlichen Gesichtsfarbe seines Schlages. Ein dichtes Gewirr schwarzer Locken fiel anmutig über seine Stirn und

seine Ohren und wurde, da er keine Mütze trug, immer wieder vom Südwestwind gezaust. Die gebundenen Hände und Füße hinderten ihn nicht, wie ein Zentaur zu reiten, und die Stimme, die seine Wächter mit unverschämten walisischen Worten beleidigte, war hell und klar. Schwester Magdalena hatte mit Recht gesagt, daß sein Gehabe das eines Prinzen war. Wie er sich aufführte, war er gewiß von stolzer Sinnesart, und wahrscheinlich, dachte Cadfael, ziemlich verzogen. Keine besonders seltene Eigenschaft bei einem hübschen, stattlichen und höchstwahrscheinlich einzigen Sohn.

Sie ritten vorbei, und das laute, trotzige Pfeifen des Gefangenen verlor sich allmählich in der Klostersiedlung und auf der Brücke. Cadfael ging wieder in seine Hütte im Kräutergarten und blies die Kohlenpfanne an, um aus Weißem Schlehdorn ein neues Elixier für die winterlichen Hustenanfälle und Erkältungen zu brauen.

Hugh kam am nächsten Morgen von der Burg herunter und bat darum, Bruder Cadfael ausleihen zu dürfen, denn anscheinend hatte sich der Junge einen bösen Riß im Schenkel zugezogen, als er im Wildwasser gegen einen Stein geschlagen war. Es hatte ihn einige Mühe gekostet, die Verletzung vor den Nonnen zu verbergen.

»Wenn Ihr mich fragt«, erklärte Hugh grinsend, »dann wäre er lieber gestorben, als vor den Nonnen seine Beine zu entblößen und sich versorgen zu lassen. Und ich muß ihm hoch anrechnen, daß er, obgleich der Riß wohl nicht so schlimm ist, die paar Meilen, die er gestern ritt, unter beträchtlichen Schmerzen ertrug, ohne sich zu verraten. Er errötete wie ein Mädchen, als wir bemerkten, daß er das angeschlagene Bein schonte und ihn aufforderten, sich zu entkleiden.«

»Ihr habt die Wunde über Nacht unbedeckt gelassen? Was Ihr nicht sagt? Aber wozu braucht Ihr mich nun noch?« fragte Cadfael listig.

»Weil Ihr gut Walisisch sprecht und aus dem Norden

von Wales kommt, und er ist als einer von Cadwaladrs Jungen gewiß aus Gwynedd — aber wenn Ihr schon einmal dabei seid, könnt Ihr auch gleich die Wunden des Jungen versorgen. Wir sprechen Englisch mit ihm, und er schüttelt den Kopf und antwortet nur auf Walisisch, aber trotzdem hat er so einen verschlagenen Blick, der mir sagt, daß er uns sehr wohl versteht und nur seinen Schabernack mit uns treibt. Also kommt und sprecht Englisch mit ihm und ertappt den jungen Hüpfer auf frischer Tat, wenn er denkt, seine walisischen Beleidigungen könnten als Höflichkeiten durchgehen.«

»Wahrscheinlich hätte Schwester Magdalena kurzen Prozeß gemacht, wenn sie von seiner Verletzung gewußt hätte«, erwiderte Cadfael nachdenklich. »Da hätte ihm sein ganzes Erröten nichts genutzt.« Damit ging er bereitwillig davon, um Bruder Oswin einzuweisen, was im Herbarium in der Zwischenzeit zu versorgen war, bevor er sich mit Hugh auf den Weg zur Burg machte. Eine mitunter starke Neugierde und ein gewisser Übereifer gehörten zu den regelmäßigen Punkten seiner Beichten. Aber schließlich war er Waliser; irgendwo in den verworrenen Abstammungslinien seines Landes konnte dieser rätselhafte Junge sogar ein entfernter Verwandter sein.

Sie hatten einen gesunden Respekt vor der Kraft, der Schläue und der Gewitzheit ihres Gefangenen und hielten ihn in einer fensterlosen Zelle, wenn auch mit allem Nötigen versorgt. Cadfael ging allein zu ihm hinein und hörte, wie hinter ihm die Tür versperrt wurde. Es gab eine Lampe, nicht mehr als ein schwimmender Docht in einer Ölschale, die aber völlig ausreichte, da die hellen Steinwände das Licht von allen Seiten reflektierten. Der Gefangene betrachtete scheel die Benediktinertracht und war unsicher, was dieser Besuch zu bedeuten hatte. Auf eine eindeutig freundliche Begrüßung in Englisch gab er eine ebenso höfliche Erwiderung auf Walisisch, doch zur

Antwort auf alles andere schüttelte er entschuldigend den dunklen Kopf und gab vor, kein Wort zu verstehen. Er reagierte jedoch sehr bereitwillig, als Cadfael seinen Ranzen auspackte und seine Salben, Reinigungstinkturen und Medizinen bereitlegte. Vielleicht hatte er über Nacht erkannt, wie gut es gewesen war, seine Wunde versorgen zu lassen, denn diesmal entkleidete er sich bereitwillig und ließ Cadfael einen Verband anlegen. Der Ritt hatte seine Verletzung verschlimmert, doch mit etwas Ruhe würde sie bald heilen. Er hatte eine reine, glatte Haut, geschmeidig und fest. Die Muskeln unter der Haut spannten sich jugendlich fest.

»Ihr wart närrisch, dies für Euch zu behalten, wo es schon lange geheilt und vergessen sein könnte«, plauderte Cadfael auf Englisch. »Seid Ihr wirklich so dumm? In Eurer Situation solltet Ihr Euch bemühen, Besonnenheit zu lernen.«

»Von den Engländern«, erwiderte der Junge auf Walisisch, während er wieder den Kopf schüttelte, um zu zeigen, daß er kein Wort verstanden hätte, »habe ich überhaupt nichts zu lernen. Und nein, ich bin kein Dummkopf, denn sonst wäre ich sicher so geschwätzig wie Ihr, alter Glatzkopf.«

»Man hätte Euch in Godric's Ford gut versorgt«, fuhr Cadfael unschuldig fort. »Ihr habt Eure Tage dort verschwendet.«

»Eine Herde dummer Frauen«, sagte der Junge mit versteinertem Gesicht, »und alt und häßlich noch dazu.«

Nun war es aber genug. »Eine Herde Frauen«, sagte Cadfael laut und empört auf Walisisch, »die Euch aus den Fluten zog und Euer Hochwohlgeboren trockenlegte und Euch mit Klapsen ins Leben zurückholte. Und wenn Ihr nicht in einer Sprache, die sie verstehen, anständige Worte des Dankes für sie findet, dann seid Ihr der undankbarste Balg, der jemals Wales entehrte. Und daß Ihr es wißt, mein junger Ritter, es gibt nichts Schlimmeres und nichts Häßlicheres als Undankbarkeit. Und auch nichts Dümmeres, denn ich bekomme Lust, Euch die Verbände abzureißen und Euch mit Euren Schmerzen und Eurer Undankbarkeit allein zu lassen.«

Der junge Mann war bei diesen Worten von seiner Steinbank aufgefahren und sperrte den Mund auf. Sein unreifes, hübsches Gesicht gab ihm das Aussehen eines kleinen Jungen. Er starrte und schluckte und errötete langsam bis über beide Ohren.

»Idiot, ich bin dreimal so walisisch wie Ihr«, sagte Cadfael ruhiger. »Denn ich bin schätzungsweise dreimal so alt wie Ihr. Und jetzt holt Luft und sprecht — und sprecht Englisch, denn ich schwöre Euch, wenn Ihr, abgesehen von äußerster Not, je wieder Walisisch mit mir sprecht, dann werde ich verschwinden und Euch Eurer Dummheit überlassen, und Ihr werdet sehen, wie ungemütlich diese Gesellschaft ist. Haben wir uns jetzt verstanden?«

Der Junge schwankte einen Augenblick zwischen Verlegenheit und Zorn, da er anscheinend an solche Peinlichkeiten nicht gewöhnt war. Dann faßte er sich plötzlich wieder, warf den Kopf zurück, platzte laut heraus und lachte zugleich über seine eigene Dummheit und anerkennend über die Falle, in die er so tolpatschig getappt war. Glücklicherweise besaß er den Humor seiner Landsleute und war anscheinend doch noch nicht ganz verdorben.

»Schon besser«, sagte Cadfael freundlicher. »Es ist in Ordnung, zu pfeifen und Scherze zu machen, um den Mut nicht zu verlieren — aber warum habt Ihr vorgegeben, kein Englisch zu verstehen? Es war ein gefährliches Spiel, und es konnte nicht lange gutgehen.«

»Nur ein oder zwei Tage«, seufzte der junge Mann resigniert, »und ich hätte vielleicht herausgefunden, was mir bevorsteht.« Nachdem er sich einmal entschlossen hatte, die Sprache zu wechseln, war sein Englisch recht flüssig. »Das ist mir alles neu. Ich wollte mich orientieren.«

»Und mit Unverschämtheit die Muskeln stählen, vermute ich. Eine Schande ist es, die frommen Frauen zu beschimpfen, die Euer armseliges Leben retteten.«

»Niemand sollte es hören oder verstehen«, protestierte der Gefangene und räumte mit dem nächsten Atemzug großzügig ein: »Aber ich bin auch nicht stolz darauf. Wie ein Vogel im Netz war ich, der in jede Richtung pickt, ebenso aus Trotz wie um zu fliehen. Und ich wollte nichts über mich verraten, bis ich meine Häscher eingeschätzt hatte.«

»Und erst recht nicht Euren Wert eingestehen«, bohrte Cadfael verschlagen, »aus Angst, man könnte ein hohes Lösegeld für Euch verlangen. Kein Name, kein Rang, keine Möglichkeit, einen Preis für Euch festzusetzen.«

Der junge Mann nickte. Er beäugte Cadfael und rang selbst jetzt noch, da er durchschaut war, offenbar mit sich, wieviel er eingestehen sollte. Und dann stieß er impulsiv die Tore auf und ließ die Worte heraussprudeln: »Um die Wahrheit zu sagen, war mir schon lange vor dem Angriff auf das Nonnenkloster die ganze wilde Angelegenheit nicht mehr geheuer. Owain Gwynedd wußte nichts vom Aufgebot seines Brudes, und er wird auf uns alle zornig sein, und wenn Owain zornig ist, dann verhalte ich mich lieber vorsichtig. Und gerade das habe ich *nicht* getan, als ich mit Cadwaladr mitzog. Ich wünsche von Herzen, ich hätte mich herausgehalten. Ich wollte Euren Damen nichts zuleide tun, aber wie sollte ich mich heraushalten, da ich schon mittendrin war? Und mich dann auch noch gefangennehmen lassen! Von einer Handvoll alter Frauen und Bauern! Man wird mich daheim verachten, ich werde als Hanswurst dastehen.« Das klang eher angewidert als niedergeschlagen, und dann zuckte er die Schultern und grinste sogar belustigt, als er daran dachte, wie man ihn auslachen würde; trotzdem war diese Aussicht schmerzlich. »Und wenn ich Owain viel koste, dann spricht wieder etwas gegen mich. Er ist kein Mann, der gerne Gold bezahlt, um Idioten zurückzukaufen.«

Der junge Mann machte auf den zweiten Blick einen erheblich besseren Eindruck. Er gab es aufrichtig und mit männlicher Würde zu, verloren zu haben, und erkannte an, daß daran nur er selbst schuld war. Cadfaels Herz flog ihm zu.

»Ich will Euch etwas verraten. Je höher Euer Wert ist, desto willkommener seid Ihr Hugh Beringar, der Euch hier festhält. Und es geht dabei nicht um Gold. Ein Herr, der Sheriff dieser Grafschaft, wird höchstwahrscheinlich in Wales gefangengehalten, wie Ihr hier, und Hugh Beringar will ihn zurückbekommen. Wenn Ihr ihn aufwiegen könnt und wenn er lebend dort gefunden wird, dann seid Ihr schon so gut wie zu Hause. Und ohne daß es Owain Gwynedd, der eigentlich nie die Finger in diese Angelegenheit stecken wollte, etwas kostet; er wird froh sein, dies beweisen zu können, indem er uns Gilbert Prestcote zurückgibt.«

»Ist das Euer Ernst?« Der Junge war wieder lebhafter und riß erregt die Augen auf. »Dann sollte ich also reden? Ich habe gute Aussichten, freigelassen zu werden und sowohl den Walisern als auch den Engländern zu Gefallen zu sein? Das wäre ein besserer Ausgang, als ich je erwartet hätte.«

»Und als ihr verdient habt!« sagte Cadfael unverblümt und sah, wie sich der glatte braune Hals versteifte. Dann entspannte er sich plötzlich wieder, die schwarzen Lokken wirbelten herum und das breite Grinsen erschien. »Aha, Ihr seid also bereit«, fuhr Cadfael fort, »dann erzählt jetzt gleich Eure Geschichte, solange ich hier bin, denn ich bin äußerst neugierig. Aber Ihr sollt sie nur einmal erzählen; laßt mich Hugh Beringar holen, damit wir vorankommen. Warum hier auf Steinen im Dunkeln liegen, wenn Ihr Euch auf den Burgwällen die Beine vertreten könntet?«

»Ihr habt mich überzeugt!« sagte der Junge und strahlte hoffnungsvoll. »Bringt mich zur Beichte, und ich werde nichts verschweigen.«

Nachdem er sich einmal entschlossen hatte, sprach er freudig und wortreich; er war von Natur eine nach außen gewandte Seele und schwieg nur ungern. Seine Zurückhaltung mußte eine unglaubliche Selbstkontrolle erfordert haben. Hugh hörte ihm mit unbewegtem Gesicht zu, doch Cadfael kannte ihn inzwischen gut genug, um jedes winzige Zucken der schmalen, ausdrucksvollen Augenbrauen und jedes Glitzern in den schwarzen Augen deuten zu können.

»Mein Name ist Elis ap Cynan, meine Mutter war eine Cousine von Owain Gwynedd. Er ist mein Oberlehnsherr, und er ließ mich von meinem Ziehvater erziehen, zu dem er mich nach dem Tode meines Vaters gab. Das ist mein Onkel Griffith ap Meilyr, bei dem ich mit meinem Vetter Eliud aufwuchs, als wäre er mein Bruder. Griffiths Frau ist eine entfernte Verwandte des Prinzen, und Griffith ist unter seinen Offizieren sehr geachtet. Owain schätzt uns. Er wird mich gewiß nicht in Gefangenschaft darben lassen«, sagte der junge Mann selbstbewußt.

»Und das, obwohl Ihr Euch mit seinem Bruder in eine Schlacht gestürzt habt, aus der er sich heraushalten wollte?« fragte Hugh ohne zu lächeln, doch mit milder Stimme.

»Ganz bestimmt«, beharrte Elis fest. »Aber um die Wahrheit zu sagen, wünsche ich, ich hätte nie mitgetan, und wahrscheinlich werde ich es noch aufrichtiger wünschen, wenn ich zurückgehen und ihm unter die Augen treten muß. Er wird mir wahrscheinlich das Fell über die Ohren ziehen.« Doch er schien nicht besonders deprimiert, als er diesen Gedanken äußerte, und sein plötzliches Grinsen, das in Hughs ungewohnter Gegenwart allerdings etwas unsicher blieb, brach dennoch einen Augenblick durch. »Ich war ein Narr. Nicht zum erstenmal – und ich würde meinen, nicht zum letztenmal. Eliud war vernünftiger. Er ist ernsthaft und vorsichtig, er denkt wie Owain. Es war das erste Mal, daß unsere Wege sich trennten. Ich wünschte jetzt, ich hätte auf ihn gehört. Soweit ich mich erinnere, hat er sich noch nie geirrt. Aber ich brannte darauf zu handeln, war störrisch wie ein Esel und ging allein los.«

»Und hat Euch dann gefallen, was Euer Handeln mit sich brachte?« fragte Hugh trocken.

Elis kaute nachdenklich an der Unterlippe. »Die Schlacht — das war ein guter Kampf, beide Seiten bis an die Zähne bewaffnet. Ihr wart dabei? Dann wißt Ihr ja selbst, daß wir Großes geleistet haben, als wir den überfluteten Fluß überquerten und uns in der gefrorenen Marsch aufbauten, wie wir waren, durchnäßt und schaudernd...« Diese prächtige Erinnerung weckte plötzlich eine andere Erinnerung, nämlich die an den zweiten Versuch, ein Gewässer zu überqueren und an das ganz und gar nicht heldenhafte Ende, das genaue Gegenteil eines Traumes vom Ruhm. Herausgefischt wie ein ertrunkenes Kätzchen, mit dem Gesicht im schlammigen Boden ins Leben zurückgeprügelt, das Wasser ausspuckend, das er geschluckt hatte, gehalten von den Händen eines stämmigen Wäldlers. Er bemerkte Hughs Blick, sah seine eigene Erinnerung in Hughs Augen reflektiert und besaß den Mut zu grinsen. »Nun, bei Überschwemmungen ist das Wasser auf niemandes Seite — es verschlingt Waliser genauso schnell wie Engländer. Aber es hat mir nicht leidgetan, jedenfalls nicht das bei Lincoln; das war ein guter Kampf. Aber danach — nein. Was in der Stadt geschah, drehte mir den Magen um. Wenn ich es vorher gewußt hätte, wäre ich nicht dabei gewesen. Aber ich war dabei, und ich konnte es nicht ungeschehen machen.«

»Euch wurde elend als Ihr saht, was in Lincoln geschah«, erwiderte Hugh verständig. »Und dennoch seid Ihr bei den Räubern geblieben, um auch noch Godric's Ford einzusacken.«

»Was sollte ich tun? Mich allein gegen den ganzen Haufen stellen, gegen meine Freunde und Kameraden, und die Nase in die Luft recken und ihnen sagen, daß sie dabei wären, eine Sünde zu begehen? Ein so großer Held bin ich doch nicht!« entgegnete Elis schlicht und offen. »Trotzdem, Ihr müßt mir glauben, daß ich niemand etwas zuleide tat, denn ich wurde gefangengenommen, und wenn Ihr nun sagt, das geschieht mir recht, dann werde ich nicht beleidigt sein. Das Ende vom Liede ist jedenfalls, daß ich hier bin und Ihr über mich verfügen könnt. Gut, ich bin mit Owain verwandt, und wenn er erfährt, daß ich noch lebe, wird er mich zurückhaben wollen.«

»Dann könnten wir zwei sehr leicht eine vernünftige Übereinkunft finden«, sagte Hugh, »denn ich halte es für möglich, daß mein Sheriff, den ich ebenso dringend zurückhaben will, in Wales gefangen ist, wie Ihr hier gefangen seid, und wenn dies wahr sein sollte, dann dürfte ein Austausch kein großes Problem sein. Ich habe nicht den Wunsch, Euch hinter Schloß und Riegel in einer Zelle zu halten, solange Ihr Euch anständig benehmt und den Ausgang der Geschichte ruhig abwartet. So kommt ihr am raschesten wieder nach Hause. Gebt mir Euer Wort, daß Ihr nicht zu fliehen versucht oder die Burg verlaßt, und Ihr habt innerhalb der Burg alle Freiheit.«

»Von ganzem Herzen gern!« sagte Elis bereitwillig. »Ich gebe Euch mein Wort, nichts zu versuchen und keinen Fuß vor die Tore zu setzen, bis Ihr Eueren Mann zurückhabt und mich freilaßt.«

Cadfael kam am nächsten Tag wieder, um sich zu vergewissern, daß sein Verband dem zackigen Kratzer des walisischen Jungen gutgetan und daß sich die Wunde nicht entzündet hatte; das gesunde junge Fleisch fand zusammen wie die Lippen von Liebenden, und der Riß würde fast ohne Narbe abheilen.

Er war ein netter Junge, dieser Elis ap Cynan, man konnte in ihm lesen wie in einem Buch, er war offen wie ein Gänseblümchen in der Mittagssonne. Cadfael blieb lange bei ihm, um ihn auszuhorchen, was kein großes Problem war und eine reiche Ernte brachte. Da er nun nichts mehr zu verlieren hatte und nur ein mitfühlender älterer Mann seines eigenen Schlages zuhörte, entfaltete er seine Blätter in schwatzhafter Unschuld.

»Ich überwarf mich mit Eliud wegen dieses Beutezuges«, erzählte er traurig. »Er meinte, das sei keine gute Politik für Wales, und die Beute, die wir zurückbrächten, würde den angerichteten Schaden bei weitem nicht aufwiegen. Ich hätte wissen sollen, daß er recht behalten würde – wie immer. Und ich bin ihm nicht einmal böse, das ist das Wunder! Auf ihn kann man einfach nicht böse sein – ich jedenfalls nicht.«

»Die Bande zu einem Ziehbruder können ebenso eng sein wie die zwischen Blutsbrüdern«, sagte Cadfael.

»Noch enger als bei den meisten Brüdern. Wir sind wie Zwillinge, die wir auch fast hätten sein können. Eliud kam eine halbe Stunde vor mir auf die Welt und hat sich seitdem verhalten wie ein älterer Bruder. Er wird meinetwegen inzwischen vor Sorge fast umgekommen sein, denn er weiß ja nur, daß ich im Bach fortgeschwemmt wurde. Ich wünschte, wir könnten diesen Austausch beschleunigen, damit er erfährt, daß ich noch lebe und ihn weiter ärgern kann.«

»Zweifellos gibt es außer Eurem Freund und Vetter noch andere«, sagte Cadfael, »die sich wegen Eures Verschwindens Sorgen machen. Ihr seid noch nicht verheiratet?«

Elis grinste wie ein frecher Junge. »Höchstens leicht bedroht. Meine Ahnen versprachen mich schon vor langer Zeit als Kind, aber ich habe es nicht eilig. Es ist das übliche Schicksal eines Mannes, wenn er heranwächst. Man muß schließlich an die Ländereien und an Bündnisse denken.« Er sprach, als spürte er die Bürde langer

Jahre, die er akzeptierte, doch nicht freudig begrüßte. Ganz gewiß aber liebte er die Dame nicht. Wahrscheinlich war sie eine alte Spielgefährtin aus seinen Kindertagen, an die er heute kaum noch einen Gedanken verschwendete.

»Dennoch macht sie sich womöglich weit mehr Sorgen um Euch, als Ihr Euch um sie«, meinte Cadfael.

»Ha!« rief Elis und lachte kurz und bellend. »Die doch nicht! Wenn ich im Bach ertrunken wäre, hätte man sie mit einem anderen jungen Mann von Stand zusammengebracht, und das wäre genausogut gewesen. Sie hat mich nicht gewählt und ich sie auch nicht. Nun, sie macht keine Einwände, nicht mehr als ich jedenfalls, denn wir könnten es beide viel schlimmer treffen.«

»Wer ist denn die Glückliche?« erkundigte Cadfael sich trocken.

»Nun beginnt Ihr zu sticheln, obwohl ich so ehrlich bin«, gab Elis vorwurfsvoll zurück. »Habe ich denn je behauptet, ich wäre ein Haupttreffer? Das Mädchen ist im Grunde nicht schlecht, ein kleines, kluges, dunkles Ding, auf ihre Art recht hübsch, und wenn es sein muß, dann wird sie mir genügen. Ihr Vater ist Tudur ap Rhys, der Herr von Tregeiriog in Cynllaith — ein Mann aus Powys, aber ein enger Freund von Owain, der denkt wie er. Ihre Mutter war eine Frau aus Gwynedd. Das Mädchen heißt Cristina. Ihre Hand wird für ein großes Geschenk gehalten«, sagte der versprochene Stammhalter wenig begeistert. »So ist es, aber ich komme sicher noch eine ganze Weile ohne sie zurecht.«

Sie wanderten über die Burgmauer, um sich warm zu machen, denn das Wetter war gut, aber kalt, und der Junge haßte es, nach drinnen zu gehen, wenn er es eben vermeiden konnte. Er hob das Gesicht zum klaren Himmel über den Türmen, und sein Schritt war leicht und federnd, als ginge er auf weicher Erde.

»Wir könnten Euch Euer Schicksal noch eine Weile ersparen«, schlug Cadfael hinterlistig vor, »wenn wir die

Suche nach unserem Sheriff etwas verzögern und Euch hier gefangenhalten, solange es Euch gefällt.«

»Oh, nein!« platzte Elis lachend heraus. »Alles, nur das nicht! Lieber eine Frau in Wales als die Art von Freiheit, die ich hier bekomme. Am besten wäre natürlich Wales ohne Ehefrau«, gab der widerspenstige Verlobte zu, während er über sich selbst lachte. »Verheiratet oder nicht, wahrscheinlich ist am Ende alles dasselbe. Es wird immer Jagden und Waffen und Freunde geben.«

Das kleine, kluge, dunkle Geschöpf mit Namen Cristina, die Tochter von Tudur, hat schlechte Aussichten, dachte Cadfael kopfschüttelnd, wenn sie von ihrem Mann mehr erwartet als einen gutmütigen Jungen, der zwar bereit war, sie zu tolerieren und anzunehmen, der von Liebe aber nichts wissen will. Andererseits hatten viele letztlich gute Ehen auf ähnlich unsicherem Grund begonnen, um später doch noch einiges Feuer zu entfachen.

Sie hatten bei ihrer Runde den Bogengang zur Innenmauer erreicht, und das Sonnenlicht fiel in schrägen Strahlen kalt und grell auf ihren Weg. Gilbert Prestcote hatte es vorgezogen, seiner Familie dort drinnen hoch im Eckturm eine Wohnung einzurichten, anstatt ein Haus im Ort zu unterhalten. Zwischen den Zinnen der Burgmauer erreichten die Sonnenstrahlen gerade den schmalen Durchgang, der zu den Privatgemächern hinüberführte, und sie erreichten auch das Mädchen, das jetzt aus der Tür ins Licht heraustrat. Sie war das genaue Gegenteil eines kleinen, klugen und dunklen Geschöpfs, denn sie war groß und schlank wie eine Silberpappel, hatte ein zartes, ovales Gesicht und eine blendend helle Haut. Die Sonne glitzerte in ihrem unbedeckten, wogenden Haar, als sie einen Augenblick auf der Türschwelle zögerte und in der Umarmung der Winterluft leicht schauderte.

Elis, der den Lichtschimmer auf ihrer hellen Haut gesehen hatte, war wie angewurzelt stehengeblieben und starrte gebannt, mit aufgerissenen Augen und offenem Mund, durch den Bogengang. Das Mädchen zog ihren Mantel eng um sich, schloß die Tür hinter sich und schritt energisch über den Wall zum Bogengang, um in die Stadt hinunter zu gehen. Cadfael mußte Elis am Ärmel zupfen, um ihn aus seiner Benommenheit zu wecken. Er zog ihn zur Seite und erinnerte ihn daran, daß er sie mit peinlicher Aufdringlichkeit anstarrte, was sie, wenn sie es bemerkte, durchaus als Beleidigung auffassen konnte. Elis folgte gehorsam, doch nach wenigen Schritten fuhr sein Kopf wieder herum, und er hielt abermals inne und ließ sich nicht weiter drängen.

Sie kam durch den Bogengang und schien sich lächelnd über den schönen Morgen zu freuen, zugleich aber wirkte ihre Haltung ernst und besorgt. Elis hatte sich nicht weit genug zurückgezogen, um unbemerkt zu bleiben, sie spürte seine Gegenwart und wandte ihm abrupt den Kopf zu. Ihre Blicke begegneten sich einen Moment; ihre Augen waren dunkelblau wie Vergißmeinnichtblüten. Der Rhythmus ihrer Schritte brach ab, sie hielt bei seinem Blick inne und fast schien es, als lächelte sie ihn zögernd an wie jemand, den sie wiedererkannte. Ein zartes Rosenrot breitete sich sacht auf ihrem Gesicht aus, bevor sie sich faßte, den Blick abwandte und mit beschleunigten Schritten zum Wachtturm eilte.

Elis stand stocksteif da und sah ihr nach, bis sie durchs Tor gegangen und verschwunden war. Sein Gesicht war tiefrot.

»Wer war diese Dame?« fragte er zugleich drängend und eingeschüchtert.

»Diese Dame«, entgegnete Cadfael, »ist die Tochter des Sheriffs, eben jenes Mannes, den wir lebendig irgendwo in walisischer Gefangenschaft zu finden hoffen und den wir gegen Euch austauschen wollen. Prestcotes Frau ist just in dieser Angelegenheit nach Shrewsbury gekommen und brachte ihre Stieftochter und ihren kleinen Sohn mit, in der Hoffnung, ihren Herrn hier wiederzusehen. Sie ist seine zweite Frau; die Mutter des Mädchens starb, ohne ihm einen Sohn zu schenken.«

»Kennt Ihr ihren Namen? Den Namen des Mädchens?«

»Ihr Name ist Melicent«, sagte Cadfael.

»Melicent...«, formten die Lippen des Jungen stumm. Und laut, eher an Himmel und Sonne als an Cadfael gewandt, sagte er: »Habt Ihr schon einmal solches Haar gesehen? Wie gesponnenes Silber und feiner als Spinnenfäden! Und das Gesicht wie Milch und Rosen... Wie alt mag sie sein?«

»Woher soll ich das wissen? Dem Aussehen nach etwa achtzehn Jahre. Ungefähr im gleichen Alter wie Eure Cristina, würde ich meinen«, erwiderte Bruder Cadfael, ihn etwas unsanft in die Realität zurückreißend. »Ihr würdet ihr einen großen Dienst und Gefallen tun, wenn Ihr ihr den Vater zurückgeben könntet. Und wie ich weiß, brennt Ihr ja auch selbst darauf, nach Hause zurückzukehren«, fuhr er nachdrücklich fort.

Elis wandte den Blick mühsam von der Ecke ab, um die Melicent Prestcote verschwunden war, und blinzelte verständnislos, als wäre er gerade aus einem tiefen Schlaf gerissen worden. »Ja«, sagte er unsicher und ging benommen weiter.

Am Nachmittag, als Cadfael in seinem Verschlag im Kräutergarten damit beschäftigt war, den Vorrat von Stärkungsmitteln für den Winter zu ergänzen, kam Hugh herein und brachte einen Schwall kalte Zugluft mit sich, bevor er die Tür vor dem Ostwind verschließen konnte. Er wärmte sich über der Kohlenpfanne die Hände, nahm sich ungebeten einen Becher Wein aus Cadfaels Flasche und setzte sich auf die breite Bank an der Wand. Er fühlte sich in dieser halbdunklen, nach Holz duftenden Miniaturwelt, in der Cadfael so viel Zeit verbrachte und unter Kräuterrascheln seine besten Gedanken fand, wie zu Hause.

»Ich komme gerade vom Abt«, sagte Hugh, »und habe mir Euch für ein paar Tage ausgeborgt.«

»Und er war bereit, mich auszuleihen?« fragte Cadfael interessiert, während er einen noch warmen Krug zustöpselte.

»Um einer guten Sache Willen und aus guten Gründen, ja. Soweit es nämlich darum geht, Gilbert zu finden und zurückzuholen, ist es ihm so ernst wie mir. Und je eher wir wissen, ob ein solcher Austausch möglich ist, desto besser für alle.«

Cadfael konnte ihm nur beipflichten. Er dachte unbehaglich, aber noch nicht besonders besorgt über die Heimsuchung des Morgens nach. Ein solcher Anblick, weit von allem Walisischen und Vertrauten entfernt, mochte junge, leicht zu beeindruckende Augen wohl blenden, doch ein älteres Eheversprechen war zu bedenken, auch die Kompliziertheit des walisischen Ehrenkodex und die bittere Tatsache, daß Gilbert Prestcote einen alten Haß gegen die Waliser nährte, der von gewissen Angehörigen jenes Menschenschlages von Herzen erwidert wurde.

»Ich muß die Grenze bewachen und die Garnison besetzen«, sagte Hugh, während er seinen Becher Wein mit beiden Händen wärmte, »und hinter der Grenze habe ich Nachbarn, die von ihrer Kühnheit trunken sind und geradezu darauf brennen, neue Eroberungen zu machen. Owain Gwynedd eine Nachricht zu schicken ist, wie wir alle wissen, ein gefährliches Unterfangen. Ich würde nur ungern einen Hauptmann, der nicht Walisisch spricht, auf diese Mission schicken, denn er könnte auf Nimmerwiedersehn verschwinden. Sogar eine gutbewaffnete Gruppe von fünf oder sechs Männern könnte sich in Luft auflösen. Ihr aber seid Waliser, Eure Kutte ist so gut wie ein Kettenhemd, und jenseits der Grenze habt Ihr überall Verwandte. Mit Euch stehen die Chancen günstiger als mit jeder Truppe von Kriegern. Eine kleine Eskorte als Schutz vor herrenlosem Gesindel, dazu Eure walisischen Sprachkenntnisse und Eure Verwandtschaftsbeziehungen als Schhutz bei allen andernen Begegnungen. Was sagt Ihr dazu?«

»Ich müßte mich meiner walisischen Abstammung schämen«, sagte Cadfael freundlich, »wenn ich nicht mindestens die letzten sechzehn Generationen meiner Ahnenlinie hersagen könnte. Laßt mich also wohlgemut nach Gwynedd aufbrechen.«

»Oh, aber wir haben gehört, daß Owain sich vielleicht gar nicht in der weit entfernten Wildnis von Gwynedd aufhält. Da Ranulf von Chester so glorreich siegte und da es ihn nach mehr gelüstet, ist der Prinz nach Osten gezogen, um seine Grenzen zu bewachen. So sagen jedenfalls die Gerüchte. Man munkelt sogar, er sei auf unserer Seite der Berwyn Hills in Cynllaith oder Glyn Ceiriog, um Chester und Wrexham im Auge zu behalten.«

»Das sähe ihm ähnlich«, stimmte Cadfael zu. »Er denkt in großem Maßstab und sehr vorausschauend. Wie lautet nun der Auftrag? Laßt mich hören.«

»Er lautet, Owain Gwynedd zu fragen, ob er meinen Sheriff, der in Lincoln gefangen wurde, selbst in Gewahrsam hat oder ob er ihn von seinem Bruder übernehmen kann. Und wenn er ihn hat oder ihn finden und in seine Gewalt bringen kann, ob er dann bereit ist, ihn gegen seinen jungen Stammesgenossen Elis ap Cynan auszutauschen. Ihr könnt aus eigenem Wissen berichten, daß der Junge wohlauf und gesund ist. Owain kann alle Sicherheiten bekommen, die er fordert, denn jeder weiß, daß er zu seinem Wort steht, während er vielleicht in bezug auf mich sich dessen nicht so sicher ist. Mag sein, daß er nicht einmal meinen Namen kennt. Aber er wird mich kennenlernen, wenn wir in dieser Angelegenheit verhandeln. Werdet Ihr gehen?«

»Wie bald?« fragte Cadfael, indem er einen Krug zum Abkühlen beiseite stellte und sich neben seinen Freund setzte.

»Morgen schon, falls Ihr Eure Arbeiten hier delegieren könnt.«

»Ein Sterblicher sollte jederzeit Willens und bereit sein, seine Aufgaben zu delegieren«, sagte Cadfael nüchtern, »da er ja nur sterblich ist. Oswin ist inzwischen äußerst kundig und geschickt mit den Kräutern; mehr als ich damals zu hoffen wagte, als er zu mir kam. Und Bruder Edmund ist ein Meister seines eigenen Reiches und wird gut ohne mich zurechtkommen. Wenn der Vater Abt mich freigibt, bin ich Euer. Ich will tun, was ich tun kann.«

»Dann kommt gleich morgen nach der Prim zur Burg, wo man Euch ein gutes Pferd geben wird.« Er wußte, daß dies eine besondere Verlockung und Freude für den Mönch war und lächelte, als er sah, wie das Angebot aufgenommen wurde. »Und ein paar ausgewählte Männer als Eskorte. Alles andere bleibt Eurer walisischen Zunge überlassen.«

»Wie wahr«, sagte Cadfael selbstzufrieden. »Ein rasches Wort auf Walisisch ist besser als ein Schild. Ich werde kommen. Aber laßt Eure Bedingungen ordentlich auf Pergament schreiben. Owain hält sehr auf Formen und schätzt es, wenn ein Vertrag sauber aufgesetzt ist.«

Am nächsten Morgen nach der Prim — der Morgen war grauer als der des letzten Tages — zog Cadfael sich Stiefel und Mantel an und ging durch die Stadt zu den Burgwällen hinauf, wo die Pferde seiner Eskorte gesattelt bereitstanden. Die Männer erwarteten ihn schon. Er kannte sie alle, sogar den Jungen, den Hugh als vorläufige Geisel für den gewünschten Gefangenen vorgesehen hatte, falls alles gutging. Er nahm sich einen Augenblick Zeit, um sich von Elis zu verabschieden, der zu dieser frühen Stunde verschlafen und etwas mürrisch in seiner Zelle hockte.

»Wünscht mir Glück, mein Junge, denn ich reite fort, um zu sehen, ob ein Austausch möglich ist. Mit etwas gutem Willen und einem Quentchen Glück könnt Ihr in wenigen Wochen schon auf dem Heimweg sein. Ihr werdet sicher mächtig froh sein, wenn Ihr als freˈ Mann in Euer Heimatland zurückkehrt.«

Elis pflichtete ihm bei, da dies offensichtlich erwartet wurde, doch die Zustimmung klang halbherzig. »Aber es ist doch noch nicht sicher, ob Euer Sheriff wirklich dort ist und befreit werden kann? Und selbst wenn er dort ist, könnte es einige Zeit dauern, bis er gefunden und aus Cadwaladrs Händen genommen wird.«

»In diesem Falle«, erwiderte Cadfael, »müßt Ihr Eure Seele in Geduld üben und eine Weile unser Gefangener bleiben.«

»Wenn ich muß, dann kann ich auch«, stimmte Elis zu, was für einen jungen Mann, der bisher nicht allzu erfolgreich darin gewesen war, seine Seele in Geduld zu üben, etwas zu freudig und bereitwillig klang. »Ich hoffe sehr, daß Ihr sicher reist und gut zurückkehrt«, fügte er pflichtbewußt hinzu.

»Und benehmt Euch, während ich in Euren Angelegenheiten unterwegs bin«, riet Cadfael ihm resigniert und wandte sich zum Gehen. »Falls ich ihm begegne, werde ich Eurem Ziehbruder Eliud Eure Grüße übermitteln und ihm sagen, daß Ihr nicht zu Schaden gekommen seid.«

Elis nahm dieses Angebot freudig an, versäumte es jedoch gröblich, einen weiteren Namen zu erwähnen, der angemessenerweise mit dieser Botschaft hätte verbunden werden müssen. Und Cadfael vermied es, ihn von sich aus zu erwähnen. Er war schon an der Tür, als Elis ihm plötzlich noch nachrief: »Bruder Cadfael...«

»Ja?« sagte Cadfael und wandte sich um.

»Diese Dame... die wir gestern sahen, des Sheriffs Tochter...«

»Was ist mit ihr?«

»Ist sie schon versprochen?«

Also..., dachte Cadfael, während er, sich seines Auftrags bewußt, aufs Pferd stieg und seinen Trupp leichtbewaffneter Männer um sich sammelte. Aus den Augen, aus dem Sinn; so wird es zweifellos sein. Und sie hat kein Wort mit ihm gesprochen und wird es vermutlich auch niemals tun. Sobald er zu Hause ist, wird er sie vergessen. Hätte sie nicht dieses silberhelle Haar, so ganz anders als die schlanken, dunklen walisischen Mädchen, hätte er sie vielleicht nicht einmal bemerkt.

Cadfael hatte die Frage Elis vorsichtshalber ausweichend beantwortet und gesagt, daß er nicht wisse, welche Pläne der Sheriff für seine Tochter habe; er verkniff sich gerade noch die ernste Warnung, die ihm auf der Zunge lag. Energiegeladen, wie der Junge war, hätte ihn jede Behinderung nur entschlossener gemacht. Doch ohne große Widerstände würde er vielleicht das Interesse verlieren. Gewiß besaß das Mädchen eine fast überirdische Schönheit, die um so anziehender wirkte, da sie nun mit dem Kummer und der Sorge um das Schicksal ihres Vaters verbunden war. Wenn die Mission nur erfolgreich verlief..., und je eher, desto besser!

Sie verließen Shrewsbury über die Walisische Brücke und kamen auf den ersten Etappen ihres Weges in nordwestlicher Richtung nach Oswestry rasch voran.

Sybilla, Lady Prestcote, war zwanzig Jahre jünger als ihr Gatte und eine hübsche, einfache Frau mit rundum den allerbesten Absichten. Sie war vor allem deshalb bemerkenswert, weil sie getan hatte, was die erste Frau des Sheriffs versäumt hatte: Sie hatte ihm einen Sohn geboren. Der junge Gilbert, Augapfel seines Vaters und Herzblatt seiner Mutter, war jetzt sieben Jahre alt. Melicent fühlte sich geduldet, aber vernachlässigt, doch die Liebe zu ihrem ausgesprochen hübschen kleinen Bruder ließ keine Abneigung zu. Ein Stammhalter ist eben ein Stammhalter, und eine Tochter steht in seinem Schatten.

Obwohl mit viel Umsicht behaglich eingerichtet, blieben die Gemächer im Burgturm kalt, zugig und klamm und waren nicht der rechte Ort für eine junge Familie; in der Tat war es außergewöhnlich, daß Sybilla mit ihrem Sohn nach Shrewsbury gezogen war, obwohl ihr sechs weitaus angenehmere Häuser zur Verfügung standen. Hugh hätte ihr angesichts der kummervollen Umstände gern die Gastfreundschaft seines eigenen Stadthauses angeboten, doch die Dame hatte zu viele Bedienstete, um dort bequem unterzukommen und zog die Strenge ihrer kalten, doch geräumigen Gemächer im Turm vor. Ihr Gatte war daran gewöhnt, sie allein zu benutzen, wenn seine Pflichten ihn zwangen, in der Garnison zu bleiben. Sie sehnte sich nach ihm und sorgte sich um ihn und gab sich damit zufrieden, an dem Ort auszuharren, der ihm gehörte, so ungemütlich er auch war.

Melicent liebte ihren kleinen Bruder und haderte nicht mit den Gesetzen, auf Grund derer ihr Bruder den ganzen Besitz ihres Vaters erben würde, während ihr nur eine bescheidene Aussteuer blieb. Sie hatte sogar schon ernsthaft erwogen, den Nonnenschleier anzulegen und ganz auf das Prestcote-Erbe zu verzichten, es zog sie zu Altären, sie liebte Reliquien und Opferkerzen, und sie war klug genug, um zu wissen, daß sie beinahe eine Berufene war. Allerdings kam die Offenbarung nicht mit jener überwältigenden Kraft, mit der sie eigentlich hätte kommen müssen.

Zum Beispiel die schockierende Verwunderung, die Freude und Neugier, die sie innehalten und im Schritt zögern ließ, als sie durch den Bogengang zum Außenwall ging und instinktiv zur Seite sah, wo sie jemand in ihrer Nähe spürte, der sie aufmerksam beobachtete: der walisische Gefangene, dessen verblüfften Blick sie erwiderte. Es war nicht seine Jugend und sein gutes Aussehen, sondern der gebannt auf sie gerichtete Blick, der ihr bis ins Herz drang.

Sie hatte sich die Waliser stets voller Furcht und Mißtrauen als barbarische Wilde vorgestellt, und plötzlich stand da dieser schmucke und ansehnliche junge Mann, dessen Augen sie blendeten und dessen Wangen brannten, als er ihren Blick erwiderte. Sie dachte viel an ihn. Sie erkundigte sich nach ihm, vorsichtig nur, um das Ausmaß ihres Interesses zu verschleiern. Und am Tag, als Cadfael sich zu seiner Suche nach Owain Gwynedd aufmachte, sah sie Elis aus einem Fenster ihrer Gemächer. Er war unter den jungen Männern der Garnison schon fast akzeptiert, hatte sich bis zur Hüfte entkleidet und stellte sich einem Ringkampf mit einem der besten Schüler des Waffenmeisters im Innenhof. Für den jungen Engländer, der ihm an Gewicht und Reichweite überlegen war, stellte er keinen Gegner dar und schlug so schwer auf den Boden, daß sie in verzweifeltem Mitgefühl den Atem anhielt. Aber er kam lachend und atemlos wieder auf die Füße und klopfte dem Sieger freundlich auf die Schulter.

Nichts war an ihm − keine Bewegung und kein Blick −, das sie nicht edel und anmutig gefunden hätte.

Sie nahm ihren Mantel und huschte über die Steintreppe hinunter in den Bogengang, durch den er auf dem Weg zu seiner Kammer im Außenwall kommen mußte. Es dämmerte bereits, und alle stellten ihre Arbeit und ihre Übungen ein, um sich für das Abendessen in der Halle bereit zu machen. Elis kam, leicht humpelnd wegen einiger neuer Prellungen, aber pfeifend durch den Bogengang − und der gleiche köstliche Schauder, der sie neulich veranlaßt hatte, den Kopf zu wenden, bewirkte bei ihm eine ähnliche Verzauberung.

Die Melodie erstarb zwischen seinen geöffneten Lippen. Er blieb wie angewurzelt stehen und hielt den Atem an. Ihre Blicke verflochten sich, sie konnten sie nicht mehr voneinander lösen − allerdings versuchten sie es auch gar nicht.

»Mein Herr«, sagte sie, da sie den unregelmäßigen Klang seiner Schritte richtig gedeutet hatte »ich fürchte, Ihr seid verletzt.«

Als er wieder atmete, durchlief ihn ein erneuter Schauder vom Kopf bis zu den Füßen. »Nein«, sagte er zögernd, wie im Traum. »Nein — nicht bis zu diesem Augenblick. Aber jetzt bin ich tödlich verwundet.«

»Ich glaube«, sagte sie erschüttert und schüchtern, »Ihr kennt mich noch gar nicht...«

»Ich kenne Euch«, sagte er. »Ihr seid Melicent. Und ich muß Euren Vater für Euch zurückkaufen — um einen Preis...«

Um einen Preis, um einen schrecklichen Preis, um den Preis, diese Vermählung der Blicke zu zerreißen, die sie aufeinander zutrieb, bis sie sich an den Händen nahmen...

3

Cadwaladr mochte auf dem Rückweg zu seiner Burg in Aberystwyth mit seiner Beute und seinem Gefangenen über die Stränge schlagen, doch nördlich davon hielt Owain Gwynedd streng auf Ordnung.

Cadfael und seine Eskorte hatten ein- oder zweimal Schwierigkeiten, nachdem sie Oswestry rechts liegengelassen und sich nach Wales vorgewagt hatten, doch beim erstenmal überlegten es sich die drei herrenlosen Männer, die Pfeile auf sie abgeschossen hatten, anders, als sie sahen, daß sie eine größere Gruppe herausgefordert hatten, und verschwanden schleunigst im Unterholz; beim zweitenmal tauchte plötzlich eine wilde Patrouille hitzköpfiger Waliser auf, doch als Cadfael sie mit groben walisischen Worten begrüßte, teilten sie ihm schließlich sogar die letzten Neuigkeiten über den Aufenthaltsort des Prinzen mit. Cadfaels zahlreiche Verwandte, Vettern ersten und zweiten Grades und die gemeinsamen Ahnen waren tatsächlich Schutz genug, als sie durch Clwyd und einen Teil von Gwynedd zogen.

Owain, berichtete die Patrouille, war aus seinem Adlerhorst nach Osten gekommen, um Ranulf von Chester genau im Auge zu behalten, der von seinem Erfolg möglicherweise so geblendet war, daß er den Fehler beging, sich mit dem Prinzen von Gwynedd anzulegen. Owain patrouillierte an den Grenzen von Chester und hielt sich inzwischen in Corwen am Dee auf. Dies berichteten die ersten Informanten. Die zweiten, denen sie in der Nähe von Rhiwlas begegneten, waren sicher, daß er die Berwyns überschritten hatte und nach Glyn Ceiriog heruntergekommen sei; möglicherweise kampierte er im Augenblick in der Nähe von Llanarmon. Wenn nicht, sei er gewiß bei seinem Verbündeten und Freund Tudor ap Rhys auf dessen Landsitz in Tregeiriog. Und da es Winter war, so milde er sich auch im Augenblick zeigte, und da Owain Gwynedd offensichtlich gescheiter war als die meisten Waliser, entschied Cadfael sich für Tregeiriog. Warum kampieren, wenn ganz in der Nähe ein treuer Verbündeter wohnte, der ein festes Dach über dem Kopf und eine volle Vorratskamer bieten konnte und dessen Heim zwischen den öden Bergen in einem relativ heimeligen, gemütlichen Tal lag?

Tudur ap Rhys Landsitz befand sich in einer Klamm, durch die ein Gebirgsbach zum Ceiriog hinunterströmte; die Grenzen waren in diesen unsicheren Zeiten gut, doch unaufdringlich gesichert: Zwei Männer kamen, von jeder Seite einer, auf den Weg heraus, bevor Cadfaels Gruppe den dichten Wald über dem Tal verlassen hatte. Erfahrene Augen schätzten die müde Gesellschaft ein, und der Verstand hinter den Augen hatte schon entschieden, daß sie harmlos waren, noch ehe Cadfael seine walisische Begrüßung herausbekommen hatte. Das und seine Tracht waren Sicherheit genug. Der jüngere der beiden schickte seinen Gefährten voraus, um Tudur die Gäste anzukündigen, während er sie selbst gemächlich über das restliche Wegstück führte. Hinter dem Fluß und seinen vereisten Ufern, den wenigen steinigen Feldern und den in den Wald gekauerten Katen vor dem Landsitz stiegen die Hügel wieder auf – braun und öde drunten, weiß und öde droben, hinauf bis zu einem schneebedeckten Gipfel unter einem bleiernen Himmel.

Tudur ap Rhys kam heraus, um sie zu begrüßen und die erforderlichen Artigkeiten auszutauschen; er war ein kleiner, vierschrötiger Mann von großen Körperkräften mit einer dichten braunen Haarmähne, die kaum ergraut war, und einer lauten, melodischen Stimme, die lieber die Tonleitern eines Liedes erkletterte als normal zu sprechen. Ein walisischer Benediktiner war ihm neu, noch dazu ein walisischer Benediktiner, der als Verhandlungsführer aus England zu einem walisischen Prinzen geschickt wurde, doch er unterdrückte höflich seine Neugierde und ließ den Gast im Haupthaus zu einer Kammer führen, wo ein Mädchen sogleich wie üblich das Wasser für die Fußwaschung brachte. Dessen Annahme oder Zurückweisung würde dem Gastgeber anzeigen, ob der Gast beabsichtigte, die Nacht in seinem Haus zu verbringen.

Erst als das Mädchen eintrat erinnerte Cadfael sich, daß Elis just diesen Herrn von Tregeiriog gemeint hatte, als er die Geschichte von seiner Verlobung mit einem kleinen, dunklen und klugen Geschöpf erzählte, die auf ihre Art recht hübsch sei und die ihm, falls er heiraten mußte, genügen würde. Und nun stand sie, die leicht dampfende Schüssel in den Händen, bescheiden vor dem Gast ihres Vaters und war an Kleid und Betragen unschwer als Tudurs Tochter zu erkennen. Klein gewachsen war sie gewiß, doch adrett herausgeputzt und von stolzer Haltung. Klug? Sie bewegte sich energisch und zielstrebig, und obwohl sie mit angemessener Demut eintrat, lag ein selbstsicheres Funkeln in ihren Augen. Natürlich waren es nachtdunkle Augen, und Augen und Haar wurden nur durch einen schwachen, warmen Stich Rot davor bewahrt, rabenschwarz genannt zu werden. Und ein hübsches Gesicht? Nicht außergewöhnlich, wenn es kein Mienenspiel zeigte, sondern eher etwas unregelmäßig mit weitstehenden Augen und zum markanten Kinn hin spitz zulaufend; doch wenn sie sprach oder erregt war, zeigte sich eine so strahlende Lebendigkeit in diesem Antlitz, daß es keine Schönheit mehr brauchte.

»Ich nehme Eure Dienste sehr dankbar an«, sagte Cadfael. »Ihr müßt Cristina sein, Tudurs Tochter. Und wenn Ihr es seid, dann habe ich für Euch wie für Owain Gwynedd eine Botschaft, die Euch beiden gewiß sehr willkommen sein wird.«

»Ich bin Cristina«, antwortete sie, und ihr Gesicht erwachte in strahlender Lebhaftigkeit. »Aber woher weiß ein Bruder aus Shrewsbury meinen Namen?«

»Von einem jungen Mann mit Namen Elis ap Cynan, den Ihr vielleicht schon als verloren betrauert, während er in Wirklichkeit in diesem Augenblick sicher und wohlbehalten in der Burg von Shrewsbury sitzt. Was habt Ihr denn von ihm gehört, seit des Prinzen Bruder mit Aufgebot und Beute aus Lincoln heimkehrte?«

Ihr hellwacher Ausdruck änderte sich nicht, doch sie riß die Augen auf und strahlte. »Man berichtete meinem Vater, er sei mit einigen zurückgelassen worden, die in der Nähe der Grenze ertranken«, antwortete sie. »Aber niemand wußte, wie es ihm wirklich erging. Ist das wahr? Er lebt? Und ist gefangen?«

»Seid nur beruhigt«, sagte Cadfael, »denn genauso ist es. Weder in der Schlacht noch im Bach ist ihm Schlimmes widerfahren, und er kann recht einfach freigekauft werden, damit er zu Euch zurückkehren und, wie ich hoffe, einen guten Ehemann abgeben kann.«

Hier kannst du deinen Köder noch so weit auswerfen, sagte er sich, während er ihr Gesicht beobachtete, das zugleich beredt und verschlossen war, als dächte sie in einer fremden Sprache, hier wirst du doch keinen Fisch fangen. Dieses Mädchen kann ihre Gedanken für sich behalten und weiß die Dinge selbst in die Hand zu nehmen. Was sie für sich behalten will, bekommst du gegen ihren Willen nie aus ihr heraus. Und dann sah sie ihm voll in die Augen und sagte: »Eliud wird sich freuen. Sprach er auch von ihm?« Aber sie wußte die Antwort schon.

»Es wurde ein gewisser Eliud erwähnt«, räumte Cadfael vorsichtig ein, da er spürte, wie unsicher der Grund war, auf dem er sich bewegte. »Ein Vetter, soviel ich erfuhr, mit dem er aber wie ein Bruder aufwuchs.«

»Enger noch als Brüder«, sagte das Mädchen. »Darf ich ihm diese Neuigkeit überbringen? Oder muß ich damit warten, bis Ihr mit meinem Vater zu Abend gegessen und ihm Eure Botschaft übermittelt habt?«

»Ist Eliud denn hier?«

»Im Augenblick nicht. Er ist mit dem Prinzen irgendwo im Norden an der Grenze unterwegs. Sie werden am Abend zurückkommen, denn sie wohnen hier, und Owains Truppen lagern ebenfalls ganz in der Nähe.«

»Das ist gut, denn mein Auftrag gilt dem Prinzen, und er betrifft den Austausch von Elis ap Cynan für einen, der für uns von beträchtlichem Wert ist und der, wie wir glauben, von Prinz Cadwaladr in Lincoln gefangengenommen wurde. Wenn dies für Eliud eine ebensogute Botschaft ist wie für Euch, dann ist es Eure Christenpflicht, seine Sorge um seinen Vetter sobald wie möglich zu besänftigen.«

Sie sah ihn einen Augenblick erfreut an und sagte schließlich: »Ich will es ihm berichten, sobald er aus dem Sattel steigt. Es wäre sehr schade, eine so kameradschaftliche Liebe länger als unbedingt nötig beschattet zu sehen.« Doch in der Süße lag auch Säure, und ihre Augen brannten. Sie empfahl sich höflich und ließ ihn für seine Fußwaschung vor dem Abendmahl allein. Er sah ihr nach; sie ging erhobenen Kopfes und festen Schrittes, aber geräuschlos wie eine jagende Katze davon.

So war das also in dieser Ecke von Wales! Ein versprochenes Mädchen, das mit scharfem Blick ihre Rechte und Privilegien erkannte, während der Junge, noch ein Kind gegen ihre reifende Fraulichkeit, pfeifend und dumm herumstrolchte und lieber den Arm um die Schultern eines anderen Jungen legte, mit dem er sich von Kindheit an verschworen hatte, als seiner zukünftigen Frau ein Kompliment zu schenken. Und sie haßte mit all ihren beträchtlichen Kräften des Verstandes und des Herzens die Liebe, bei der sie nur die dritte im Bunde und höchstens halb willkommen war.

Dabei hätte sie nichts zu beklagen brauchen. Ein Mädchen wird zur Frau, lange bevor ein Junge zum Manne reift, läßt man das bloße Wachstum der Armmuskeln aus dem Spiel. Sie brauchte nur noch etwas zu warten und ihre Klugheit zu nutzen; eines Tages wäre sie dann nicht mehr die vernachlässigte Dritte im Bunde. Doch sie war stolz und wild entschlossen und nicht zum Warten geschaffen.

Cadfael machte sich zurecht und ging zum reich, doch einfach gedeckten Tisch von Tudur ap Rhys. In der Dämmerung flackerten Fackeln an der Hallentür, und von Norden, aus der Richtung von Llansantffraid, kam ein munterer Trupp Reiter von der Patrouille zurück. In der Halle standen die Tische verteilt, der zentrale Kamin brannte hell und schickte duftenden Holzrauch zur geschwärzten Decke, während Owain Gwynedd, der Herr von Nordwales und ausgedehnten Ländereien, zufrieden und hungrig seinen Platz an der Haupttafel einnahm.

Cadfael war ihm vor einigen Jahren schon einmal begegnet. Er war kein Mann, den man leicht vergaß, denn obgleich er sehr wenig von Status und Zeremonien hielt, kam seine königliche Abstammung unübersehbar in seiner Person zum Ausdruck. Gerade siebenunddreißig Jahre alt, stand er in voller Mannesblüte; für einen Waliser war er recht groß gewachsen. Er hatte helles Haar, denn seine Großmutter war Ragnhild aus dem dänischen Königreich von Dublin und seine Mutter Angharag, die unter den dunklen Frauen des Südens wegen ihres flachsfarbenen Haares bekannt war. Seine jungen Gefolgsleute traten wie er ruhig und selbstbewußt auf, wenn auch mit einem prahlerischen Unterton, den ihr Prinz nicht nötig hatte. Cadfael fragte sich, welcher dieser stürmischen Jungen Eliud ap Griffith war, und ob Cristina ihm schon vom Überleben seines Vetters berichtet hatte und in welchen Worten und mit welch eifersüchtiger Bitterkeit, da sie nach wie vor als kaum beachtetes Anhängsel des eingeschworenen Paares galt.

»Und hier haben wir Bruder Cadfael von den Benediktinern in Shrewsbury«, sagte Tudur herzlich, während er Cadfael dicht beim Kopfende des Tisches einen Platz anwies, »mit einer Nachricht für Euch, mein Herr, aus jener Stadt und Grafschaft.«

Owain taxierte die stämmige Gestalt und das verwitterte Gesicht mit vorsichtigen blauen Augen und streichelte seinen kurzgeschnittenen hellblonden Bart. »Bruder Cadfael ist willkommen und ebenso jeder Beweis der Freundschaft aus jener Gegend, denn mir liegt viel an einem sicheren Frieden.«

»Einige Eurer und meiner Stammesgenossen«, sagte Cadfael unverblümt, »statteten vor kurzem mit nicht besonders freundlichen Absichten Shropshires Grenzen einen Besuch ab und ließen unseren Frieden noch bedeutend weniger sicher erscheinen, als er nach Lincoln ohnehin schon war. Ihr habt gewiß davon gehört. Euer hochgeborener Bruder führte den Überfall nicht an, und es mag sogar sein, daß er die Entgleisung nie gutgeheißen hätte, doch er ließ uns in einem überfluteten Bach ein paar Ertrunkene zurück, die wir ordentlich begraben haben. Unter ihnen war einer, den die braven Schwestern lebend aus dem Wasser zogen und den Euer Gnaden gewiß zurückhaben wollen, weil er nach seinen eigenen Worten mit Euch verwandt ist.«

»Was Ihr nicht sagt!« Die blauen Augen hatten sich geweitet und strahlten nun. »Ich war nicht so damit beschäftigt, den Grafen von Chester im Zaum zu halten, daß ich es versäumt hätte, ein ernstes Wort mit meinem Bruder zu reden. Auf dem Heimweg von Lincoln war dies nicht die einzige Entgleisung, und jede dieser Verrücktheiten wird mich einiges an Wiedergutmachung kosten. Nennt mir den Namen Eures Gefangenen.«

»Sein Name«, sagte Cadfael, »ist Elis ap Cynan.«

»Ah!« sagte Owain und atmete tief und befriedigt aus. Er setzte seinen Becher klirrend auf den Tisch. »Dann lebt der dumme Junge noch und konnte Euch seine Geschichte erzählen. Ich freue mich sehr, dies zu hören, und ich danke Gott für diesen Ausgang und Euch, Bruder, für die Botschaft. Unter dem Gefolge meines Bruders war kein einziger Mann, der beschwören konnte, wie er verlorenging oder was ihm zustieß.«

»Sie rannten viel zu schnell, um sich umzusehen«, sagte Cadfael lächelnd.

»Von einem Mann unseres eigenen Blutes«, entgegnete Owain grinsend, »nehme ich dies so, wie es gemeint ist. Also lebt Elis noch und ist gefangen! Ist er schwer verletzt?«

»Kaum ein Kratzer. Und er mag dabei ein wenig zu Sinnen gekommen sein. Gesund und munter ist er, das kann ich Euch versichern, und mein Auftrag ist es, Euch einen Austausch anzubieten, falls Euer Bruder zufällig einen unter seinen Gefangenen hat, der für uns so wichtig ist wie Elis für Euch. Hugh Beringar von Maesbury, der für Shropshire spricht, schickt mich mit der Bitte, seinen Vorgesetzten und Sheriff Gilbert Prestcote freizugeben. Dazu alle angemessenen Grüße und Empfehlungen an Euer Gnaden und die ernsthafte Versicherung unserer Absicht, wie bisher mit Euch Frieden zu halten.«

»Die Zeit ist reif dafür«, sagte Owain trocken und anerkennend, »und es gereicht uns beiden zum Vorteil, wie die Dinge jetzt stehen. Wo ist Elis?«

»In der Burg von Shrewsbury, und er hat auf Ehrenwort Ausgang bis zum Wall.«

»Und Ihr wollt ihn schnell loswerden?«

»Das eilt nicht«, sagte Cadfael. »Wir schätzen ihn genug, um ihn noch eine Weile zu behalten. Allerdings wollen wir den Sheriff, so er noch lebt und Ihr ihn habt. Hugh suchte ihn nach der Schlacht und fand keine Spur von ihm, und es waren die Waliser Eures Bruders, die den Ort, an dem er kämpfte, überrannten.«

»Bleibt ein oder zwei Tage hier«, erwiderte der Prinz. »Ich will Boten nach Cadwaladr schicken und anfragen, ob mein Bruder Euren Mann gefangenhält. Wenn es so ist, dann sollt Ihr ihn bekommen.«

Nach dem Abendessen wurden Harfen gespielt, man sang und trank noch lange guten Wein, nachdem der Bote des Prinzen sich auf die erste Etappe seiner langen Reise nach Aberystwyth gemacht hatte. Außerdem gab es zwischen Owains jungen Rittern und den Männern von Cadfaels Eskorte einige Ringwettkämpfe und Reitspiele. Hugh hatte mit Bedacht nur Männer ausgewählt, die sich durch walisische Verwandte empfehlen, was bei den Bewohnern von Shrewsbury nicht schwierig gewesen war.

»Wer von all diesen Männern«, fragte Cadfael, indem er die Halle überblickte, durch die hin und wieder Qualm vom Feuer und den Fackeln zog und in der laute Stimmen hallten, »ist Eliud ap Griffith?«

»Wie ich sehe, hat Elis so freimütig mit Euch geschwatzt, wie es eben seine Art ist«, sagte Owain lächelnd, »Gefangener hin, Gefangener her. Sein Vetter und Ziehbruder hockt in diesem Augenblick am Ende unseres Nachbartisches und mustert Euch gründlich. Er wartet wohl auf seine Gelegenheit, ein Wort mit Euch zu wechseln, sobald ich mich zurückziehe. Der hochgewachsene Bursche im blauen Mantel.«

Hatte man ihn einmal bemerkt, war er nicht mehr zu verwechseln, wenn er auch das genaue Gegenteil seines Vetters schien. Seine Augen sahen Cadfael eindringlich an, sein Körper war gleichzeitig ruhig und gespannt und konnte wohl auf den kleinsten Impuls hin ungestüm reagieren. Owain erbarmte sich seiner, gab ihm einen Fingerzeig und der Junge kam zitternd wie eine abgeworfene Lanze herübergeschossen. Groß gewachsen war er, schmal und doch kräftig, mit strahlenden Nußaugen in einem ernsten, ovalen Gesicht, dessen Züge so fein waren wie die einer Frau. Ein Teil seiner Ergebenheit galt in diesem Augenblick sicher Elis ap Cynan, doch ein anderer Teil galt gewiß auch Wales, galt seinem Prinzen und eines Tages zweifellos auch einer Frau. Wie auch immer, man hatte den Eindruck, daß dieser junge Mann nie ganz zur Ruhe kommen würde.

Er kniete artig vor Owain nieder, der ihm freundlich auf die Schulter klopfte und ihn anredete: »Setzt Euch hier zu Bruder Cadfael und fragt ihn alles, was Ihr wissen wollt. Allerdings ist Euch das Wichtigste bereits bekannt: Euer zweites Selbst ist am Leben und kann Euch für einen bestimmten Preis zurückgegeben werden.« Damit ließ er sie allein und entfernte sich, um sich mit Tudur zu beraten.

Eliud setzte sich, stemmte die Ellbogen auf die Tafel und beugte sich begierig vor. »Bruder, ist es wirklich wahr, was Cristina mir erzählte? Ihr habt Elis sicher in Shrewsbury? Die Männer kamen ohne ihn zurück... Ich habe Boten ausgeschickt, aber niemand konnte mir erklären, wo und wie er verlorenging. Wie der Prinz, habe auch ich überall geforscht und nachgefragt, wenn der die Angelegenheit auch leichter nimmt. Elis ist das Ziehkind meines Vaters... Ihr seid ja selbst Waliser − Ihr wißt Bescheid. Wir sind von klein auf zusammen erzogen worden und haben beide keine weiteren Brüder...«

»Ich weiß«, stimmte Cadfael zu, »und ich sage Euch abermals, wie Cristina Euch bereits berichtete, daß er völlig sicher, quicklebendig und so gut wie neu ist.«

»Dann habt Ihr ihn gesehen und mit ihm gesprochen? Seid Ihr sicher, daß es Elis ist und kein anderer? Ein gutaussehender Mann seiner Truppe«, erklärte Eliud ent-schuldigend, »könnte sich, so er gefangen wird, einen Namen zulegen, der ihm mehr Vorteile verschafft als sein eigener...«

Cadfael beschrieb geduldig, wie Elis aussah und er-zählte dem ganzen Tisch von der Rettung aus dem über-fluteten Bach und von Elis störrischer Selbstbeschrän-kung auf die walisische Sprache, bis ein anderer Waliser ihn entlarvte. Eliud lauschte mit offenem Mund und brennenden Augen und war schließlich sichtlich erleich-tert.

»Und er war wirklich so ungesittet zu diesen Damen, die ihn retteten? Oh, daran erkenne ich ihn! Wie muß er sich geschämt haben, von solchen Händen ins Leben zu-rückgeholt zu werden − wie ein Baby, das man mit Klapsen zum Atmen bewegen will!« Tatsächlich, dieser ernste Junge konnte lachen, und das Lachen erhellte sein ganzes Gesicht und ließ die Augen funkeln. Es war keine blinde Liebe, die er für seinen Zwillingsbruder, der dies ja gar nicht war, empfand, denn er kannte ihn gut genug − er hatte ihn gescholten, kritisiert und sich mit ihm geprügelt und liebte ihn dennoch kein bißchen weniger. Cristina hatte einen schweren Kampf vor sich. »Und Ihr habt ihn dann von den Nonnen bekommen? Und als er ausgewrungen war, stellten sich keine weite-ren Verletzungen heraus?«

»Nichts Schlimmeres als einen Riß im Schenkel, den er einem scharfen Felsen in dem Bach zu verdanken hat, in dem er fast ertrunken wäre. Und dieser Riß ist eingesalbt und gut verheilt. Seine größte Sorge war, daß Ihr ihn als tot beklagen würdet, doch meine Reise zu Euch nahm ihm diese Angst, wie sie Euch die Eure nimmt. Es be-steht kein Grund, sich um Elis ap Cynan zu sorgen. Ob-wohl im Augenblick noch auf einer englischen Burg, wird er bald wohlbehalten daheim sein.«

»Das sieht ihm ähnlich«, stimmte Eliud mit leiser, nachdenklicher Stimme voll Zuneigung zu. »So war er, und so wird er immer sein. Er hat gute Eigenschaften. Aber er geht so frei damit um, daß ich mich manchmal wirklich um ihn sorge!«

Wohl eher immer als manchmal, dachte Cadfael, nachdem der junge Mann ihn verlassen hatte und die Menschen in der Halle sich endlich still um das niederbrennende Feuer setzten. Selbst jetzt noch, da er seinen Freund wohlauf und in Sicherheit weiß und sich maßlos darüber freut, selbst jetzt noch zieht er die Augenbrauen zusammen und hält den Blick nach innen gekehrt. Cadfael hatte eine beunruhigende Vision dieser drei jungen Geschöpfe, deren Schicksale miteinander verknüpft schienen: die beiden Jungen, einander seit der Kindheit verschworen, noch inniger verbunden durch die schwerblütige Art des einen und die unschuldige Unbesonnenheit des anderen, das Mädchen, schon früh der einen Hälfte des unzertrennlichen Paares versprochen. Von allen dreien schien ihm der Gefangene in Shrewsbury bei weitem der Glücklichste, da er in den Tag hineinlebte, sich in der Sonne wärmte, vor Stürmen Schutz suchte und in jedem Fall mit Hilfe seines Instinkts einen behaglichen Winkel und erbauliche Zerstreuungen fand. Die anderen beiden brannten wie Kerzen, verzehrten sich selbst und warfen ein unruhiges, flackerndes Licht.

Vor dem Einschlafen sprach er für alle drei ein Gebet, doch in der Nacht wachte er mit dem unbehaglichen Gedanken auf, daß es irgendwo, bisher noch im Schatten, auch einen vierten geben könnte, an den man denken und für den man beten mußte.

Der nächste Tag war klar und schön und brachte einen leichten Reif der seinen pulvrigen Glanz verlor, sobald die Sonne aufging; es war eine Freude, guten Gewissens und in angenehmer Gesellschaft einen ganzen Tag in der walisischen Heimat verbringen zu können. Owain Gwynedd ritt abermals mit einem halben Dutzend junger Männer zu einer Patrouille nach Osten aus und kam am Abend zufrieden zurück. Ranulf von Chester hielt sich im Augenblick anscheinend bedeckt und verdaute seine Beute.

Da kaum zu erwarten war, daß vor Ablauf des folgenden Tages eine Antwort aus Aberystwyth kam, nahm Cadfael freudig die Einladung des Prinzen an, mit ihnen zu reiten und mit eigenen Augen die Wachsamkeit in den Grenzdörfern zu sehen, die gegen England auf Posten waren. Sie kehrten in der frühen Dämmerung in den Hof von Tudurs Landsitz zurück, und hinter dem Hasten und Eilen der Burschen und Diener flog die Tür der Halle auf, und scharf umrissen und dunkel vor dem Feuerschein und den Fackeln stand Cristina klein und aufrecht in der Tür und überblickte die heimkehrenden Gäste, um für das Abendmahl die nötige Vorsorge zu treffen. Sie verschwand einige Augenblicke im Haus und tauchte mit ihrem Vater wieder auf, um die Gruppe beim Absatteln zu beobachten.

Cristinas Blicke waren nicht auf den Prinzen gerichtet. Als Cadfael ins Haus ging, kam er dicht an ihr vorbei und sah im schrägen Fackelschein ihre Miene: die Lippen schmal und ohne Lächeln, die brennenden Augen auf Eliud gerichtet, der gerade abstieg und sein Pferd dem wartenden Burschen überließ. Der dunkelrote Schimmer, der im schwarzen Haar und den Augen glomm, schien unter diesem Licht zu tiefer Wut und Abneigung entflammt.

Und nicht weniger bemerkenswert war die Art in der Eliud sich der Tür näherte und ohne Lächeln und mit einem knappen Wort und niedergeschlagenen Augen an ihr vorbeiging. Denn war sie nicht für ihn ein ebenso spitzer Dorn im Fleisch wie er für sie?

Je eher die Heirat, desto geringer das Unglück und desto größer die Aussichten auf Heilung, dachte Cadfael, während er sich zum Vespergottesdienst aufmachte; und sogleich begann er sich zu fragen, ob er damit nicht eine derart aufrührende Angelegenheit zwischen drei

Menschen, von denen nur einer eine schlichte Seele war, zu stark vereinfachte.

Der Bote des Prinzen kam am Spätnachmittag des folgenden Tages zurück und berichtete seinem Herrn, der sofort Cadfael hinzuzog, damit dieser die Antwort auf die Anfrage erfuhr.

»Mein Mann berichtet, daß Gilbert Prestcote tatsächlich in Gefangenschaft meines Bruders ist und im Austausch gegen Elis angeboten werden kann. Es mag noch eine kleine Verzögerung geben, denn wie es scheint wurde er beim Kampf in Lincoln schwer verwundet und erholt sich nur langsam. Wenn Ihr aber direkt mit mir verhandeln wollt, dann will ich ihn in meine Obhut nehmen, sobald er sich bewegen kann; später könnte man ihn in kleinen Etappen nach Shrewsbury bringen. In der letzten Nacht sollte man ihn dann in Montford unterbringen, wo sich früher walisische Prinzen und englische Grafen zu Verhandlungen trafen, und Hugh Beringar einen Boten schicken, bevor wir ihn in die Stadt eskortieren. Und dort kann Euer Befehlshaber uns Elis zum Austausch übergeben.«

»Damit bin ich mehr als einverstanden!« entgegnete Cadfael von Herzen. »Und Hugh Beringar wird mir beipflichten.«

»Ich werde allerdings Sicherheiten verlangen«, sagte Owain, »und bin meinerseits bereit, Sicherheiten zu geben.«

»Euer Ehrenwort wird niemand hier in Wales oder in meiner neuen Heimat England in Frage stellen. Doch Ihr kennt meinen Herrn noch nicht, weshalb er bereit ist, Euch eine Geisel als Garantie zu überlassen, bis Elis wohlbehalten bei Euch angekommen ist. Von Euch dagegen verlangt er keine Sicherheit. Schickt ihm Gilbert Prestcote, und Ihr sollt Elis ap Cynan bekommen und danach die Geisel entlassen.«

»Nein«, sagte Owain entschlossen. »Die Garantie, die

ich von einem Mann verlange, will ich ihm auch geben. Laßt mir, wenn Ihr wollt, Euern Mann gleich hier, wenn er seine Befehle hat und willens und bereit ist. Sobald meine Männer dann Gilbert Prestcote heimbringen, werde ich Eliud mit ihm schicken, damit er als Pfand der Ehre seines Vetters und der meinen bei Euch bleibt, bis wir abermals die Geiseln auf halbem Wege austauschen — sollen wir sagen auf dem Grenzwall bei Oswestry, falls ich noch in dieser Gegend bin? —, und dann wird der Handel abgeschlossen sein. Manchmal ist es eine Tugend, auf die Form zu achten. Und außerdem würde ich gern Euren Hugh Beringar kennenlernen, denn ihn und mich verbindet, daß wir, wie Ihr wißt, wachsam gegenüber anderen sein müssen.«

»Hugh kam schon mehr als einmal der gleiche Gedanke«, stimmte Cadfael eifrig zu, »und glaubt mir, er wird mit Freuden kommen, um Euch zu treffen, wann immer es Euch beliebt. Er wird Euch Eliud zurückbringen, und Ihr werdet ihm den jungen Mann zurückgeben, der sein Vetter mütterlicherseits ist, mit Namen John Marchmain. Ihr habt ihn heute morgen gewiß bemerkt, er ist der größte unter uns. John kam mit mir und ist bereit zu bleiben, wenn alles gut verläuft.«

»Es soll gut für ihn gesorgt werden«, sagte Owain.

»Offengestanden hat er sich sogar darauf gefreut, wenn auch seine Kenntnis des Walisischen begrenzt ist. Und da wir einig sind«, meinte Cadfael, »werde ich ihn heute abend in seine Pflichten einweisen und gleich morgen früh mit meiner Gesellschaft nach Shrewsbury zurückreisen.«

Bevor er sich an diesem Abend zu Bett legte, floh er vor dem Qualm und der Wärme der Halle nach draußen, um zu erkunden, wie das Wetter würde. Die Luft war beinahe mild, und kein Lüftchen regte sich. Der Himmel war klar und voller Sterne, doch sie hatten nicht den Glanz und die Pracht, die große Kälte verkündet. Es war ein wundervoller Abend, und obwohl er seinen Mantel nicht umgelegt hatte, sah er sich versucht, bis zum Rande des Anwesens zu laufen, wo ein Hain aus Büschen und Bäumen das Tor schützte. Er atmete tief die kühle Luft ein, die nach Holz duftete und nach der Nacht und der geheimnisvollen Süße von Erdreich und Blättern, die schlafen, ohne tot zu sein.

Gerade wollte er sich umwenden und seinen Geist für die Nachtgebete sammeln, als die von Fackeln erhellte Dunkelheit dichter wurde und zwei Menschen aus den schattigen Ställen leise und geschwind zur Halle hinübergingen, wobei sie jedoch mehrmals abrupt innehielten. Sie redeten beim Gehen gerade etwas lauter als das verräterische Zischen eines Flüsterns, und ihr Gespräch verriet eine Schärfe und Dringlichkeit, die Cadfael wie angewurzelt stehenbleiben ließ, vom massigen Schatten der Bäume gedeckt. Inzwischen war ihm klar, daß sie zwischen ihm und seiner Nachtruhe standen, und als sie nahe genug heran waren, konnte er nicht anders als lauschen. Aber da der Mensch nun einmal ist, wie er ist, kann nicht beschworen werden, daß Cadfael nicht auch dann gelauscht hätte, wenn er hätte ausweichen können.

»... mir nicht leid«, hauchte der eine verbittert und leise. »Und tust du mir nicht auch weh, indem du mir mit jedem Atemzug raubst, was mir von Rechts wegen zusteht? Und jetzt wirst du zu ihm reisen, sobald der englische Edelmann auf den Beinen ist...«

»Habe ich denn eine Wahl«, protestierte der andere, »wenn der Prinz mich schickt? Und kannst du etwas daran ändern, daß er mein Ziehbruder ist? Warum läßt du ihn nicht in Ruhe?«

»Weil es nicht gut ist, weil es sehr, sehr falsch ist! Vom Prinzen geschickt!« zischte das Mädchen böse. »Ha! Und dabei weißt du genau, daß du jeden umbringen würdest, der dir den Auftrag abnehmen wollte. Und ich muß hier herumsitzen! Während ihr wieder beisammen seid und du ihm den Arm um die Schultern legst und niemand an mich denkt!«

Die beiden Schatten hoben sich vor dem gedämpften Schein des ersterbenden Feuers in der Halle schwarz im Türrahmen ab. Eliuds Stimme wurde verräterisch laut: »Um Gottes Liebe willen, Frau, schweig still und laß mich!«

Er befreite sich grob von ihr und verschwand im vielfältigen Gemurmel und Getriebe der Halle. Cristina zupfte wütend ihre Röcke zurecht und folgte ihm langsam, um sich für die Nachtruhe zurückzuziehen.

Und dies tat auch Cadfael, sobald er sicher war, daß er niemand mehr in Verlegenheit brachte. Bei diesem hintergründigen Geplänkel hatte es zwei Verlierer gegeben. Und wenn es einen Gewinner gab, dann schlief er in kindlicher Selbstvergessenheit, wie es seine Gewohnheit zu sein schien, in einer steinernen Zelle, die kein Gefängnis war, in der Burg von Shrewsbury. Er würde immer auf die Füße fallen. Und es gab zwei, die wahrscheinlich immer wieder über ihre Füße stolperten, weil sie zu gespannt nach vorn blickten und zu wenig darauf achteten, wo sie auftraten.

Dennoch betete er an diesem Abend nicht für sie. Vielmehr lag er lange wach und grübelte, wie ein so komplizierter Knoten entwirrt werden konnte.

Am frühen Morgen stiegen er und der Rest seiner Begleitung auf die Pferde und ritten davon. Es überraschte ihn nicht, daß der ergebene Vetter und Ziehbruder ihn verabschiedete und ihm alle möglichen Botschaften an seinen gefangenen Freund auftrug, um ihn bis zu seiner Entlassung aufzuheitern. Es war nur recht, daß der Ältere und Klügere zur Rettung des Jüngeren und Dümmeren bereitstand. Aber läßt sich Dummheit auf diese Weise messen?

»Ich war nicht sehr klug«, räumte Eliud reumütig ein, als er Cadfael zum Aufsteigen das Zaumzeug hielt und sich an die warme Flanke des Pferdes lehnte, als Cadfael im Sattel saß. »Ich habe zu sehr darauf gedrungen, daß er nicht mit Cadwaladr gehen solle. Ich fürchte, ich trieb ihn gerade dadurch zu ihm. Aber ich weiß, daß es verrückt war!«

»Ihr solltet ihm seine Launen gewähren«, sagte Cadfael tröstend. »Nun muß er's ertragen und weiß genausogut wie Ihr, was für eine Dummheit es war. Er wird in Zukunft nicht mehr so heißblütig sein. Und außerdem«, fuhr er fort, während er das ernste, ovale Gesicht aufmerksam betrachtete, »bin ich sicher, daß er, sobald er wieder zu Hause ist, noch weitere Gründe finden wird, weiser zu handeln. Er wird doch heiraten, oder?«

Eliud betrachtete ihn einen Augenblick mit großen Haselnußaugen, die leuchteten wie Laternen. »Ja!« sagte er knapp zum Abschied und wandte sich ab.

4

Die Neuigkeit machte in Shrewsbury rasch die Runde — in der Abtei, auf der Burg und im Ort —, und dies noch bevor Cadfael Abt Radulfus über seine Verhandlungen Rechenschaft abgelegt und Hugh seinen Erfolg berichtet hatte. Der Sheriff lebte, und seine Rückkehr im Austausch gegen den Waliser, der bei Godric's Ford gefangengenommen worden war, stand unmittelbar bevor. Lady Prestcote freute sich in ihren hochgelegenen Gemächern in der Burg und tat lebhaft ihre Erleichterung kund. Hugh freute sich nicht nur darüber, daß sein Herr gefunden und auf dem Wege der Genesung war, sondern auch über die Aussicht, das Bündnis mit Owain Gwynedd zu bekräftigen, dessen Hilfe im Norden der Grafschaft, falls Ranulf von Chester sich je zu einem Angriff entschloß, das Blatt sehr wohl wenden konnte. Auch der Stadtvorsteher und die Zunftmeister zeigten sich sehr erfreut. Prestcote war zwar kein Mann, der schnell enge Freundschaften schloß, aber Shrewsbury hatte in ihm einen bisweilen zwar schwerfälligen, aber gerechten und wohlmeinenden Vertreter der Krone gefunden, und man war sich wohl bewußt, daß man es hätte weitaus schlimmer treffen können. Doch nicht alle fühlten die gleiche aufrichtige Freude. Auch gerechte Männer machen sich Feinde.

Cadfael kehrte zufrieden zu seinen Alltagspflichten zurück, und nachdem er die Arbeit seines Vertreters Bruder Oswin im Herbarium begutachtet und alles in bester Ordnung gefunden hatte, bestand seine nächste Aufgabe darin, die Krankenstation zu besuchen und das Medizinschränkchen nachzufüllen.

»Keine neuen Kranken, seit ich aufbrach?«

»Keine. Und zwei konnten wieder ins Dormitorium entlassen werden, Bruder Adam und Bruder Everard. Sie besitzen beide trotz ihres Alters eine starke Konstitution, und sie hatten nichts Schlimmeres als eine Erkältung, die sie rasch auskurierten. Kommt und seht, wie sie alle genesen. Wenn wir nur Bruder Maurice mit der gleichen Befriedigung entlassen könnten wie jene beiden«, sagte Edmund traurig. »Er ist acht Jahre jünger, stark und gewandt, noch keine sechzig. Wäre er nur im Geist genauso gesund wie im Körper! Aber ich bezweifle, daß wir ihn je entlassen können. Seine Verstörtheit hat sich zum Schlimmeren gewendet. Eine Schande, daß er sich nach einem Leben voll makelloser Hingabe nur an die Widrigkeiten erinnert und für niemand mehr Liebe empfindet. Hohes Alter ist kein Segen, Cadfael, wenn die Körperkräfte den Verstand überdauern.«

»Wie ertragen ihn seine Nachbarn?« fragte Cadfael mitfühlend.

»Mit christlicher Geduld! Und die brauchen sie auch. Er glaubt jetzt, jedermann hecke Böses gegen ihn aus. Und er sagt es geradeheraus, und dazu all die wirklichen alten Verfehlungen, an die er sich nur zu gut erinnert.«

Sie betraten das große, kahle Krankenzimmer direkt neben der kleinen Kapelle, in der die Kranken einen Ersatz für die Gottesdienste fanden. Die, die aufstehen und das Tageslicht genießen konnten, saßen an einem großen Kaminfeuer, wärmten sich die alten Knochen und schwatzten aufgeregt, während sie auf die nächste Mahlzeit, den nächsten Gottesdienst oder die nächste Zerstreuung warteten. Von den überwiegend betagten Kranken war nur Bruder Rhys ans Bett gefesselt, in dem er die meiste Zeit verbrachte. Eine Generation von Brüdern, die sich voller Begeisterung der Gründung einer Abtei verschrieben hat, erreicht eben auch zusammen das Greisenalter und überläßt den jüngeren Postulanten das Feld, die nach der ersten Generation einzeln und zu zweit zugelassen wurden. Nie wieder, dachte Cadfael, während er zwischen ihnen umherging, würde ein ganzes Kapitel der Abteigeschichte auf diese Weise dem Ruhestand und der Senilität anheim fallen. Von nun an würden sie einer nach dem anderen kommen, so daß jeder ein gut bewachtes Totenbett finden konnte, für sich allein in würdevoller Einsamkeit. Hier aber waren vier oder fünf, die fast gleichzeitig dahinscheiden und die Brüder, die sie pflegten, sehr müde und die Welt sehr gleichgültig zurücklassen würden.

Bruder Maurice saß gemütlich am Feuer, ein großer, hagerer, wachsbleicher alter Mann mit einem schmalen Patriziergesicht und einem reizbaren Gemüt. Er war von adeliger Abstammung und bereits als Jugendlicher ins Kloster gegeben worden. Vor etwa zwei Jahren hatte man ihn in die Krankenstation verlegt, nachdem er Prior Robert nach einem nichtigen Streit plötzlich zu einem Duell auf Leben und Tod gefordert und sich beharrlich geweigert hatte, abgelenkt oder versöhnt zu werden. In seinen lichteren Momenten war er charmant, gewinnend und höflich, doch sobald er seinen Familienstolz und seine Ehre gekränkt sah, erwies er sich als unerbittlicher Feind. Und nun, im hohen Alter, verteidigte er sich so lebhaft wie damals gegen Angriffe jeder Art, die weit zurück in seiner Vergangenheit lagen; ja, er beschäftigte sich mit Streitereien, die noch vor seiner Geburt stattgefunden hatten und brütete über alles, was ungerächt geblieben war.

Vielleicht war es ein Fehler, ihn zu fragen, wie es ihm ginge, doch wie er da hoheitlich auf seinem Thron saß, schien er genau das zu erwarten. Er hob den Kopf mit der schmalen Hakennase und preßte die bläulichen Lippen zusammen. »Nicht besonders gut, nach dem, was ich höre und wenn ich ehrlich sein soll. Man sagt, Gilbert Prestcote lebte noch und würde bald hierher zurückkehren. Ist das wahr?«

»Das ist es«, sagte Cadfael. »Owain Gwynedd schickt ihn im Austausch gegen einen Waliser, der vor einiger Zeit im großen Wald gefangen wurde, nach Hause. Aber warum geht es Euch nicht gut, wenn Ihr gute Nachrichten über einen anständigen Christenmenschen hört?«

»Ich hätte gedacht, daß endlich Gerechtigkeit geschehen sollte«, sagte Maurice überheblich, »nach all den langen Jahren. Doch wie lang die Zeit auch ist, am Ende wird das göttliche Urteil stehen. Leider hat Gott aber auch dieses Mal den Blick abgewandt und den Missetäter verschont.« In seinen Augen glitzerte es grau wie Stahl.

»Die göttliche Gerechtigkeit solltet Ihr besser sich selbst überlassen«, sagte Cadfael milde, »denn sie braucht unsere Hilfe nicht. Und ich wollte ja nur fragen, wie es *Euch* geht, mein Freund, also kommt mir nicht mit anderen. Was macht denn Eure Brust in diesem Winterwetter? Soll ich Euch einen Likör zum Wärmen bringen?«

Es war nicht schwer, ihn abzulenken, denn obwohl er sich kaum über seine Gesundheit beklagte, war er offen für die Schmeicheleien mitfühlender und aufmerksamer Brüder und genoß es, verhätschelt zu werden. Sie ließen ihn beschäftigt und zufrieden zurück und traten sehr nachdenklich auf die Terrasse.

»Ich wußte, daß er diese Unruhe in sich trägt«, sagte Cadfael, als die Tür hinter ihnen geschlossen war, »aber nicht, daß er einen solchen Zorn auf die Prestcotes nährt. Was hat er denn gegen den Sheriff?«

Edmund zuckte die Schultern und schnaufte resigniert. »Das geschah schon zu Lebzeiten seines Vaters, Maurice war gerade erst geboren! Es gab einen Prozeß um ein Stück Land und lange Streitereien auf beiden Seiten, und schließlich ging alles zu Prestcotes Gunsten aus. Soweit ich weiß, war das Urteil gerecht wie nur irgendeines, und Maurice lag noch in der Wiege, während Gilberts Vater, guter Gott, noch nicht einmal ein ausgewachsener Mann war; doch der arme Alte hat es als Todsünde wieder ausgegraben. Und das ist nur eine von einem guten Dutzend, die er in seiner Erinnerung hegt und pflegt, und für alle will er Blut sehen. Kaum zu glauben, daß er dem Sheriff nie begegnet ist. Wie kann man denn einen Mann hassen, den man nie gesehen und mit dem man nie gesprochen hat, nur weil sein Großvater gegen den eigenen Vater einen Prozeß gewann? Warum muß denn hohes Alter dazu führen, daß man alles außer dem allgegenwärtigen Bösen vergißt?«

Eine schwierige Frage. Und doch war es manchmal gerade andersherum: Das Gute blieb in Erinnerung, und alles Böse und aller Trotz wurde fortgeschwemmt. Aber warum dem einen Mann diese Gnade gewährt wurde, während den anderen ein so schlimmer Fluch heimsuchte, das konnte Cadfael nicht ergründen. Gewiß mußte irgendwo ein Gleichgewicht hergestellt werden.

»Ich weiß«, sagte Cadfael traurig, »daß nicht jeder Gilbert Prestcote liebt. Gute Männer bieten ihren Feinden genauso ein Ziel wie schlechte. Und bei der Durchsetzung der Gesetze war er nicht immer geschickt und gnädig, wenn auch nie bestechlich oder grausam.«

»Bei uns lebt einer, der einen erheblich besseren Grund hat als Maurice, einen Groll gegen ihn zu hegen«, sagte Edmund. »Ich bin sicher, Ihr kennt Anions Geschichte genausogut wie ich. Wie Ihr vor Eurer Abreise gesehen habt, geht er auf Krücken, und er behilft sich ganz gut damit und wir lassen ihn gern hinausgehen, wenn es nicht gefroren und der Boden fest und trocken ist, aber er ist immer noch bei uns hier einquartiert. Während Maurice zu viel sagt, spricht er fast nichts, aber Ihr seid Waliser und wißt, was in einem Waliser vorgeht. Und ein Mann wie Anion, halb Waliser und halb Engländer — wie könnte man ihn verstehen?«

»Am besten«, erwiderte Cadfael, »indem Ihr nicht vergeßt, daß beide Rassen Menschen sind.«

Er kannte Anion, obwohl er ihm nie sehr nahe gekommen war; Anion hatte sich als Laienbruder um das Vieh gekümmert, bis er im Spätherbst mit einem gebrochenen Bein, das schwer zu heilen war, von einem Hof der Abtei in die Krankenstation gebracht worden war. Seine Abstammung war in der Gegend von Shrewsbury nicht ungewöhnlich — das Ergebnis der kurzen Vereinigung eines walisischen Wollhändlers mit einer englischen Magd. Und wie viele andere seiner Art war er mit seinen Verwandten jenseits der Grenze in Verbindung geblieben, wo sein Vater eine Ehefrau hatte, die ihm kurz nach Anions Zeugung einen rechtmäßigen Erben schenkte.

»Jetzt erinnere ich mich«, sagte Cadfael, als es ihm einfiel. »Da waren einmal zwei junge Burschen, die herkamen, um ihre Wolle zu verkaufen. Sie tranken zu viel und gerieten in einen Streit, einer der Torhüter auf der Brücke wurde dabei getötet. Prestcote hängte sie dafür auf. Ich hörte damals, daß einer der beiden einen Halbbruder auf dieser Seite der Grenze hätte.«

»Griffri ap Griffri, so hieß der junge Mann. Anion hatte seinen Halbbruder bei den Gelegenheiten, als er in die Stadt kam, kennengelernt, und sie standen auf gutem Fuße. Als es geschah, war er gerade mit seinen Schafen im Norden, denn sonst hätte er vielleicht seinen Bruder ohne ein solches Unglück ins Bett bekommen. Anion ist ein guter ehrlicher Arbeiter, nur etwas sauertöpfisch und schweigsam, und er vergißt nie eine Wohltat oder eine Beleidigung.«

Cadfael seufzte, denn er hatte in seinem Leben als Folge eines gewaltsamen Todes viele anständige Männer in immer wieder aufflammenden Wutausbrüchen sterben gesehen. Die Blutfehde konnte in Wales eine heilige Pflicht sein.

»Ah, nun, es steht zu hoffen, daß die englische Hälfte in ihm seine Erinnerungen dämpft. Das muß jetzt zwei Jahre her sein. Niemand kann ewig grollen.«

In der engen, steinkalten Kapelle der Burg wartete Elis beim dürftigen Licht der Altarlampe in der beginnenden Dämmerung. Er hockte, in seinen Mantel gehüllt, in der dunkelsten Ecke, draußen beißender Frost und drinnen zehrendes Feuer. Für zwei, die sonst nie allein zusammensein konnten, war dies ein sicherer Treffpunkt. Der Kaplan des Sheriffs war in gewissen Grenzen seinem Herrn treu ergeben, zog aber, nachdem der Vespergottesdienst abgehalten war, die Wärme der Halle und die Gemütlichkeit bei Tisch seinem kalten und zugigen Gotteshaus vor.

Melicents Schritt auf der Schwelle war kaum hörbar, doch Elis bemerkte sie und drehte sich eilig um, um sie bei den Händen hereinzuziehen und die schweren Türen zu schließen, damit der Rest der Welt ausgesperrt bliebe.

»Hast du es schon gehört?« fragte sie hastig und leise. »Man hat ihn gefunden, er wird hergebracht. Owain Gwynedd hat es versprochen...«

»Ich weiß!« sagte Elis und zog sie näher, um den Mantel um sie beide zu legen; eine Geste, die zugleich ihre Einigkeit demonstrierte und sie vor der Kälte und der Zugluft schützte. Trotzdem fühlte er, wie sie fortglitt wie eine Nebelfahne. »Ich bin froh, daß du deinen Vater wohlbehalten zurückbekommen sollst.« Aber es gelang ihm nicht, erfreut zu wirken, so mannhaft er auch log.

»Wir wußten, daß es so kommen würde, wenn er noch lebte...« Seine Stimme versagte, denn es sollte nicht so klingen, als wünschte er ihrem Vater den Tod, als wäre er am liebsten ein Gefangener, für den kein Lösegeld geboten wurde. Ihr Gefangener, solange sie wollte, lange genug, um das nötige Wunder zu bewirken, um die eine Verbindung zu lösen und eine andere möglich zu machen, die inzwischen fast außer Reichweite schien.

»Wenn er zurückkommt«, sagte sie, die kalte Stirn gegen seine Wange gelehnt, »dann mußt du gehen. Wie sollen wir das ertragen?«

»Wenn ich das wüßte! Ich kann an nichts anderes denken. Es wird alles vergebens sein, und ich werde dich nie wieder sehen. Das kann und will ich nicht hinnehmen. Es *muß* doch eine Möglichkeit geben...«

»Wenn du gehst«, sagte sie, »dann muß ich sterben.«

»Aber ich muß gehen, das wissen wir beide. Wie sonst könnte ich diese wichtige Sache für dich tun — nämlich dir deinen Vater zurückzugeben?« Aber genausowenig konnte er den Schmerz ertragen. Wenn er sie jetzt losließ, war er für immer verloren, es würde keine andere geben, die ihren Platz einnehmen konnte. Das kleine dunkle Geschöpf in Wales, in seiner Erinnerung so verblaßt, daß er kaum noch ihr Gesicht sah, sie war nichts, sie hatte keinen Anspruch auf ihn. Wenn er nicht Melicent haben konnte, würde er das Leben eines Einsiedlers vorziehen.

»*Willst* du ihn denn nicht zurück?«

»Doch!« sagte sie energisch, zitternd und schaudernd, um das Wort sogleich wieder zurückzunehmen: »*Nein!* Nicht, wenn ich dich dabei verliere! O Gott, wie soll ich wissen, was ich will? Ich will euch beide, dich und ihn — *aber vor allem dich*. Ich liebe meinen Vater von Herzen — aber eben nur wie einen Vater. Ich muß ihn lieben, wie es sich in einer Familie gehört, aber... oh, Elis, ich kenne ihn kaum, er kam mir nie nahe genug, um geliebt zu werden. Immer war er in Pflichten und Aufträgen unterwegs, und meine Mutter und ich saßen einsam daheim, und dann starb meine Mutter... Er war nie unfreundlich und hat immer für mich gesorgt, aber er war immer fort. Sicher liebe ich ihn, aber nicht so wie... nicht wie ich dich liebe! Es ist kein gerechter Tausch...«

Sie sagte nicht: »Wenn er nun gestorben wäre...«, aber der Gedanke lauerte in ihrem Hinterkopf und erschreckte sie. Wenn er gar nicht oder tot gefunden worden wäre, dann hätte sie um ihn geweint, ja, aber ihre Stiefmutter hätte nicht allzu viele Gedanken daran verschwendet, wen sie zum Ehemann erwählte. Was für Sybilla allein gezählt hätte, wäre ihr Sohn gewesen, der alles geerbt hätte, während die Tochter ihres Mannes mit einer bescheidenen Mitgift abgefunden worden wäre.

»Aber das muß doch nicht das Ende sein!« stöhnte Elis wütend. »Warum sollen wir klein beigeben? Ich will dich nicht aufgeben, ich kann nicht, ich will nicht von dir scheiden.«

»Oh, du Narr!« sagte sie, während ihre Tränen über seine Wange rannten. »Die Eskorte, die ihn heimbringt, wird dich mitnehmen. Man hat ein Abkommen geschlossen, das eingehalten werden muß. Du mußt gehen und ich muß bleiben, und das wird das Ende sein. Oh, wenn er doch nur nie hier ankäme...« Sie erschrak, als sie ihre eigene Stimme so etwas sagen hörte und verbarg die Lippen an seiner Schulter, um die unverzeihlichen Worte zu unterdrücken.

»Nein, aber hör mir zu, mein Herz, meine Geliebte! Ich kann doch zu ihm gehen und um deine Hand anhalten. Warum sollte er mich abweisen? Ich bin der Nachkomme eines Prinzen, ich besitze Ländereien, ich bin ihm ebenbürtig – warum sollte er sich weigern, dich mir zu geben? Ich kann dich gut versorgen, und kein Mann könnte dich mehr lieben als ich.«

Er hatte ihr noch nicht verraten, was er so unumwunden Bruder Cadfael erzählt hatte, nämlich daß er von

Kindheit an mit einem Mädchen in Wales verlobt war. Aber diese Übereinkunft war über ihre Köpfe hinweg von anderen getroffen worden, und mit Geduld und gutem Willen konnte man sie zur allseitigen Zufriedenheit ehrenhaft auflösen. Eine solche Abkehr mochte in Gwynedd zwar eine Seltenheit sein, aber es war nicht gänzlich ausgeschlossen. Er hatte Cristina kein Leid zugefügt, und es war nicht zu spät, um einen Rückzieher zu machen.

»Du unschuldiger süßer Narr«, sagte sie, zwischen Lachen und Zorn hin und hergerissen. »Du kennst ihn nicht! Der wichtigste Besitz für ihn ist das Land an der Grenze; er mußte viele Male dafür kämpfen. Siehst du denn nicht, daß nach der Kaiserin Wales sein nächster Feind ist? Und er haßt die Waliser! Er würde seine Tochter lieber einem blinden Aussätzigen in St. Giles geben als einem Waliser, und wenn es der Prinz von Gwynedd selbst wäre. Komm ihm ja nicht in die Nähe, denn er wird sich nur verhärten und dich in Stücke reißen. Oh, glaube mir, wir haben keine Hoffnung.«

»Und doch will ich nicht von dir lassen«, schwor Elis in ihr duftiges helles Haar, das sich vor seinem Gesicht regte und ihn streichelte wie ein Büschel feiner Federn, als besäße es ein Eigenleben. »Irgendwie, irgendwie... Ich schwöre, ich werde dich behalten, egal, was ich dafür tun muß, egal, wie viele ich bekämpfen oder aus dem Weg räumen muß. Ich werde jeden töten, der sich uns entgegenstellt, meine Geliebte, mein Schatz...«

»Oh, schweig!« sagte sie. »Sag nicht so etwas. Das ist nicht deine Art. Es muß einfach einen anderen Weg für uns geben...«

Aber sie konnte keinen Weg erkennen. Sie waren Gefangene eines unaufhaltsamen Schicksals, das Gilbert Prestcote heimbringen und Elis ap Cynan fortwehen würde.

»Wir haben noch ein wenig Zeit«, flüsterte sie, um ihm nach Kräften Mut zu machen. Man sagt, er sei noch nicht wohlauf, seine Wunden noch kaum verheilt. Eine oder zwei Wochen bleiben uns noch.«

»Und du wirst trotzdem kommen? Du wirst kommen? Jeden Tag? Wie könnte ich's ertragen, dich nicht mehr zu sehen!«

»Ich werde kommen«, sagte sie, »denn für diese Augenblicke würde auch ich mein Leben geben. Wer weiß, vielleicht geschieht noch etwas, das uns rettet.«

»Mein Gott, wenn wir nur die Zeit anhalten könnten! Wenn wir die Tage festhalten könnten, damit er ewig für die Reise braucht und niemals, niemals Shrewsbury erreicht!«

Es dauerte zehn Tage, bis die Nachricht von Owain Gwynedd eintraf. Auf Befehl von Einon ab Ithel, der nur Owains eigenem *penteulu* untergeben war, dem Hauptmann seiner Leibwache, kam ein Bote zu Fuß. Er wurde am frühen Nachmittag zu Hugh in den Wachraum der Burg gebracht, ein Mann aus dem Grenzland, der geschäftliche Verbindungen nach England hatte und die Sprache gut beherrschte.

»Mein Herr, ich überbringe Grüße von Owain Gwynedd durch den Mund seines Hauptmannes Einon ab Ithel. Ich soll Euch ausrichten, daß die Gruppe heute Nacht in Montford lagert. Morgen werden wir Euch unseren Gefangenen, den Herrn Gilbert Prestcote, bringen. Aber es gibt noch mehr zu sagen: Der Herr Gilbert ist immer noch sehr schwach von seinen Verletzungen und Entbehrungen, und wir mußten ihn den größten Teil des Weges auf einer Bahre tragen. Bis heute morgen ging alles gut; da hofften wir noch, die Stadt in einem Tagesmarsch zu erreichen und den Gefangenen gleich zu übergeben. Aus diesem Grund wollte der Herr Gilbert die letzten Meilen reiten und sich nicht wie ein kranker Mann in seine eigene Stadt tragen lassen.«

Die Waliser hatten dies verstanden, wußten es zu schätzen und versuchten nicht, ihn davon abzuhalten.

Das Gesicht eines Mannes ist seine halbe Rüstung, und Prestcote würde jede Unbequemlichkeit und jede Gefahr auf sich nehmen, um aufrecht nach Shrewsbury einzureiten, als Mann, der selbst in Gefangenschaft sein eigener Herr geblieben war.

»Das sieht ihm ähnlich und entspricht seinem Ehrgefühl«, sagte Hugh, der schon ahnte, was nun kommen würde. »Und er hat sich übernommen. Was ist geschehen?«

»Bevor wir noch eine Meile geritten waren, verlor er das Bewußtsein und stürzte. Kein schwerer Sturz, aber eine geheilte Wunde an seiner Seite brach wieder auf, und er verlor etwas Blut. Vielleicht bekam er auch eine Art von Anfall, der die Belastung noch verschlimmerte, denn als wir ihn aufrichteten und versorgten, war er sehr bleich und kalt. Wir wickelten ihn gut ein — Einon ab Ithel warf ihm sogar den eigenen Mantel um die Schultern — und legten ihn wieder auf die Bahre, um ihn nach Montford zurückzutragen.«

»Ist er wieder bei Bewußtsein? Hat er gesprochen?« fragte Hugh besorgt.

»Als er die Augen öffnete, sprach er klar und schien so gut bei Verstand, wie ein Mann nur sein kann, mein Herr. Wir würden ihn, wenn nötig, noch eine Weile in Montford ruhen lassen, doch da er so nahe ist, hat er sich entschlossen, Shrewsbury so bald wie möglich zu erreichen. Wir aber glauben, er könnte zu Schaden kommen, wenn wir ihn, wie er es wünscht, schon morgen hertragen.«

Das dachte auch Hugh, und während er überlegte, was am besten zu tun sei, biß er sich nervös auf die Fingerknöchel. »Glaubt Ihr, dieser Rückfall könnte gefährlich sein? Womöglich sogar tödlich?«

Der Mann schüttelte entschieden den Kopf. »Mein Herr, obwohl Ihr ihn als kranken und gealterten Mann wiedersehen werdet, braucht er, so glaube ich, nur Ruhe, Zeit und gute Pflege, um wieder zu Kräften zu kommen. Aber es wird keine rasche und leichte Genesung werden.«

»Dann soll er hier gesund werden, wenn er herzukommen wünscht«, entschied Hugh, »allerdings nicht in diese kalten, öden Kammern. Ich würde ihn mit Freuden in mein eigenes Haus aufnehmen, aber die beste Pflege kann er in der Abtei bekommen, und Ihr könnt ihn genauso gut dort hintragen, damit es ihm erspart bleibt, hilflos durch die Stadt geschleppt zu werden. Ich will in den Krankenzimmern der Abtei ein Bett für ihn aufstellen lassen und dafür sorgen, daß seine Frau und seine Kinder im Gästehaus untergebracht werden, damit sie in seiner Nähe sind. Kehrt jetzt mit besten Grüßen und meinem Dank zu Einon ab Ithel zurück und bittet ihn, den Schutzbefohlenen direkt zur Abtei zu bringen. Ich will sehen, daß Bruder Edmund und Bruder Cadfael bereit sind, um ihn aufzunehmen und für seine Genesung zu sorgen. Zu welcher Stunde können wir mit Eurer Ankunft rechnen? Abt Radulfus wird Eure Hauptleute als Gäste aufnehmen wollen, bevor sie sich auf den Rückweg begeben.«

»Wir müßten die Abtei noch vor Mittag erreichen«, sagte der Bote.

»Gut! Dann soll für alle ein Platz zum Mittagstisch vorbereitet werden, ehe Ihr Euch mit Elis ap Cynan im Austausch gegen meinen Sheriff auf den Rückweg macht.«

Hugh übermittelte persönlich die Nachricht an Lady Prestcote, die ihn erleichtert und freudig in den Turmgemächern empfing; die Freude wurde allerdings durch einige Sorgen getrübt, als sie vom Zusammenbruch ihres Gatten hörte. Sie rief rasch ihren Sohn und ihre Magd herbei und machte sich bereit, in das bequemere Gästehaus der Abtei umzuziehen, um ihren Herrn empfangen zu können. Hugh begleitete sie dorthin und beriet sich dann mit dem Abt über den Besuch, der am Mittag kommen sollte. Und wenn er bemerkte, daß ein

Mädchen in seiner Begleitung stumm und bleich war, mit Augen, die ebenso vor Tränen wie vor Sehnsucht glänzten, dann dachte er sich nichts dabei. Die Tochter der ersten Frau, verdrängt durch den Sohn der zweiten, mochte durchaus die sein, die den Vater am meisten vermißt hatte; vielleicht war ihr Mut durch den Kummer des Wartens so schwer geprüft worden, daß sich ihre Erschöpfung noch nicht in Freude hatte verwandeln können.

Unterdessen gab es viel Getriebe und Geschäftigkeit im großen Hof. Abt Radulfus gab Befehle und kümmerte sich darum, daß sein Tisch für die Bewirtung der Abgesandten des Prinzen von Gwynedd hergerichtet wurde. Prior Robert beriet sich mit den Köchen, die der Eskorte für den Rückweg reichlich Vorräte mitgeben sollten, und er reservierte Plätze in den Ställen, wo ihre Pferde gefüttert und gepflegt werden konnten. Bruder Edmund bereitete die ruhigste, abgeschiedenste Kammer im Krankenquartier vor und ließ warme, leichte Decken und eine Kohlenpfanne bringen, um die Luft vorzuwärmen, während Bruder Cadfael, an die aufgebrochene Wunde und die Möglichkeit von etwas Schlimmerem als einem Schwindel denkend, die Schätze seines Herbariums durchsah. Die Abtei hatte manchmal schon größere Gruppen bewirtet, sogar königlichen Geblütes, doch nun kehrte ein Mann aus der Gefangenschaft zurück, und die Waliser, die ihn so höflich und pünktlich freigegeben und sicher hergeführt hatten, mußten wie Prinzen empfangen werden, und schließlich waren sie auch die Abgesandten eines Prinzen.

Elis ap Cynan lag in seiner Zelle in der Burg auf dem Bauch, das Gesicht in die Decken gepreßt, das Herz in der Brust so drückend wie ein heißer, schwerer Stein. Er hatte Melicent gehen gesehen, doch nur heimlich, um ihr das Leid und die Verzweiflung zu ersparen, die er selbst spürte. Sollte sie lieber ohne eine letzte Erinnerung gehen, damit sie wenigstens all ihre Gedanken auf

den Vater richten und den Geliebten aus dem Bewußtsein tilgen konnte. Er hatte ihr angestrengt nachgestarrt,
bis sie über die Rampe vor dem Torhaus verschwunden
war, und ihr silbrig-goldenes Haar war der einzige helle
Fleck an diesem trüben Tag gewesen. Sie war fort, und
die Vernunft sagte ihm, daß er nun höchstens noch darauf hoffen konnte, sie am Morgen ein letztes Mal flüch-
tig zu sehen, wenn er aus der Burg freigegeben und zur
Abtei hinunter geführt wurde, wo er an Einon ab Ithel
übergeben werden sollte; und danach, wenn nicht noch
ein Wunder geschah, würde er sie niemals wiedersehen.

5

Bruder Cadfael stand mit Bruder Edmund auf der Terrasse der Krankenstation bereit, als die Männer am Spät-
vormittag kurz nach dem Hochamt einritten. Owains
vertrauenswürdiger Hauptmann hatte mit Eliud ap Griffith, der sehr feierlich dreinblickte, die Spitze übernommen, und dicht hinter den beiden folgten ein Schild-
knappe und zwei ältere Offiziere. Hinter diesen kam die
Bahre, die sicher zwischen zwei kräftigen Hochlandponys festgebunden worden war. Neben den Pferden liefen Krankenwärter, die jedes Rütteln zu verhindern
suchten. Die lange Gestalt auf der Bahre war so dick eingewickelt und eingehüllt, daß sie unförmig wirkte, doch
die Ponys schritten mühelos und sicher aus, als wäre die
Last sehr leicht.

Einon ab Ithel war ein großer, muskulöser Mann von
über vierzig Jahren, bärtig, mit langem Schnurrbart und
einer braunen Haarmähne. Seine Kleidung und das Geschirr des guten Pferdes, das er ritt, verrieten seinen
Reichtum und seine Bedeutung. Eliud sprang aus dem
Sattel, um das Zaumzeug seines Herrn zu nehmen, und
führte das Pferd beiseite, als Hugh Beringar vortrat, um

die Ankömmlinge zu begrüßen. Hinter ihm folgte mit freundlicher Würde Abt Radulfus. Für Einon und die älteren Offiziere seiner Gruppe sollte es in den Gemächern des Abtes ein gemütliches Willkommensmahl geben, an dem auch Lady Prestcote, ihre Tochter und Hugh teilnehmen würden — wie es sich geziemte, wenn zwei Mächte zu einem vernünftigen Abkommen gefunden hatten. Die dringendsten Aufgaben blieben jedoch Bruder Edmund und seinen Helfern vorbehalten.

Die Bahre wurde abgeschnallt und sofort in den Raum der Krankenstation getragen, der zum Empfang des Verletzten vorgewärmt worden war. Edmund ließ sogar Lady Prestcote nicht herein, die glücklicherweise durch die Höflichkeitsbezeugungen etwas aufgehalten wurde. Er bat sie zu warten, bis der Kranke ausgewickelt, entkleidet und ins Bett gesteckt war und man sich ein Bild von seinem Zustand verschafft hatte.

Zunächst zogen die Helfer eine lange Nadel mit einem großen ziselierten Goldkopf, von der eine schmale Goldkette herabhing, aus dem hohen, enganliegenden Kragen des Schafsfellmantels, in den der Kranke gehüllt war. Jedermann wußte, daß es in Gwynedd Goldschmiede gab, und wahrscheinlich stammte dieses Schmuckstück aus Einons Vaterland, denn gewiß mußte dies sein Mantel sein, den er hergegeben hatte, um seinen Schutzbefohlenen zu wärmen. Edmund legte das Kleidungsstück zusammengefaltet auf einen niedrigen Schrank neben dem Bett, und zwar so, daß die große Nadel deutlich zu sehen war, damit sich niemand stach, wie es leicht hätte geschehen können, wenn sie verborgen gewesen wäre. Sie befreiten Gilbert Prestcote von den Kleiderschichten, in die er gewickelt war, und dabei schlug er langsam die Augen auf, ja, schien ihnen mit einigen schwachen Bewegungen helfen zu wollen. Er war sehr vom Fleisch gefallen und hatte mehrere Narben, die verheilt, aber entzündet waren, und natürlich die offene, blutige Wunde an der Seite, die bei seinem

Sturz wieder aufgerissen war. Cadfael legte vorsichtig einen Verband auf die Verletzung. Selbst diese passive Hinnahme der Behandlung erschöpfte den Kranken. Als sie ihn endlich ins gewärmte Bett gehoben und zugedeckt hatten, waren seine Augen schon wieder geschlossen. Er hatte bisher noch kein Wort gesprochen.

Es war ein Wunder, wie er es geschafft hatte, vor seinem Sturz überhaupt eine Meile zu reiten, dachte Cadfael, als er die unter den Laken ausgestreckte Gestalt und das ausgemergelte, aschfahle Gesicht betrachtete — die dunklen Augenhöhlen und spitzen Wangenknochen. Das dunkle Haupthaar und der Bart waren stark von Grau durchsetzt und wirkten ungepflegt und leblos. Nur sein eherner Wille, der keine Schwäche duldete, am allerwenigsten bei sich selbst, hatte ihm in den Sattel geholfen, und als auch der versagte, war er gestürzt.

Aber er atmete, und er hatte sich, wie schwach auch immer, bewegt, um die Gewalt über seinen eigenen Körper zu behaupten. Nun öffnete er noch einmal die getrübten und eingesunkenen Augen und starrte zu Cadfaels Gesicht hinauf. Seine grauen Lippen formten kaum hörbar die Worte: »Mein Sohn?« Nicht: »Meine Frau?« Und auch nicht: »Meine Tochter?« Cadfael betrachtete ihn mit wehmütigem Mitgefühl und beugte sich über ihn, um ihn zu beruhigen: »Der junge Gilbert ist hier, wohlbehalten und sicher.« Er blickte zu Edmund hinüber, der sich mit einer Geste einverstanden erklärte. »Ich werde ihn zu Euch bringen.«

Kleine Jungen sind eigentlich kaum zu erschüttern, aber Cadfael sprach trotzdem zur Mutter und zum Kind einige warnende und beruhigende Worte ehe er die beiden hereinbrachte und sich in eine Ecke zurückzog, um sie ungestört reden zu lassen. Hugh trat mit ihnen ans Bett. Prestcotes erster Gedanke galt natürlich seinem Sohn und der zweite, nicht weniger natürlich, seiner Grafschaft. Und alles in allem war seine Grafschaft in gutem Zustand, und das sollte ihn ermuntern zu leben, gesund zu werden und selbst die Führung wieder zu übernehmen.

Sybilla weinte leise. Der kleine Junge starrte den Vater, den er kaum erkannte, verwundert an, doch er ließ sich von einer hageren, kalten Hand heranziehen und von hungrigen Augen anblicken, die aussahen wie von flackernden Lichtern beleuchtete Höhlen. Seine Mutter beugte sich über ihn und flüsterte ihm etwas ins Ohr, und er senkte gehorsam das rosige, runde Gesicht und küßte eine knochige Wange. Er war ein angenehmes Kind, verwirrt, doch willig, und überhaupt nicht ängstlich. Prestcotes Augen wanderten weiter und fanden Hugh Beringar.

»Ruht Euch nur aus«, sagte Hugh, indem er sich niederbeugte und beantwortete, was nicht gefragt werden mußte. »Eure Grenzen sind unversehrt und bewacht. Der einzige Übergriff hat uns die Geisel für Euch verschafft, und auch dort war der Sieg unser. Owain Gwynedd ist unser Verbündeter. Was Euch zum Schutz anvertraut wurde, ist in bester Ordnung.«

Die getrübten Augen wurden von schweren Lidern bedeckt, und kein Blick fiel auf das Mädchen, das reglos und schweigend bei der Tür im Schatten stand. Cadfael hatte sie aus seiner Ecke beobachtet und gesehen, wie das Licht aus der Kohlenpfanne und der Lampe in den Tränen glitzerte, die ungehemmt und stumm ihre Wangen herunterströmten. Sie gab kein Geräusch von sich, sie atmete kaum. Ihre großen Augen ruhten wie gebannt, mit kummervollem, verzweifeltem Starren auf dem veränderten, gealterten Gesicht des Vaters.

Der Sheriff hatte verstanden, was Hugh gesagt hatte. Sein Kopf regte sich leicht in einem zufriedenen Nicken. Seine Lippen bewegten sich und brachten recht deutlich ein Wort hervor: »Gut!« Dann wandte er sich an den Jungen, der eingeschüchtert, doch neugierig über ihn gebeugt stand: »Braver Junge! Paß... auf deine Mutter auf...«

Er seufzte leise, und die Augen fielen ihm zu. Die Besucher verhielten sich eine Weile still, beobachteten das Heben und Senken der Decken über der eingefallenen Brust und lauschten den kurzen, rauhen Atemzügen, bevor Bruder Edmund leise vortrat und verhalten flüsterte: »Er schläft jetzt. Lassen wir ihn ruhen. Niemand kann noch etwas Besseres oder Wichtigeres für ihn tun.«

Hugh berührte Sybillas Arm, und sie erhob sich gehorsam und zog ihren Sohn an sich. »Wie Ihr seht, ist er in besten Händen«, sagte Hugh sanft. »Kommt mit zum Essen und laßt ihn schlafen.«

Die Tränen des Mädchens waren getrocknet; mit bleichen Wangen, doch ruhig folgte sie ihnen in den großen Hof hinaus, den sie überqueren mußten, um die Gemächer des Abtes zu erreichen. Dort wollten sie alle den Gästen aus Wales mit der schicklichen Anmut und Dankbarkeit begegnen, bevor diese wieder nach Montford und Oswestry aufbrachen.

Beim Mittagsmahl in der Krankenstation, das dort serviert wurde, bevor die Brüder im Refektorium aßen, steckten die Insassen die gealterten, doch neugierigen Köpfe zusammen, um zu ergründen, was die ungewohnte Unruhe in ihrem Reich zu bedeuten hatte. Das Schweigegebot brauchte von Alten und Kranken nicht besonders streng beachtet zu werden, und das war auch gut so, denn aus Mangel an anderen Beschäftigungen neigten sie ohnehin zu unverbesserlicher Geschwätzigkeit.

Bruder Rhys, ans Bett gefesselt und schon sehr alt, besaß noch einen scharfen Verstand, obwohl sein Augenlicht getrübt war. Sein Bett stand direkt am Flur und in der Nähe des entlegenen Zimmers, in dem am Morgen unter ungewöhnlicher Unruhe und Feierlichkeit ein Neuankömmling einquartiert worden war. Bruder Rhys freute sich darüber, der einzige zu sein, der genau Bescheid wußte. Unter den wenigen Freuden, die ihm geblieben waren, war seine Beobachtungsgabe die größte, die nicht leichtsinnig verschwendet werden durfte. Er lag da und lauschte. Diejenigen, die am Tisch saßen wie einst im Refektorium und sich in der Krankenstation, und manchmal, wenn das Wetter es erlaubte, auch im großen Hof bewegen durften, waren häufig dennoch gezwungen, sich bei ihm zu erkundigen.

»Wer sollte es schon sein«, sagte Bruder Rhys überheblich, »außer dem Sheriff selbst, der aus der Gefangenschaft in Wales zurückgekehrt ist.«

»Prestcote?« fragte Bruder Maurice, indem er seinen sehnigen Hals reckte wie ein Ganter, der sich zum Kampf bereit macht. »Hier? In unserer Krankenstation? Warum hat man ihn nur hierher gebracht?«

»Weil er ein kranker Mann ist, warum sonst? Er wurde in der Schlacht verwundet, und er ist nicht in der Verfassung, für sich selbst zu sorgen oder sich einem anderen Mann zu widersetzen. Ich hörte ihre Stimmen da drinnen — Edmund, Cadfael und Hugh Beringar —, und die Lady auch und das Kind. Glaubt mir, es ist Gilbert Prestcote.«

»Dann gibt es doch noch Gerechtigkeit«, sagte Maurice mit wilder Genugtuung und einem rachsüchtigen Funkeln in den Augen, »wenn sie auch mit großer Verzögerung kommt. Also liegt Prestcote darnieder und ist ein Nachbar von uns Unglücklichen. Und so werden schließlich doch noch die Missetaten an meinem Geschlecht gesühnt, und ich bereue, daß ich je daran zweifelte.«

Sie ließen es ihm durchgehen, denn sie hatten sich schon lange an seine Besessenheit gewöhnt. Dann gab es ein vielfältiges Gemurmel, denn die meisten sagten mit Recht, daß die Grafschaft unter Prestcotes Obhut nicht schlecht gefahren war. Zwar machten einige irgendeinem alten Groll Luft und äußerten Vorurteile über Sheriffs im allgemeinen, auch wenn der ihre keinesfalls der Schlimmste seines Schlages sei; insgesamt aber wünschten sie ihm alles Gute. Nur Bruder Maurice war unversöhnlich.

»Ein Unrecht wurde begangen«, sagte er unerbittlich, »das nicht einmal jetzt gänzlich gesühnt ist. Ich sage, laßt den Sünder bis zum bitteren Ende für seine Sünden zahlen.«

Anion, der Bruder, der an Krücken ging, saß am Ende des Tisches und sprach kein Wort; er hielt den Blick auf den Tisch gesenkt und hatte die Krücke, die er wohl bald nicht mehr brauchen würde, an die Hüfte gepreßt, als müßte er mit der Realität seiner Situation in engem Kontakt bleiben und brauchte die Beruhigung einer griffbereiten Waffe, um sich einem plötzlich aufgetauchten Feind stellen zu können. Der junge Griffri hatte getötet, ja, aber im Rausch und heißblütig und in einem fairen Kampf, Mann gegen Mann. Er war einen schlimmen Tod gestorben, einfach beseitigt, als hätte man einem Huhn den Hals umgedreht. Und der Mann, der ihn so einfach beseitigt hatte, lag jetzt keine zwanzig Meter entfernt! Schon der Klang seines Namens ließ jeden Blutstropfen in Anion walisisch kochen, und jeder Tropfen erinnerte ihn an die heilige Pflicht der *galanas*, der Blutrache für seinen Bruder.

Eliud führte Einons und sein eigenes Pferd über den großen Hof zu den Ställen; die Männer der Eskorte folgten mit ihren eigenen Reittieren und den zottigen Hochlandponys, welche die Bahre getragen hatten.

Wenn Einon ab Ithel bei offiziellen Anlässen seinen Prinzen repräsentierte, brauchte er einen Schildknappen, und Eliud übernahm es selbst, den großen Rotbraunen zu striegeln. Sehr bald schon würde er mit Elis die Plätze tauschen und sich hier die Haare raufen, während sein Vetter in Freiheit nach Wales zurückritt. Er nahm schweigend den schweren Sattel vom Pferd, zog das kunstvolle Zaumzeug ab und legte sich die Satteldecke über den Arm. Der Rotbraune warf, ob dieser Freiheit erfreut, den Kopf herum und schnaubte gewaltig. Eliud liebkoste ihn abwesend; er war nicht ganz bei der Sache, und seine Gefährten hatten ihn schon den ganzen Tag ungewöhnlich schweigsam und verschlossen gefunden. Sie beäugten ihn vorsichtig und ließen ihn in Ruhe. Es war keine große Überraschung für sie, als er sich plötzlich umdrehte und aus dem Stall in den offenen Hof hinausstampfte.

»Er will wohl nachsehen, ob sein Vetter schon da ist«, sagte sein Gefährte mitfühlend, während er eines der zottigen Ponys abrieb. »Seit der weg ist, war er ein halber Mensch und nicht mehr im Gleichgewicht. Er kann es kaum glauben, daß er ihn hier ohne Kratzer wiederfinden soll.«

»Da sollte er seinen Elis aber besser kennen«, grunzte der Mann neben ihm. »Der ist doch noch nie anders als auf seine Füße gefallen.«

Eliud blieb etwa zehn Minuten fort, lange genug für den ganzen Weg zum Torhaus, um besorgt durch die Klostersiedlung zum Ort hinunterzustarren; dann kam er starrsinnig schweigend zurück, legte die Satteldecke beiseite, die er noch trug, und machte sich ohne ein Wort und ohne Seitenblick wieder an die Arbeit.

»Noch nicht da?« fragte sein Nachbar mit vorsichtigem Mitgefühl.

»Nein«, sagte Eliud knapp und fuhr fort, mit kräftigen Bewegungen das helle Fell des Pferdes zu bearbeiten.

»Die Burg ist auf der anderen Seite der Stadt, und sie wollten ihn wohl dort behalten, bis unser Gefangener gut hier untergebracht war. Sie werden ihn schon bringen. Er wird sicher mit uns zu Mittag essen.«

Eliud entgegnete nichts. Zu dieser Stunde nahmen die Mönche im Refektorium ihr eigenes Mittagsmahl ein, und die Gäste des Abtes saßen mit ihm in seinen Gemächern bei Tisch. Es war die stillste Stunde des Tages; selbst das Kommen und Gehen im Gästehaus ließ zu dieser Zeit meist nach.

»Zeigt ihm nur nicht dieses düstere Gesicht«, meinte der Waliser grinsend. »Selbst wenn Ihr an seiner Stelle hierbleiben müßt. Höchstens zehn Tage, und Owain und der Stellvertreter des Sheriffs werden sich an der Grenze die Hände reichen; dann werdet auch ihr bald auf dem Heimweg sein.«

Eliud murmelte einige zustimmende Worte und wandte dem Mann den Rücken, um das Gespräch abzubrechen. Er hatte Einons Pferd versorgt, gestriegelt und getränkt, als Bruder Denis, der für die Gäste verantwortlich war, kam, um sie ins Refektorium zu bitten. Man hatte für sie neu gedeckt, nachdem die Brüder ihr Mahl beendet und sich zu einer kurzen Ruhe zurückgezogen hatten, bevor die Nachmittagsarbeit begann. Die Vorräte des Hauses standen ihnen zur Verfügung, im Waschraum wurde warmes Wasser für ihre Hände bereitgestellt, auf ihrer Tafel waren Handtücher ausgelegt, und als sie das Refektorium betraten, glänzte der Tisch mit mehr Gerichten, als die Brüder selbst genossen hatten. Und dort erwartete sie auch, ein wenig in der Art eines nervösen Gastgebers, Elis ap Cynan, der für diesen Anlaß frisch gebürstet und herausgeputzt worden war und der sie steif und förmlich begrüßte.

Die Peinlichkeit des Austausches, zu dem er selbst so unklug den Grund gegeben hatte, vielleicht auch eine Maßregelung wegen seiner Unvorsichtigkeit oder etwas anderes von ähnlichem Gewicht hatten bei Elis ihre Wirkung getan, denn er kam ihnen mit steifen Bewegungen und sehr verschlossenem Gesicht entgegen, obwohl er sonst eher für seine unverwüstliche, herzliche Fröhlichkeit bekannt war. Natürlich strahlten seine Augen, als er Eliud eintreten sah. Er ging ihm mit ausgebreiteten Armen entgegen, um ihn zu umarmen, machte sich dann aber sofort wieder frei. Der Druck seiner Hand verriet eine unerklärliche Spannung, und obwohl er bei Tisch direkt neben seinem Vetter saß, blieb das Tischgespräch allgemein und zurückhaltend. Die Reisegefährten konnten sich nur wundern. Da hatten sich diese beiden Unzertrennlichen nach langer, beängstigender Trennung wiedergefunden, und beide waren stumm wie Steine und bleich und ernst wie Männer, die ihr Leben verwirkt hatten.

Das änderte sich, als das Mahl vorbei, das Dankgebet gesprochen und die beiden frei waren, in den Hof hinauszugehen. Elis nahm seinen Vetter am Arm und schleppte ihn in den Kreuzgang, wo sie sich in eine der Lesenischen zurückziehen konnten, in der kein Mönch arbeitete oder studierte. Dort kauerten sie nieder wie gejagte Füchse, Schulter an Schulter, um es warm zu haben wie damals als Jungen, als sie nach einer aufgedeckten Missetat in die Kirche geflohen waren. Und nun erkannte Eliud seinen Ziehbruder wieder als den, der er immer gewesen war und der er immer sein würde und fragte sich zärtlich besorgt, welche Verfehlung oder welches Unglück er ihm hier anzuvertrauen hatte, nachdem er vorher so überheblich seine Zurückhaltung demonstriert hatte.

»Oh, Eliud!« platzte Elis heraus und nahm ihn noch einmal in die Arme, die gewiß nichts von ihrer unbekümmerten Kraft verloren hatten. »Um Himmels willen, was soll ich nur tun? Wie soll ich es dir nur erklären? Ich kann nicht zurückgehen! Wenn ich gehe, habe ich alles verloren. Oh, Eliud, ich muß sie haben! Wenn ich sie verliere, muß ich sterben! Hast du sie noch nicht gesehen? Prestcotes Tochter?«

»Seine Tochter?« flüsterte Eliud wie vom Donner gerührt. »Ich sah eine Dame mit einem erwachsenen Mädchen und einem kleinen Jungen..., ich habe kaum hingesehen.«

»Um Himmels willen, Mann, wie konntest du sie übersehen? Elfenbein und Rosen, ihr Haar ganz hell, wie gesponnenes Silber... Ich liebe sie!« erklärte Elis fiebrig. »Sie ist bereit, mir zu gehören, das schwöre ich, und wir haben uns einander vesprochen. Oh, Eliud, wenn ich jetzt gehe, werde ich sie nie bekommen. Wenn ich sie jetzt zurücklasse, bin ich verloren. Und ihr Vater ist mein Feind, sie hat mich gewarnt, er haßt die Waliser. Komm ihm nur nicht zu nahe, hat sie gesagt...«

Eliud, der verblüfft und verwundert neben ihm saß, erhob sich, um den Freund bei den Schultern zu fassen und ihn heftig zu schütteln, bis er aus Atemnot schweigen mußte und ihn erstaunt anstarrte.

»*Was* erzählst du mir da? Du hast hier ein Mädchen gefunden? Du *liebst* sie? Du willst Cristina nicht mehr? Ist es *das*, was du mir sagst?«

»Hast du denn nicht zugehört?« Elis machte sich unbeeindruckt und unerschüttert frei und packte nun ihn am Arm. »Höre, laß mich dir erzählen, wie es kam. Welches Versprechen gab ich denn Cristina von mir aus? Ist es ihre oder meine Schuld, daß wir wie Vieh aneinandergekettet sind? Sie macht sich ebensowenig aus mir, wie ich mir aus ihr. Ich empfinde für sie wie ein Bruder, ich könnte auf ihrer Hochzeit tanzen und ihr einen Kuß geben und ihr alles Gute wünschen, aber dies... dies ist etwas anderes! Oh, Eliud, schweig und hör mir zu!«

Und es sprudelte aus ihm heraus wie Musik, die ganze Geschichte von ihrer ersten Begegnung von dem Mädchen mit dem Silberhaar und den magischen blauen Augen. Das Geschlecht, dem Elis angehörte, hatte viele Barden hervorgebracht, und auch er besaß die Gabe, wortgewandt und melodisch zu reden. Eliud saß benommen und stumm neben ihm, starrte ihn bleich und erstaunt und in seltsamer Bestürzung an, bis seine Hände schließlich Eliuds gestikulierende Hände packten.

»Und ich war zornig auf dich!« sagte er leise und langsam, fast zu sich selbst. »Wenn ich es nur gewußt hätte...«

»Aber Eliud, er ist hier!« Elis packte seine Arme und sah ihm begierig in die Augen. »Er *ist* doch hier? Du hast ihn hergebracht, du mußt es wissen. Sie sagt, ich soll nicht mit ihm reden, aber wie könnte ich diese Chance verspielen? Ich bin von adeliger Geburt, ich verspreche dem Mädchen mein ganzes Herz, all mein Hab und Gut, wie sollte er einen besseren Schwiegersohn finden? Und sie ist nicht versprochen. Ich kann, ich muß ihn gewinnen, er muß mich anhören..., und warum sollte er sich weigern?« Er warf einen flüchtigen Blick zum fast leeren Hof hinaus. »Sie sind noch nicht bereit, sie haben uns noch nicht gerufen. Eliud, du weißt, in welchem Zimmer er liegt. Ich muß zu ihm! Ich muß, ich will! Zeig mir sein Zimmer!«

»Er ist in der Krankenstation.« Eliud starrte ihn mit offenem Mund und großen, erschrockenen Augen an. »Aber du kannst nicht, du darfst nicht... Er ist krank und müde, du darfst ihn jetzt nicht belästigen.«

»Ich werde sanft sein, demütig, ich werde vor ihm knien, ich werde mein Leben in seine Hände geben. Wo ist die Krankenstation? Ich war vorher noch nie in diesen Mauern. Welche Tür ist es?« Er packte Eliud am Arm und zerrte ihn zum Bogengang, der in den Hof führte. »Zeig es mir, rasch!«

»Nein! Geh nicht! Laß ihn in Ruhe! Es wäre eine Sünde, ihn jetzt zu stören...«

»*Welche Tür*?« Elis schüttelte ihn wild. »Du hast ihn hergebracht, du hast es gesehen!«

»Dort! Das Gebäude dort rechts neben dem Torhaus, das etwas zurückversetzt an der Außenmauer steht. Aber tu es nicht! Das Mädchen muß doch ihren Vater am besten kennen. Warte, dränge ihn jetzt nicht – einen schwerkranken Mann!«

»Glaubst du denn, ich könnte ihrem Vater das Leben schwermachen? Ich will ihm nur mein Herz eröffnen und ihm sagen, daß ich ihre Gunst gewonnen habe. Wenn er mich verflucht, werde ich es ertragen. Aber ich muß es einfach versuchen. Denn ich werde nie wieder eine Chance dazu bekommen.« Er wollte sich losreißen, und Eliud hielt ihn verzweifelt fest, bis er schließlich schwer seufzte und seinen Griff löste.

»Dann geh und versuche dein Glück! Ich kann dich nicht zurückhalten.«

Elis war schon fort. Ohne die geringste Umsicht und auf dem direktesten Wege stürzte er in den Hof hinaus und pfeilgerade hinüber zum Eingang der Krankenstation. Eliud blieb im Schatten stehen und sah ihn im Haus verschwinden. Er lehnte die Stirn an den Stein und wartete eine Weile mit geschlossenen Augen, bevor er den Blick wieder hob.

Die Gäste des Abtes tauchten gerade aus der Tür seiner Gemächer auf. Der Mann, der jetzt das Amt des Sheriffs versah, ging mit der Dame und ihrer Tochter, um sie zur Terrasse des Gästehauses zu führen. Einon ab Ithel schritt plaudernd neben dem Abt, und seine beiden Gefährten, die das Englische nicht beherrschten, warteten höflich etwas abseits. Bald schon würde er befehlen, die Pferde zu satteln, und der förmliche Abschied würde beginnen.

In der Tür der Krankenstation tauchten zwei Gestalten auf: zuerst Elis, steif und aufrecht, und hinter ihm einer der Brüder. Am Kopf der kurzen Steintreppe blieb der Mönch stehen und sah Elis nach, der ungelenk über den großen Hof lief, angespannt, fast erstickend an seiner Verzweiflung.

»Er schläft«, sagte Elis entmutigt zu seinem Ziehbruder. »Ich durfte nicht mit ihm sprechen, der Krankenwärter hat mich abgewiesen.«

Nur noch knapp eine halbe Stunde, und dann waren sie auf dem Rückweg nach Montford, wo sie auf der Rückreise nach Wales die erste Nacht verbringen würden. Eliud führte Einons großen Rotbraunen aus den Ställen, sattelte ihn und zäumte ihn auf, bevor er sich um das Pferd kümmerte, das er selbst geritten hatte und das nun Elis reiten würde, während er selbst hier zurückblieb.

Die Brüder hatten sich nach der gewohnten Mittagsruhe wieder erhoben und tummelten sich im Hof, auf dem Weg zu den ihnen jeweils übertragenen Arbeiten. Der März war schon ins Land gezogen, und in Feld und Garten gab es immer etwas zu tun, ganz abgesehen von den Handwerkern, die im Kreuzgang und im Skriptorium ihre Werkstätten hatten. Bruder Cadfael, der gemächlich zum Garten und seinem Herbarium ging, wurde plötzlich von einem jungen Mann namens Eliud angesprochen, der offenbar eine Auskunft suchte und sich freute, ein bekanntes Gesicht zu sehen.

»Bruder, wenn ich Euch bemühen dürfte — ich habe meine Pflicht versäumt, ich habe etwas vergessen. Mein Herr Einon gab dem Herrn Gilbert seinen Mantel als zusätzliche Decke auf die Bahre. Der Mantel ist aus geschorenen Schafsfellen — habt Ihr ihn gesehen? Ich muß ihn zurückhaben, aber ich will den Herrn Gilbert nicht stören. Wenn Ihr mir sein Zimmer zeigen und mir den Mantel geben wollt...«

»Sehr gern«, sagte Cadfael und übernahm die Führung. Während sie nebeneinander hergingen, beäugte er heimlich den jungen Mann. Dieses leidenschaftlich gespannte Gesicht war verschlossen und versiegelt, doch in den Augen war Sorge zu erkennen. Er würde immer an den Schwierigkeiten mit seinem leichtfüßigen Ziehbruder zu tragen haben, der sich so unbekümmert in der Welt bewegte. Und nun stand ein neuer Abschied bevor, nachdem sie so kurz vereint gewesen waren — wobei die bevorstehende Heirat von Elis die Trennung wohl zu einer lebenslangen machen würde. »Ihr kennt den Weg«, sagte Cadfael, »wenn auch nicht das Zimmer. Als wir ihn verließen, hat er tief geschlafen, und ich hoffe, er schläft noch. Er schläft in seiner Heimatstadt, seine Familie ist in der Nähe und sein Land wird gut verwaltet; so hat er alles, was er braucht.«

»Dann war er nicht tödlich verletzt?« fragte Eliud leise.

»Er hat nichts, was die Zeit nicht heilen könnte. Doch

da sind wir schon. Kommt nur mit mir herein. Ich erinnere mich an den Mantel. Ich sah, wie Bruder Edmund ihn zusammengefaltet auf den Schrank legte.«

Man hatte die Tür der kleinen Kammer einen Spalt offengelassen, damit das Eisenscharnier nicht quietschte; doch als sie nun die Tür weit genug aufzogen, um eintreten zu können, quietschte sie doch wie zum Trotz. Cadfael schob sich schräg durch die Öffnung und hielt einen Augenblick inne, um aufmerksam die große, reglose Gestalt im Bett zu betrachten, die ohne Bewegung und ohne aufzumerken liegenblieb. Die Kohlenpfanne sah aus wie ein kleines, glühendes Auge im halbdunklen Raum. Cadfael ging zum Schrank, auf dem die zusammengefalteten Kleider lagen, und nahm den Schafsfellmantel an sich. Fraglos war es genau der, den Eliud suchte, und doch war Cadfael sich sofort bewußt, daß er sich nicht ganz so anfühlte, wie er sich hätte anfühlen müssen; doch er blieb nicht stehen, um herauszufinden, was verändert war. Er hatte sich gerade wieder zur Tür umgewendet, an der der junge Mann, halb drinnen und halb draußen, ängstlich starrend wartete, als Eliud einen Schritt zur Seite machte, um Cadfael den Vortritt zu lassen, und dabei den Stuhl umwarf, der vor der Tür stand. Er fiel mit einem lauten, hölzernen Klappern um, und Eliud bückte sich, um ihn vom Kachelboden aufzuheben. Cadfael, der ihm mit einer schnellen Handbewegung Schweigen gebot, fuhr herum, um zu sehen, ob der Lärm den Schläfer aufgeschreckt hatte.

Keine Bewegung, kein tieferer Atemzug, kein Seufzen. Der langgestreckte Körper, der sich unter den Bettlaken kaum abzeichnete, lag reglos wie zuvor. Zu reglos. Cadfael trat näher und streckte eine Hand aus, um das Mundtuch fortzuziehen, das den grauen Bart bedeckte und den Mund verbarg. Die bläulichen Augenlider in den eingesunkenen Höhlen starrten ihn an wie die geschnitzten Augen einer Grabskulptur. Die Lippen waren halb geöffnet und ein wenig von den zusammengebissenen Zähnen zurückgezogen, als litte der Mann an einem beständigen, gewohnten Schmerz. Die hagere Brust bewegte sich nicht mehr. Gilbert Prestcotes Schlaf konnte durch keinen Lärm dieser Welt mehr gestört werden.

»Was ist denn?« flüsterte Eliud, der sich nähergeschlichen hatte.

»Nehmt dies«, befahl Cadfael und drückte dem Jungen den zusammengefalteten Mantel in die Hände. »Kommt mit zu Eurem Herrn und Hugh Beringar, und gebe Gott, daß die Frauen wohlbehalten im Haus sind!«

Als er, mit Eliud stumm und schaudernd auf den Fersen, auf den Hof trat, sah er, daß er sich um die Frauen keine unmittelbaren Sorgen zu machen brauchte. Es war kalt draußen, und nun, da man die Höflichkeiten hinter sich gebracht hatte, war der Rest reine Männersache. Lady Prestcote hatte Lebewohl gesagt und sich mit Melicent ins Gästehaus zurückgezogen. Die walisischen Gäste warteten in einer lockeren Gruppe zusammen mit Hugh vor dem Torhaus, bereit aufzusteigen und davonzureiten. Die Pferde waren bereits gesattelt und trappelten mit klingenden Hufen auf dem Pflaster herum. Elis stand fügsam und pflichtbewußt an Einons Steigbügel, doch er wirkte bei der Aussicht, den Heimweg zu beginnen, nicht besonders erfreut. Sein Gesicht war so bewölkt wie der Himmel. Als Cadfaels rasche Schritte näherkamen und den Männern sein Gesichtsausdruck auffiel, wandten sie sich ihm aufmerksam zu.

»Ich komme mit schlimmen Nachrichten«, sagte Cadfael unumwunden. »Mein Herr, Eure Mühe war verschwendet, und ich fürchte, Euer Aufbruch muß eine Weile verschoben werden. Wir kommen gerade aus der Krankenstation. Gilbert Prestcote ist tot.«

6

Sie kamen beide mit ihm, Hugh Beringar und Einon ab Ithel, da sie gemeinsam für den Gefangenenaustausch verantwortlich waren, der sich so plötzlich ihrer Kontrolle entzogen hatte. Nebeneinander standen sie in dem düsteren, stillen Zimmer neben dem Bett. Die kleine Lampe in einer Ecke blinzelte wie ein sanftes gelbes Auge, die Kohlenpfanne wie ein hellrotes in der anderen. Sie starrten und tasteten und hielten eine glattpolierte Klinge vor Mund und Nase, fanden jedoch keine Spur von Atem. Der Körper war noch warm und biegsam, der Mann also noch nicht lange tot – aber tot war er.

»Verwundet und geschwächt und erschöpft vom Reisen«, sagte Hugh traurig. »Euch trifft keine Schuld, mein Herr, wenn er nicht mehr die Kraft hatte, weiterzuleben.«

»Dennoch hatte ich einen Auftrag«, entgegnete Einon. »Es war meine Pflicht, Euch einen Mann zu bringen und im Austausch einen anderen von Euch mitzunehmen. Jetzt ist die Angelegenheit hinfällig, sie kann nicht zum Abschluß gebracht werden.«

»Ihr habt ihn aber lebend gebracht und ihn lebend übergeben. Erst als er in unseren Händen war, ereilte ihn der Tod. Nichts spricht dagegen, daß Ihr Euren Mann nehmt und wie vereinbart geht. Euren Teil habt Ihr getan, und Ihr habt ihn gut getan.«

»Nicht gut genug. Der Mann ist tot. Mein Prinz ist nicht willens, einen toten Mann gegen einen lebenden auszutauschen«, sagte Einon hochmütig. »Ich spalte keine Haare, und ich will auch nicht, daß welche zu meinen Gunsten gespalten werden. Auch Owain Gwynedd wünscht dies nicht. Wir haben Euch, wenn auch ohne unsre Schuld, einen toten Mann gebracht. Ich werde keinen lebenden für ihn nehmen. Der Austausch kann nicht stattfinden. Er ist null und nichtig.«

Bruder Cadfael, der mit einem Ohr diesem Disput

lauschte, der in etwa so verlief, wie er es erwartet hatte, nahm die kleine Lampe auf, schützte sie mit der freien Hand vor der Zugluft und hielt sie dicht über das tote Gesicht. Es war kein quälender grausamer Tod gewesen. Der Mann hatte fest geschlafen und war im Zustand tiefer Erschöpfung wohl leicht über die Schwelle getreten. Oder war diese Schwelle schlüpfrig und trügerisch? Dieses stumme, reglose Gesicht, das unter seinen Blicken immer grauer wurde, war ihm einige Jahre lang vertraut gewesen, wenn es nun auch verfallen und gealtert aussah. Er musterte es genau und bewegte die Lampe, um jedes Stück Haut zu beleuchten. Die eingesunkenen Stellen lagen in bläulichen Schatten, aber die vollen Lippen, die ein wenig zurückgezogen waren, hätten nicht diese lebhafte Färbung haben sollen und auch nicht den Abdruck der großen, kräftigen Zähne auf der Innenseite — und die aufgeblähten Nasenflügel hätten nicht so weit aufklaffen und seltsame Quetschmale zeigen dürfen.

»Dann tut, was Euch richtig erscheint«, sagte Hugh hinter ihm, »aber ich für meinen Teil will klarstellen, daß Ihr frei seid, mit Eurer Gruppe heimzukehren und beide junge Männer mit Euch zu nehmen. Schickt mir meinen zurück, und ich werde die Bedingungen als getreulich erfüllt betrachten. Wenn aber Owain Gwynedd mich treffen will, nun, um so besser — dann werde ich ihm zur Grenze entgegengehen, an jeden Ort, den er bestimmt, und dort meine Geisel von ihm übernehmen.«

»Owain wird entscheiden«, erwiderte Einon, »sobald ich ihm berichtet habe, was geschehen ist. Aber ohne sein Wort muß ich Elis ap Cynan in Gefangenschaft lassen und Eliud muß mit mir zurückreiten. Für Elis wurde nicht der angemessene Preis bezahlt, ich bin es nicht zufrieden. Er bleibt hier.«

»Ich fürchte«, sagte Cadfael, indem er sich abrupt vom Bett abwandte, »Elis wird nicht der einzige sein, der gezwungen ist hierzubleiben.« Und als sie ihn verständnislos und fragend anstarrten, fuhr er fort: »Hier ist mehr geschehen, als Ihr wißt. Dieser Mann hier war nicht tödlich verletzt, und alles, was er brauchte waren Zeit, Ruhe und Seelenfrieden, dann wäre er wieder zu Kräften gekommen. Vielleicht um einiges gealtert, aber er hätte sich erholt. Der Sheriff ist nicht einfach seiner eigenen Schwäche und Müdigkeit erlegen. Es gab eine Hand, die ihn auf den Weg in die Ewigkeit schickte.«

»Dann wollt Ihr sagen«, fragte Hugh nach einem schrecklichen Schweigen voller Entsetzen und Zweifel, »daß er ermordet wurde?«

»Genau das. Die Zeichen an ihm sprechen eine deutliche Sprache.«

»Zeigt sie uns«, verlangte Hugh.

Er zeigte es ihnen, und auf jeder Seite des Bettes beugte sich ein angespanntes Gesicht herunter, um den Hinweisen seiner Finger zu folgen. »Es brauchte nicht viel Gewalt, es wird nicht einmal einen richtigen Kampf gegeben haben. Aber betrachtet die Male dort — diese Male rund um Nase und Mund, so schwach man sie auch sieht, sind Quetschungen, die er noch nicht hatte, als wir ihn ins Bett brachten. Seine Lippen weisen deutliche Blutergüsse auf, und wenn Ihr genau hinseht, erkennt Ihr die Abdrücke der Zähne in der Oberlippe. Ihm wurde eine Hand über das Gesicht gelegt, um ihn zu erstikken. Ich bezweifle, ob er dabei erwachte, und bei seinem tiefen Schlaf und seinem erschöpften Zustand hat es gewiß nicht lange gedauert.«

Einon betrachtete das Kopfteil des Bettes und fragte mit leiser Stimme: »Was wurde denn benutzt, um Mund und Nase zu verschließen? Seine Decken?«

»Das kann man noch nicht sagen. Ich brauche besseres Licht und etwas Zeit. Aber so sicher, wie Gott uns sieht, wurde dieser Mann ermordet.«

Die beiden anderen Männer schwiegen, niemand fragte weiter. Einon hatte viele Arten des Sterbens gesehen, und Hugh kannte Bruder Cadfael gut genug, um seinem Urteil zu vertrauen. Sie sahen einander eine lange Weile schweigend und nachdenklich an.

»Der Bruder hier hat recht«, sagte Einon. »Ich kann keinen meiner Männer abziehen, solange auch nur der leiseste Verdacht besteht, daß einer von ihnen an diesem Mord beteiligt war. Erst wenn die Wahrheit völlig ergründet ist, können sie heimkehren.«

»Von allen Männern Eurer Gruppe«, sagte Hugh, »seid Ihr, mein Herr, und Eure beiden Hauptleute absolut frei von jedem Verdacht. Ihr habt jetzt gerade das Krankenzimmer zum ersten Mal betreten, und die beiden überhaupt nicht. Ihr alle drei wart in jeder Minute dieses Besuches in meiner eigenen und der Gesellschaft des Abtes, und außerdem haben Euch die Frauen gesehen. Niemand könnte Euch festhalten, und es ist nur recht, daß Ihr zu Owain Gwynedd zurückkehrt und ihn wissen laßt, was hier geschehen ist – in der Hoffnung, daß die Wahrheit bald ans Licht kommt und alle Schuldlosen freigegeben werden können.«

»Dann werde ich zurückkehren, und sie sollen mit mir kommen. Aber wer von den anderen...«

Sie dachten darüber nach und erinnerten sich daran, wie sich die Gruppe in verschiedene Richtungen verstreut hatte: die Gäste des Abtes mit dem Gastgeber in seine Gemächer, die anderen in die Ställe, um die Pferde zu versorgen und danach nach Belieben herumzuwandern und zu plaudern, bis sie zum Mittagessen ins Refektorium gerufen wurden. Und in der halben Stunde vor dem Mahl war der Hof fast leer gewesen.

»Unter ihnen ist kein einziger«, sagte Einon, »der nicht hätte hier hereinkommen können. Sechs meiner Männer und Eliud. Es sei denn, einige von ihnen waren in Gesellschaft von Männern dieses Hauses oder die ganze Zeit in ihrer Sichtweite. Das bezweifle ich zwar, aber man könnte nachforschen.«

»Auch an jene, die hier leben, muß man denken. An uns alle. Gewiß hattet ihr Waliser am allerwenigsten

Grund, ihm den Tod zu wünschen, nachdem ihr ihn über einen so langen Weg getragen und versorgt habt. Es wäre widersinnig, auch nur daran zu denken. Hier sind die Mönche, das fahrende Volk, das in diesem Bezirk lebt, die Laienbrüder, ich selbst, obwohl ich die ganze Zeit mit Euch zusammen war, die Männer, die Elis von der Burg herbrachten... Elis selbst...«

»Er wurde geradewegs ins Refektorium geführt«, sagte Einon. »Aber vor allem er muß hierbleiben. Wir sollten vielleicht damit beginnen, unter meinen Männern jene zu suchen, für die ohne Unterbrechung garantiert werden kann, wo sie sich aufhielten, und wenn es solche gibt, dann will ich sie mit mir nehmen, denn je eher Owain Gwynedd von dieser Sache erfährt, desto besser.«

»Und ich«, sagte Hugh traurig, »muß nun seiner Witwe und seiner Tochter die Nachricht überbringen und dem Herrn Abt berichten. Es wird ein schlimmer Botengang werden. Ein Mord in seiner eigenen Enklave!«

Abt Radulfus kam mit grimmiger Miene, betrachtete lange und bekümmert den Toten, hörte sich an, was Cadfael zu sagen hatte, und bedeckte das markante Antlitz mit einem Leinentuch. Auch Prior Robert kam, aus seiner aristokratischen Ruhe gerissen, und schüttelte ob der Ungerechtigkeit der Welt und der Entweihung eines heiligen Ortes den silbergrauen Kopf. Man mußte die Räume in aller Form neu weihen, um sie wieder rein zu machen, und das konnte erst geschehen, wenn die Wahrheit gefunden und Gerechtigkeit geübt worden war. Bruder Edmund zeigte sich über alle Maßen verzweifelt, daß so etwas in seinem Reich und unter seiner hingebungsvollen und umsichtigen Regentschaft geschehen konnte, als hätte die Schuld seine eigenen Hände besudelt und einen großen schwarzen Fleck auf seine Seele gezeichnet. Es war schwer, ihn zu beruhigen. Immer wieder lamentierte er darüber, daß er keine ständige Wache am Bett des Sheriffs aufgestellt hatte, aber wie hätte man vorher wissen können, daß das nötig wäre? Er hatte zweimal hineingeschaut und alles still und ruhig gefunden und es dabei belassen. Stille und Ruhe, Zeit und Muße, das war das, was der kranke Mann am dringendsten brauchte. Die Tür war einen Spalt offengelassen worden, damit jeder Bruder, der zufällig vorbeikam, es hören konnte, wenn der Schläfer erwachte und eines kleinen Dienstes bedurfte.

»Schweigt jetzt!« sagte Cadfael seufzend. »Nehmt keine größere Schuld auf Euch, als Euch zusteht, denn Eure Schuld ist nicht der Rede wert. Wie Ihr sehr wohl wißt, gibt es keinen Mann, der sich besser um seine Gefährten kümmert. Bleibt im Gleichgewicht, denn Ihr und ich, wir werden alle hier in unseren Mauern befragen müssen, ob sie etwas Außergewöhnliches gehört oder gesehen haben.«

Einon ab Ithel war unterdessen mit seinen beiden Hauptmännern und den Hochlandponys, die an einem Seil geführt wurden, nach Montford aufgebrochen, wo er die Nacht verbringen wollte, und am nächsten Tag so schnell wie möglich Owain Gwynedd zu suchen, der irgendwo im Norden seine Grenze bewachte. Keiner seiner Männer konnte über jeden Augenblick in den Klostermauern Rechenschaft ablegen und Zeugen zum Beweis vorbringen. Sie mußten hier oder in den Mauen der Burg bleiben, bis Prestcotes Mörder gefunden und gestellt war.

Hugh war klugerweise zuerst zum Abt gegangen, und erst nach dem eiligen Aufbruch der Waliser begab er sich auf den schwierigeren Botengang.

Edmund und Cadfael wollten gerade das Totenbett verlassen, als die beiden Frauen weinend aus dem Gästehaus hereinkamen. Sybilla stolperte blind an Hughs Arm. Den kleinen Jungen hatten sie in glücklicher Unwissenheit bei Sybillas Magd zurücklassen können. Es würde einen besseren Augenblick geben, ihm zu sagen, daß er den Vater verloren hatte.

Als Cadfael leise die Tür hinter sich zuzog, hörte er die

Witwe erneut schmerzlich weinen und ihre Seufzer in den Bettdecken ihres Mannes ersticken. Das Mädchen gab kein Geräusch von sich. Sie hatte steif, mit bleichem, eisigem Gesicht und vor Schreck leeren Augen das Zimmer betreten.

Die Waliser standen unbehaglich in einer kleinen Gruppe mitten auf dem Hof beisammen; Hughs Wächter hielten sich unaufdringlich, doch wachsam in ihrer Nähe und besonders zwischen ihnen und der jetzt geschlossenen Pforte im Tor auf. Elis und Eliud, die die schreckliche Neuigkeit schweigend und hilflos hingenommen hatten, standen, ohne sich zu berühren und ohne sich anzusehen, ein wenig abseits. Erst jetzt konnte Cadfael eine gewisse Ähnlichkeit zwischen ihnen feststellen, die jedoch so schwach war, da sie normalerweise nicht aufgefallen wäre. Der eine war ernst und nachdenklich, während der andere sonst so lebhaft und sorglos wie ein Vogel schien. Jetzt aber zeigten beide den gleichen schockierten Gesichtsausdruck, der eine so benommen wie der andere, und hätten fast Zwillingsbrüder sein können.

Sie standen im Hof und warteten darauf, daß über sie verfügt würde. Schweigend traten sie von einem Bein aufs andere, als Hugh mit den beiden Frauen vorbeiging. Sybilla hatte ihre Tränen einigermaßen unter Kontrolle bekommen und zeigte mehr Haltung, als Cadfael erwartet hätte. Höchstwahrscheinlich hatte sie bereits einen Teil ihres Bewußtseins und ihrer Energie auf die Einschätzung dieser neuen Situation gerichtet und darauf, was dies für ihren Sohn bedeutete, der nun der Herr von sechs wertvollen Anwesen war, die allerdings allesamt im gefährdeten Grenzland lagen. Er brauchte entweder einen sehr fähigen Verwalter oder einen starken, gutgestellten Stiefvater. Ihr Herr war tot, sein Oberherr, der König, ein Gefangener; niemand konnte sie zu einer unwillkommenen Verbindung zwingen. Sie war viele Jahre jünger als ihr verstorbener Mann und besaß eine stattliche Mitgift und ein ansprechendes Äußeres, was sie zu einer guten Partie machte. Sie würde weiterleben, und es würde ihr an nichts mangeln.

Das Mädchen war ein anderes Kapitel. In ihrer frostigen Ruhe war wieder ein schwaches Feuer aufgeflammt, und tief in den verschleierten Augen sprühten Funken. Sie warf Elis einen verstohlenen Blick zu und sah dann vor sich hin.

Hugh hielt einen Augenblick inne, um die Waliser aus der Eskorte an seine Männer zu übergeben und sie in die sichere Burg abführen zu lassen, natürlich mit aller gebotenen Höflichkeit, denn möglicherweise hatte sich keiner von ihnen etwas zu Schulden kommen lassen. Dennoch würde man sie genau und unermüdlich bewachen. Hugh wollte schon weitergehen, um die Frauen zu ihren Gemächern zu begleiten, bevor er die Untersuchungen fortsetzte, doch Melicent legte ihm plötzlich eine Hand auf den Arm.

»Mein Herr, darf ich, da Bruder Edmund gerade hier ist, ihm eine Frage stellen, bevor wir die Angelegenheit Euch überlassen?« Sie war sehr still, doch das Feuer in ihr begann durchzubrechen und unter ihrer Blässe waren scharfe, stählerne Züge zu sehen. »Bruder Edmund Ihr kennt ja Euer Reich am besten, und ich weiß, wie gut Ihr darüber wacht — Euch trifft kein Vorwurf. Aber sagt uns, ob jemand das Zimmer meines Vaters betrat, nachdem er schlafend zurückgelassen wurde.«

»Ich war nicht ständig in der Nähe«, entgegnete Edmund unglücklich. »Gott vergebe mir, ich hätte mir nicht träumen lassen, daß es nötig sein könnte. Jeder hätte zu ihm hineingehen können.«

»Aber Ihr wißt von einem, der ganz gewiß hineinging?«

Sybilla hatte ihre Stieftochter verzweifelt und vorwurfsvoll am Ärmel gezupft, doch Melicent schüttelte sie ab, ohne sie anzusehen. »Und nur von einem?« fuhr sie scharf fort.

»Meines Wissens nach ja«, stimmte Edmund verständnislos zu. »Aber dabei ist gewiß nichts geschehen. Es war kurz bevor ihr alle aus den Gemächern des Abtes zurückkehrtet. Ich hatte Zeit gehabt, meine Runde zu machen und sah, daß die Tür des Sheriffs offen war. Vor dem Bett stand ein junger Mann, als wollte er seinen Schlaf stören. Das konnte ich nicht zulassen, und deshalb nahm ich ihn bei der Schulter, drehte ihn herum und wies ihn aus dem Zimmer. Und er ging gehorsam und ohne Protest. Es wurde kein Wort gesprochen«, sagte Edmund einfach, »und kein Schaden angerichtet. Der Patient war nicht erwacht.«

»Nein«, sagte Melicent, und endlich durchbrach ihre Stimme den Panzer ihrer äußeren Ruhe, »und er wachte auch später nicht auf und wird nie wieder aufwachen. Nennt mir seinen Namen, nennt ihn.«

Aber Edmund kannte nicht einmal den Namen des Jungen, so wenig hatte er mit ihm zu tun gehabt. Er deutete zögernd auf Elis. »Es war unser walisischer Gefangener.«

Melicent ließ einen seltsamen, bekümmerten Laut hören, eine Mischung aus Zorn, Schuld und Schmerz, und fuhr zu Elis herum. Ihre marmorne Bleichheit war hitzig und weißglühend geworden, und das Blau ihrer Augen glich dem blendenden Glanz, den die Sonne dem Eis entlockt. »Jawohl, *du!* Kein anderer als du! Niemand außer dir ging hinein. O Gott, was haben wir zwei nur angerichtet! Und ich, ich Närrin, ich Närrin, ich wollte nicht glauben, daß du es ernst meintest, als du mir so viele Male sagtest, daß du für mich töten würdest, daß du jeden töten würdest, der sich zwischen uns stellt. O Gott, und ich habe dich *geliebt!* Vielleicht habe ich dich sogar ermutigt und dich zu der Tat gedrängt. Du würdest alles tun, sagtest du, damit wir noch eine Weile beisammen bleiben könnten, du würdest alles tun, damit du nicht fortgeschickt würdest, zurück nach Wales. *Alles!* Du sagtest, du würdest töten, und nun hast du getötet, Gott vergib mir, ich bin durch dich schuldig geworden.«

Elis starrte sie an, so unglücklich und schutzlos wie ein Kind. Er starrte sie mit offenem Mund und verblüfftem, verwirrtem, erschrecktem Gesicht an, um Worte und Verstand gebracht und hilflos gegenüber jedem Angriff. Er schüttelte heftig den Kopf, als wollte er einen Alptraum abschütteln wie jene Schläfer, die sich mit den Fingern die Augenlider öffnen, wenn sie von einem unerträglichen Traum heimgesucht werden. Er konnte kein Wort sprechen und bekam keinen Ton heraus.

»Ich nehme jeden Liebesbeweis zurück«, fauchte Melicent, deren Stimme wie ein Schmerzschrei klang. »Ich hasse dich, ich verachte dich... Ich hasse mich selbst, weil ich dich geliebt habe. Du hast mich getäuscht, du hast meinen Vater getötet.«

Nun riß er sich endlich aus seiner Betäubung und lief ungestüm auf sie zu. »Melicent! Um Himmels willen, was sagst du da?«

Sie brachte sich mit einem Satz aus seiner Reichweite. »Nein, rühr mich nicht an, komm nicht in meine Nähe, du Mörder!«

»Wir wollen dem ein Ende setzen«, sagte Hugh, indem er sie bei den Schultern faßte und sie in Sybillas Arme schob. »Meine Dame, ich hatte die Absicht, Euch für heute jeden weiteren Kummer zu ersparen, aber wie Ihr seht, kann dies nicht warten. Bringt sie mit! Ihr, Männer, schafft diese beiden ins Torhaus, wo wir ungestört sind. Edmund und Cadfael, kommt mit uns, vielleicht brauchen wir Euch.«

»Und nun«, sagte Hugh, nachdem er sie alle, Angeklagten, Anklägerin und Zeugen, aus der Kälte in den Vorraum des Torhauses gescheucht hatte, »nun laßt uns Klarheit schaffen. Bruder Edmund, Ihr sagt, Ihr hättet diesen Mann in der Kammer des Sheriffs neben dem Bett stehend gefunden. Was denkt Ihr Euch dabei?

Glaubt Ihr, nach Eurem Augenschein, daß er schon lange drinnen war? Oder war er gerade erst gekommen?«

»Ich dachte, er wäre gerade erst hineingeschlichen«, erwiderte Edmund. »Er stand etwas vorgebeugt am Fußende des Bettes und sah den Schläfer an, als überlegte er, ob er ihn wecken solle.«

»Aber er könnte doch länger drinnen gewesen sein? Er könnte über dem Sheriff gestanden haben, den er erstickt hatte, um sich vielleicht gerade zu vergewissern, ob er auch wirklich tot war?«

»Man könnte es wohl so deuten«, stimmte Edmund zweifelnd zu, »doch kam es mir nicht in den Sinn. Denn hätte man es ihm nicht angemerkt, wenn er gerade eine so schreckliche Tat verübt hätte? Wohl fuhr er zusammen, als ich ihn berührte, und blickte schuldbewußt drein – aber eher wie ein Junge, der bei einem Streich ertappt wird. Und als ich es ihm befahl, ging er so willig hinaus wie ein Kind.«

»Habt Ihr, nachdem er fort war, noch einmal nach dem Kranken geschaut? Könnt Ihr sagen, ob der Sheriff da noch atmete? Und ob die Laken auf dem Bett in Unordnung waren?«

»Alles war in Ordnung und still wie zuvor, als ich ihn schlafend verließ. Aber ich habe nicht näher hingesehen«, sagte Edmund traurig. »Ich wünschte, ich hätte es getan.«

»Ihr hattet ja keinen Grund dazu, und die beste Medizin für ihn waren Ruhe und Schlaf. Noch eines – hatte Elis etwas in der Hand?«

»Nein, nichts. Und er trug auch nicht den Mantel, den er jetzt über den Arm gelegt hat.« Es war ein dunkelroter Mantel aus glattem, feingewebtem Tuch.

»Sehr gut denn. Und wißt Ihr noch von einem anderen, der sich vielleicht Zugang zum Krankenzimmer verschafft hat?«

»Nein, ich weiß nichts. Aber das wäre jederzeit möglich gewesen. Es mag auch andere gegeben haben.«

Melicent sagte mit tödlicher Verbitterung: »Einer war schon genug! Und diesen einen kennen wir.« Sie schüttelte Sybillas Hand von ihrem Arm. »Herr Beringar, hört mich an. Ich sage noch einmal, er hat meinen Vater getötet. Davon lasse ich mich nicht abbringen.«

»Dann sprecht«, sagte Hugh kurz angebunden.

»Mein Herr, Ihr müßt wissen, daß dieser Elis und ich uns auf Eurer Burg kennenlernten, als er dort gefangen war. Er hatte auf Ehrenwort Ausgang, und ich wartete mit meiner Mutter und meinem Bruder in den Turmgemächern auf Nachricht von meinem Vater. Wir sahen und berührten uns, und zu meiner bitteren Bekümmerung muß ich sagen, daß wir uns liebten. Es war nicht unser Fehler, es geschah uns einfach, und wir hatten keine Wahl. Wir fürchteten uns davor, getrennt zu werden, sobald mein Vater zurück wäre, denn dann mußte Elis im Austausch gegen ihn fortgehen. Und Ihr, mein Herr, der Ihr meinen Vater so gut kanntet, wißt, daß er der Verbindung mit einem Waliser nie zugestimmt hätte. Wir sprachen oft darüber, und ebenso oft verzweifelten wir. Und er sagte — ich schwöre, daß er es sagte, und er wird es nicht zu leugnen wagen! — er sagte, daß er für mich, wenn nötig, töten würde, daß er jeden Mann töten würde, der sich zwischen uns stellte. Alles würde er tun, sagte er, damit wir zusammenbleiben könnten, sogar morden. Nun, viele Männer sagen ungestüme Worte, und so dachte ich mir nichts Böses dabei, und doch gebührt mir die Schuld, denn ich sehnte mich ebenso verzweifelt nach Liebe wie er. Und nun hat er getan, womit er drohte, denn gewiß hat er meinen Vater getötet.«

Elis holte tief Luft und riß sich mit einem Ruck, der ihn fast aus den Stiefeln hob, aus seinem Elend. »Das habe ich nicht! Ich schwöre dir, daß ich nie Hand an ihn legte, daß ich kein einziges Wort mit ihm sprach. Ich hätte nie im Leben deinem Vater etwas angetan, auch wenn er mir den Weg zu dir versperrte. Irgendwie hätte ich dich schon erreicht, es hätte einen Weg gegeben... du tust mir bitteres Unrecht!«

»Und doch seid Ihr in das Zimmer gegangen, in dem er lag«, erinnerte Hugh ihn gleichmütig. »Warum?«

»Um mich ihm vorzustellen, um ihm mein Anliegen vorzutragen, warum sonst? Es war in diesem Augenblick die einzige Hoffnung, die ich hatte, und ich durfte mir die Gelegenheit nicht entgehen lassen. Ich wollte ihm sagen, daß ich Melicent liebe, daß ich ein ehrenhafter, wohlhabender Mann sei und nichts weiter wünschte, als ihr mit Hab und Gut zu dienen. Vielleicht hätte er mich angehört! Ich wußte, weil sie es mir gesagt hatte, daß er ein erbitterter Feind der Waliser war, ich wußte daß kaum Hoffnung bestand, aber es war die einzige Hoffnung, die ich hatte. Aber ich kam gar nicht zum Sprechen. Er lag in tiefem Schlaf, und bevor ich ihn zu wecken wagte, kam der gute Bruder herein und schickte mich hinaus. Das ist die Wahrheit, und ich will sie vor dem Kreuz beschwören.«

»Es *ist* die Wahrheit!« setzte Eliud sich energisch für seinen Freund ein. Er stand, da Elis einen Sitzplatz ausgeschlagen hatte, mit der Schulter dicht an Elis Seite, um ihm Trost und Sicherheit zu bieten. Er war so bleich, als wäre die Beschuldigung gegen ihn vorgebracht worden, und seine Stimme klang belegt und leise. »Er war mit mir im Kreuzgang, wo er mir von seiner Liebe erzählte und sagte, daß er zum Herrn Gilbert gehen und von Mann zu Mann mit ihm sprechen wollte. Ich hielt es für unklug, aber er wollte unbedingt! Es dauerte nur wenige Minuten, bis er wieder herauskam, der Bruder Krankenwärter hatte ihn fortgeschickt. Sein Verhalten war ganz normal, er kam rasch und geradewegs über den Hof und kümmerte sich nicht darum, wer ihn etwa gesehen hatte.«

»Das mag wohl wahr sein«, stimmte Hugh nachdenklich zu, »aber trotz alledem, selbst wenn er ohne böse Absicht und ohne große Hoffnung zum Sheriff ging, mag es ihm, als er da am Bett stand, in den Sinn gekommen sein, wie leicht und wie endgültig das Hindernis zu beseitigen sei — ein Mann, der schlief und sehr erschöpft war.«

»Das würde er nie tun!« rief Eliud. »Das ist nicht seine Art.«

»Ich habe es nicht getan«, sagte Elis und blickte hilflos zu Melicent, die seinen Blick mit versteinertem Gesicht erwiderte, ohne ihm zu helfen. »Um Himmels willen, so glaubt mir doch! Ich glaube, ich hätte ihn nicht einmal berühren und wecken können, selbst wenn niemand gekommen wäre, der mich fortschickte. Einen braven, starken Mann so... schutzlos zu sehen...«

»Und doch war niemand außer dir dort drinnen«, fuhr sie ihn erbarmungslos an.

»Das kann nicht bewiesen werden!« gab Eliud heftig zurück. »Der Bruder Krankenwärter sagte, die Tür sei offen gewesen und jeder hätte eintreten können.«

»Aber ebensowenig kann bewiesen werden, daß jemand anderer drinnen war«, sagte sie mit schmerzhafter Bitterkeit.

»Doch. Ich glaube, ich kann es beweisen«, sagte Bruder Cadfael.

Sogleich ruhten alle Blicke auf ihm. Die ganze Zeit hatte ihn ein Bröckchen seiner Erinnerung geplagt, das er nicht recht einordnen konnte. Er hatte den zusammengefalteten Schafsfellmantel von dem Schrank genommen, auf den Edmund ihn gelegt hatte, und etwas daran war anders gewesen, wenn er auch nicht ergründen konnte, was es war. Und dann hatte die Begegnung mit dem Tod die Angelegenheit aus seinem Bewußtsein verdrängt; doch sie war die ganze Zeit dagewesen und plötzlich fiel es ihm ein: Der Mantel war jetzt fort, mit Einon ab Ithel auf dem Rückweg nach Wales, aber Edmund war da und konnte bestätigen, was er sagen wollte. Und ebenso Eliud, der die Besitztümer seines Herrn kennen mußte.

»Als wir Gilbert Prestcote entkleideten und zu Bett brachten«, sagte er, »wurde der Mantel, in den er gehüllt war und der Einon ab Ithel gehörte, zusammengefaltet beiseite gelegt – Bruder Edmund wird sich daran erinnern –, und zwar dergestalt, daß am Kragen eine große goldene Nadel zu sehen war, die als Befestigung diente. Als Eliud hier hereinkam und mich bat, ihm die Kammer zu zeigen und ihm den Mantel seines Herrn zu übergeben, war der Mantel zwar gefaltet wie zuvor, aber die Nadel war verschwunden. Kein Wunder, daß wir sie vergaßen, nachdem wir den Sheriff tot fanden. Aber ich wußte, daß da etwas gewesen war, das ich im Kopf behalten mußte, und nun habe ich mich daran erinnert.«

»Es ist wahr!« rief Eliud, dessen Gesicht glühte. »Ich habe gar nicht daran gedacht! Und ich habe, ohne ein Wort zu sagen, meinen Herrn ohne die Nadel gehen lassen. Als wir ihn auf die Bahre legten, befestigte ich, weil der Wind so kalt blies, selbst den Mantelkragen mit ihr, aber in all der Aufregung habe ich vorher vergessen, sie zu suchen. Und hier steht Elis, der, seit er die Krankenstation verließ, nicht mehr allein war – Ihr könnt jeden fragen! Wenn er sie nahm, dann hat er sie noch. Und wenn er sie nicht hat, dann war jemand anderes dort drinnen und hat sie genommen. Mein Ziehbruder ist kein Dieb und kein Mörder!«

»Cadfael spricht die Wahrheit«, sagte Edmund. »Die Nadel war deutlich zu sehen. Wenn sie fort ist, dann ging jemand anders hinein und nahm sie.«

Trotz der unveränderten Bitterkeit und des Kummers in Melicents Gesicht funkelten Elis Augen hoffnungsvoll. »Zieht mich aus!« verlangte er zornig. »Durchsucht mich! Ich ertrage es nicht, für einen Dieb und Mörder gehalten zu werden.«

Eher um ihm Gerechtigkeit zu tun, als weil er wirklich daran glaubte, nahm Hugh ihn beim Wort, ließ aber nur Cadfael und Edmund in der Zelle Zeugen sein. Elis riß sich die Kleider vom Leib und ließ sie zu Boden fallen,

bis er nackt mit auseinandergestellten Beinen und ausgebreiteten Armen in der Kammer stand. Verächtlich
und schmerzhaft zog er die Finger durch die dicke Lok-
kenmähne und schüttelte heftig den Kopf, um zu zeigen, daß auch dort nichts versteckt sei. Nun, da er Melicents anklagenden Blicken entronnen war, stiegen die
Tränen, die er trotzig unterdrückt hatte, verräterisch in
seine Augen und er blinzelte sie stolz fort.

Hugh ließ ihn allmählich und in rücksichtsvollem
Schweigen zur Ruhe kommen.

»Seid Ihr nun zufrieden?« fragte der Junge förmlich,
als er seine Stimme wieder in der Gewalt hatte.

»Und *Ihr*?« erwiderte Hugh lächelnd.

Es gab ein kurzes, fast tröstliches Schweigen. Dann
sagte Hugh milde: »Kleidet Euch wieder an. Laßt Euch
nur Zeit.« Und während Elis sich mit Händen, die nun
zu zittern begannen, wieder anzog, fuhr er fort: »Ihr versteht sicher, daß ich Euch, Euren Ziehbruder und die anderen Männer streng bewachen muß. Denn in diesem
Augenblick seid Ihr nicht weniger in Verdacht als die
vielen, die zu diesem Haus gehören, und Ihr werdet erst
entlassen, wenn ich bis auf die Minute genau weiß, wo
sie den Morgen bis zum Mittag verbrachten. Dies ist erst
der Anfang, und Ihr seid nur einer von vielen.«

»Das verstehe ich«, sagte Elis mit schwankender Stimme. Er zögerte, ehe er um eine Gunst bat: »Muß ich
denn von Eliud getrennt werden?«

»Ihr sollt Euren Eliud haben«, erwiderte Hugh.

Als sie wieder zu den anderen hinausgingen, die im
Vorraum warteten, standen die beiden Frauen auf; sie
sehnten sich anscheinend danach, sich zurückzuziehen.
Sybilla hatte höchstens ihre halbe Geisteskraft zur Un-
terstützung ihrer Stieftochter aufgeboten. Die größere
Hälfte war bei ihrem Sohn, und während sie zwar ihrem
älteren Gatten, den sie auf ihre Weise wirklich betraue-
te, eine treue und pflichtbewußte Frau gewesen war, so

war doch Liebe ein viel zu großes Wort für das, was sie für ihn empfunden hatte, und ein fast zu geringes für das, was sie für den Jungen empfand, den sie ihm geschenkt hatte. Sybillas Gedanken galten der Zukunft und nicht der Vergangenheit.

»Mein Herr«, sagte sie, »Ihr wißt, wo wir in den nächsten Tagen zu finden sind. Laßt mich nun mit meiner Tochter gehen, denn wir haben viele Dinge zu erledigen.«

»Wie es Euch beliebt, meine Dame«, erwiderte Hugh. »Ihr sollt nicht mehr als unbedingt nötig belästigt werden.« Und er fügte noch hinzu: »Aber Ihr solltet wissen, daß die Frage nach der fehlenden Nadel noch nicht beantwortet ist. Es war nicht nur einer, der die Abgeschiedenheit Ihres Gatten störte. Vergeßt das nicht.«

»Das will ich gerne Euch überlassen«, sagte Sybilla entschieden. Und damit ging sie hinaus, die Hand gebieterisch um Melicents Ellbogen geschlossen. Sie kamen an der Tür dicht an Elis vorbei, und sein sehnsüchtiger Blick fiel auf das Gesicht des Mädchens. Sie glitt ohne einen Blick an ihm vorüber, ja sie zog sogar die Röcke an sich, als befürchtete sie, ihn beim Gehen zu berühren. Er war zu jung, zu offen, zu schlicht, um zu verstehen, daß mehr als die Hälfte des Hasses und des Abscheus, die sie fühlte, sich nicht gegen ihn, sondern gegen sie selbst richtete, weil sie viel zu weit gegangen war, als sie den Tod eines Mannes gewünscht hatte, den sie Vater nannte.

7

In der Totenkammer, deren Tür jetzt fest geschlossen war, standen Hugh Beringar und Bruder Cadfael neben Gilbert Prestcotes Leiche und schlugen Mundtuch und Decke auf die eingefallene Brust zurück. Sie hatten Lampen mitgebracht und in der Nähe abgestellt, wo sie ruhig brannten und das tote Gesicht gleichmäßig und stark ausleuchteten. Cadfael nahm die kleinere Lampenschale in die Hand und bewegte sie langsam über den Mund, die Nase und den ergrauten Bart, um jede Veränderung auszumachen und jedes Staubkörnchen und jedes Fädchen zu entdecken.

»Egal, wie schwach er ist, egal, wie tief er schläft, ein Mann wird immer nach Kräften um seinen Atem kämpfen, und was immer über sein Gesicht gepreßt wird, er wird atmen, solange es nicht so hart und glatt ist, daß es sich nicht dicht anlegen kann. Und er hat es getan.« In den geweiteten Nasenlöchern waren feine Härchen zu erkennen, in denen sich kleinste Partikel fangen konnten. »Seht Ihr die Farbe dort?«

In einem fast unmerklichen Lufthauch zitterte ein winziges Fädchen und reflektierte das Licht. »Blau«, sagte Hugh, indem er sich niederbeugte. Sein Atem ließ den wie in einem Spinnennetz gefangenen Faden tanzen. »Blau ist eine schwierig herzustellende und teure Farbe. Und diesen Farbton gibt es im Mundtuch nicht.«

»Wir wollen es herausholen«, sagte Cadfael und zückte seine kleine Pinzette, mit der er gewöhnlich Dornen und Splitter aus Bauernhänden zog. Er versuchte, das fast unsichtbare Fädchen zu packen. Doch als er es hatte, hing noch mehr daran, zwei oder drei andere Fädchen, die wie lebendig vibrierten.

»Haltet den Atem an«, sagte Cadfael, »bis ich den Faden sicher unter einem Deckel habe, wo er nicht mehr fortgeweht werden kann.« Er hatte einen der Behälter mitgebracht, in denen er seine Tabletten und Pillen aufbewahrte, nachdem sie in Formen gegossen und getrocknet worden waren. Es war ein kleines, fast schwarzes Holzkästchen, und vor der glänzenden dunklen Oberfläche strahlte das Wollfädchen in hellem, sattem Blau. Er schloß vorsichtig den Deckel und forschte abermals mit der Pinzette. Hugh drehte die Lampe, um das

Licht aus einem neuen Winkel einfallen zu lassen, und nun war ein roter Glanz zu sehen, das weiche, blasse Rot von verblühten Spätsommerrosen. Es blinkte auf und verschwand wieder. Hugh bewegte die Lampe, um es wiederzufinden. Nur zwei winzige, geringelte Fädchen von den vielen, aus denen jenes Stück Tuch gewebt worden war; aber Wolle nimmt gut die Farbe an.

»Blau und Altrosa. Beides wertvolle Farben, viel zu kostbar für einen Bettbezug.« Cadfael fing das flüchtige Ding nach zwei oder drei Versuchen ein und sperrte es zu dem anderen. Das vorsichtig bewegte Licht erbrachte in den geweiteten Nasenlöchern keine weiteren derartigen Spuren. »Nun, er hat auch einen Bart. Wir wollen sehen.«

Im ergrauten Bart hing ein etwas größerer Faden des blauen Stoffs. Cadfael zog ihn heraus und kämmte vorsichtig die grauen Strähnen durch, um weitere Fäden zu finden. Als er den Staub und die Haare aus dem Kamm in seine Kiste schüttelte und strich, glommen zwei oder drei Lichtpunkte auf und verblaßten wieder wie Staubflocken in einem Streifen Sonnenlicht. Er kippte die Kiste hin und her, um sie wiederzufinden, und wurde mit dem Anblick eines goldenen Funkens belohnt. Zwischen den zusammengebissenen Zähnen fand er dann mehr von dem, was er suchte. Ein Faden war durch Alter oder häufigen Gebrauch wohl ausgefranst gewesen, und der Tote hatte ihn im Todeskampf mit den Zähnen gepackt und festgehalten. Cadfael zog ihn heraus und hielt ihn mit der Pinzette ins Licht. Ein spröder, heller Goldfaden, halb so lang wie ein Finger, glitzerte im Lampenlicht; von ihm waren die jetzt unsichtbaren funkelnden Teilchen abgefallen.

»Wirklich sehr kostbar«, sagte Cadfael, während er ihn vorsichtig in seine Schachtel gab. »Ein Tod, der einem Prinzen gebührt, unter einem Tuch aus feiner Wolle, das mit Goldfäden durchwirkt ist, erstickt zu werden. Ein Wandbehang? Ein Altartuch? Das Brokatkleid einer

Dame? Gewiß nichts aus der Krankenstation, Hugh. Was auch immer es war, ein Mann brachte es von draußen herein.«

»So scheint es allerdings«, stimmte Hugh gedankenverloren zu.

Sie fanden nichts weiter, aber was sie gefunden hatten, war verwirrend genug.

»Wo ist nun das Tuch, das ihn erstickte?« grübelte Cadfael erbost. »Und wo ist die Goldnadel, die Einon ab Ithels Mantel hielt?«

»Sucht nach dem Tuch«, sagte Hugh, »denn es scheint so kostbar, daß es hier in der Abtei auffallen müßte. Und ich will nach der Nadel suchen. Ich habe noch sechs Waliser von der Eskorte und Eliud zu befragen; wenn dabei nichts herauskommt, werden wir nach Kräften die ganze Enklave absuchen. Ist die Nadel hier, dann werden wir sie finden.«

So suchten sie, Cadfael nach dem Tuch, nach irgendeinem Tuch mit kräftigen Farben und eingewirkten Goldfäden, und Hugh nach der Goldnadel. Mit Erlaubnis des Abtes und unterstützt von Prior Robert, der am besten über die Reichtümer des Klosters Bescheid wußte, die er stolz vorführte, untersuchte Cadfael jeden Wandteppich, jedes Stück Tuch und jede Altardecke, welche die Abtei besaß, doch nichts wollte zu den Fragmenten passen, die er zum Vergleich mitgebracht hatte. Farbschattierungen sind exakt und beständig. Dieses Altrosa und dieses Blau fanden hier nicht ihresgleichen.

Während Hugh die Kleidung und die Ausrüstung der Waliser gründlich durchsuchte, genehmigte Prior Robert, wenn auch mit deutlicher Mißbilligung, die Ausweitung der Suche auf die Zellen der Brüder und Novizen, und sogar die Besitztümer der Schüler wurden einbezogen, denn auch Kinder können durch ein glänzendes Ding in Versuchung kommen, ohne sich der Tragweite ihres Tuns bewußt zu sein. Doch nirgends fanden sie eine Spur der alten, schweren Goldnadel, mit wel-

cher Einons Mantelkragen gehalten worden war, um
Gilbert Prestcote auf seiner Heimreise vor der Kälte zu
schützen.

Der Tag war fast vorbei und der Abend rückte näher,
doch nach Vesper und Abendbrot machte Cadfael sich
wieder auf die Suche. Die Insassen der Krankenstation
waren mehr als bereit zu sprechen; sie hatten nur selten
ein so ergiebiges Gesprächsthema. Doch weder Cadfael
noch Edmund bekam viel aus ihnen heraus. Was auch
immer geschehen war, hatte sich während der halben
Stunde ereignet, als die Brüder beim Mittagsmahl im Refektorium saßen, und um diese Zeit hatten die Bewohner der Krankenstation bereits gespeist und schliefen
wie gewöhnlich tief. Doch es gab einen, der, da er ans
Bett gefesselt war, zu ganz anderen Zeiten schlief und so
durchaus fähig war, sich wach zu halten, wenn etwas
ungewöhnlich Interessantes vor sich ging.

»Was das Sehen angeht«, sagte Bruder Rhys wehmütig, »so kann ich Euch ebensowenig von Nutzen
sein, Bruder, wie mir selbst. Ich bemerke es, wenn ein
anderer Insasse an mir vorbeigeht, und ich kann Licht
und Dunkelheit unterscheiden, aber nur wenig mehr.
Meine Ohren jedoch, das könnt Ihr mir glauben, sind
schärfer geworden, während meine Augen schwächer
wurden. Und nun, da Ihr mich bittet, in meiner Erinnerung zu forschen... Ich hörte, wie die Tür der Kammer gegenüber, wo der Sheriff lag, zweimal geöffnet
wurde. Ihr wißt ja, wie sie quietscht, wenn man sie
aufmacht. Beim Schließen gibt sie kein Geräusch von
sich.«

»Also ist jemand hineingegangen oder hat wenigstens
die Tür geöffnet. Was habt Ihr sonst gehört? Hat jemand
gesprochen?«

»Nein, aber ich hörte einen Stock gegen den Boden
klopfen — sehr leicht nur —, und dann quietschte die
Tür. Ich glaubte, es sei Bruder Wilfred, der hier aushilft,

wenn es nötig ist, denn er ist der einzige Bruder der am Stock geht, seit er als junger Mann lahm wurde.«

»Ist er hineingegangen?«

»Das fragt Ihr ihn besser selbst, denn das kann ich Euch nicht sagen. Es war eine Weile still, dann hörte ich ihn über den Flur zur Außentür tappen. Vielleicht hat er nur die Tür aufgestoßen und ins Zimmer geschaut und gelauscht, ob alles in Ordnung wäre.«

»Er muß die Tür hinter sich wieder zugezogen haben«, sagte Cadfael, »denn sonst hättet Ihr sie nicht ein zweites Mal quietschen gehört. Wann machte Bruder Wilfred seinen Besuch?«

Bruder Rhys wußte die Zeit nicht genau. Er schüttelte den Kopf und grübelte. »Ich habe nach dem Mittagessen eine Weile geschlummert. Woher soll ich wissen, wie lange? Aber die anderen Brüder waren danach gewiß noch eine Zeitlang im Refektorium, denn Bruder Edmund kam erst später zurück.«

»Und das zweite Mal?«

»Das muß noch später gewesen sein, vielleicht eine Viertelstunde danach. Die Tür quietschte noch einmal. Wer auch immer da kam, hatte einen leichten Schritt, denn ich hörte ihn nur auf der Türschwelle, danach vernahm ich nichts mehr. Und weil die Tür kein Geräusch macht, wenn sie zugezogen wird, weiß ich nicht, wie lange er da drinnen war, aber ich nehme an, daß er hineinging. Bruder Wilfred mochte einen guten Grund gehabt haben, dort drinnen nach dem Rechten zu sehen, aber dieser zweite hatte gewiß keinen.«

»Wie lange war er dort drinnen? Wie lange *kann* er drinnen gewesen sein?«

»Ich habe wieder geschlummert«, gab Rhys bedauernd zu, »und kann es Euch nicht sagen. Und er ging sehr leise, der Schritt eines jungen Mannes.«

Also konnte der zweite Elis gewesen sein, denn als Edmund ihm ins Zimmer folgte und ihn hinauswies, wurde zunächst kein Wort gesprochen, und Edmund, der sich so lange unter Kranken aufgehalten hatte, bewegte sich leise wie eine Katze. Vielleicht war es auch jemand anderes gewesen, ein bisher Unbekannter, der unentdeckt gekommen und gegangen war, bevor Elis mit seinem sicherlich harmlosen Anliegen eintrat.

Unterdessen konnte man zumindest herausfinden, ob Bruder Wilfred tatsächlich auf der Krankenstation geblieben war, um zu wachen, denn Cadfael hatte beim Mittagsmahl im Refektorium die Brüder nicht gezählt und nicht darauf geachtet, wer anwesend war und wer fehlte. Dann fiel ihm noch etwas ein.

»Hat irgend jemand während der fraglichen Zeit dieses Zimmer hier verlassen? Bruder Maurice zum Beispiel schläft tagsüber kaum, und wenn die anderen schlafen, könnte er vielleicht ruhelos werden und Gesellschaft suchen.«

»Solange ich wach war, kam niemand an mir vorbei und ging hinaus«, sagte Rhys bestimmt. »Und ich habe nicht sehr tief geschlafen; ich glaube, ich wäre aufgewacht, wenn jemand vorbeigegangen wäre.«

Das mochte wohl wahr sein, aber man durfte es nicht als sicher annehmen. Doch was er gehört hatte, schien recht zuverlässig. Die Tür war zweimal quietschend so weit aufgegangen, daß jemand das Zimmer hatte betreten können.

Bruder Maurice hatte sich, sobald ihm der Tod des Sheriffs zu Ohren kam, ohne gefragt zu werden zu der Tat geäußert. Bruder Edmund berichtete Cadfael in der halben Stunde Freizeit vor der Schlafenszeit davon.

»Ich hatte Gebete für des Sheriffs Seele gesprochen und gesagt, daß wir morgen eine Messe für ihn lesen würden – für einen ehrenhaften Mann, der hier unter uns starb und dem Haus ein guter Patron gewesen war. Und da steht Maurice auf und sagt geradeheraus, daß er gern Gebete für die Erlösung des Mannes sprechen würde, da nun seine Schuld voll gesühnt und der göttlichen

Gerechtigkeit Genüge getan sein. Ich fragte ihn, durch welche Hand dies wohl geschehen wäre, da er doch so viel wisse«, erzählte Edmund mit einer für ihn untypischer Bitterkeit und noch mehr Resignation, »und er schalt mich, weil ich zweifelte, daß es Gottes Hand gewesen sei. Manchmal frage ich mich, ob die Krankheit seines Geistes ein Unglück oder bloß Verschlagenheit ist. Aber wenn man versucht, ihn festzunageln, dann windet er sich immer heraus. Er ist gewiß sehr zufrieden über diesen Todesfall. Gott möge uns alle unsere Verirrungen vergeben, und besonders jene, in die wir unwissentlich geraten.«

»Amen!« sagte Cadfael inbrünstig. »Maurice ist ein starker, kräftiger Mann und sieht sich immer im Recht, selbst wenn es um Mord geht. Aber woher mag er ein Tuch bekommen haben, wie ich es mir vorstelle?« Und dann fiel ihm seine Frage ein: »Habt Ihr Bruder Wilfred dagelassen, um die Aufsicht zu führen, während Ihr im Refektorium Euer Mittagsmahl einnahmt?«

»Ich wünschte, ich hätte es getan«, gab Edmund traurig zu. »Vielleicht wäre diese Schandtat dann nicht geschehen. Nein, Wilfred war beim Mittagsmahl bei uns. Habt Ihr ihn denn nicht gesehen? Ich wünschte von ganzem Herzen, ich hätte eine Wache aufgestellt. Aber nun ist es zu spät. Wer konnnte auch ahnen, daß ein Mörder eindringen und uns in Verzweiflung stürzen würde? Es gab keinen Hinweis darauf.«

»Nein, keinen«, stimmte Cadfael düster brütend zu. »Also kommt Wilfred nicht mehr in Betracht. Wer sonst geht am Stock? Ich kenne keinen.«

»Anion ist noch an die Krücke gefesselt«, sagte Edmund, »aber er wird sie bald ablegen können. Inzwischen rennt er fast mehr mit ihr als daß er humpelt, aber sie ist ihm zur lieben Gewohnheit geworden, nachdem er sie solange brauchte. Warum, sucht Ihr einen Mann mit einer Krücke?«

Nun, dachte Cadfael, als er endlich müde ins Bett ging, das ist aber seltsam. Bruder Rhys hört einen Stock tappen und vermutet den Urheber nur unter den Brüdern; und auch ich, als ich meine Runde in der Krankenstation machte, dachte keinen Augenblick an jemand anderes als an die Brüder. Bin ich denn blind und taub für das, was irgendein anderer in meiner Gegenwart tut? Denn erst jetzt fiel ihm wieder ein, daß, als er mit Bruder Edmund den langgestreckten Raum betreten hatte, wo man sich schon auf den Abend vorbereitete, ein jüngerer und aktiver Mann aus der Ecke, in der er gesessen hatte, aufgestanden und leise durch die Tür zur Kapelle hinausgegangen war; die in Leder gehüllte Spitze seiner Krücke tippte dabei so leicht auf den Stein, daß man glauben konnte, er brauchte sie kaum und hätte sie nur, wie Edmund gesagt hatte, aus Gewohnheit mitgenommen oder um sich nicht auffällig zu bewegen.

Nun, Anion konnte bis morgen warten. Es war zu spät, den Schlummer der Kranken noch zu stören.

Elis und Eliud teilten sich hinter Schloß und Riegel in einer Zelle der Burg ein Bett, das nicht härter war als viele, in denen sie früher wie Zwillingsbrüder, um die sich niemand sorgte, geschlafen hatten. Nun allerdings wurden sie reichlich umsorgt. Elis lag auf dem Bauch. Er war sicher, daß sein Leben verwirkt war, daß er nie wieder glücklich sein könne, daß ihm, selbst wenn er dieser Verwirrung lebendig entkam, nichts anderes übrigblieb, als auf eine Kreuzfahrt zu gehen oder die Kutte anzulegen oder barfuß ins Heilige Land zu pilgern, aus dem er gewiß nie wieder zurückkehren würde. Und Eliud lag geduldig und gequält neben ihm, einen Arm über die verkrampften Schultern des Bruders gelegt, und versuchte, Trost zu spenden, während er für sich selbst keinen fand. Sein Freund und Bruder klammerte sich viel zu fest ans Leben, um an Liebeskummer zu sterben oder in Trübsal zu verfallen, weil er einer Schandtat angeklagt wurde, die er nicht begangen hatte. Doch sein Schmerz, wie leicht er auch heilbar schien, war eben extrem, solange er andauerte.

»Sie hat mich nie geliebt«, lamentierte Elis, der sich unter dem behütenden Arm verkrampfte und zitterte. »Denn wenn sie mich lieben würde, dann hätte sie mir vertraut, sie müßte mich besser kennen. Wie kann sie nur glauben, daß ich einen Mord begehen könnte, wenn sie mich liebt?« Er sprach so empört, als hätte er nie in seiner Begeisterung geschworen, daß er alles und jedes tun würde, um sie für sich zu gewinnen.

»Sie ist durch den Tod ihres Vaters sehr erschüttert«, erwiderte Eliud ermutigend. »Wie kannst du da verlangen, daß sie gerecht zu dir ist? Warte nur ein wenig, gib ihr Zeit. Wenn sie dich geliebt hat, dann liebt sie dich immer noch. Das arme Mädchen, sie hat keine Wahl! Du solltest dich eher um sie sorgen. Sie fühlt sich für den Tod ihres Vaters verantwortlich, das hast du mir ja gesagt. Du hast keinen Fehler begangen, und das wird auch bewiesen werden.«

»Nein, ich habe sie verloren, sie wird mich nie wieder in ihre Nähe lassen und mir nie wieder ein Wort glauben.«

»Sie wird, wenn deine Unschuld bewiesen ist. Das schwöre ich dir! Die Wahrheit wird herauskommen, sie muß!«

»Wenn ich sie nicht zurückgewinne«, schwor Elis mit gedämpfter Stimme, »dann will ich sterben.«

»Du wirst nicht sterben, und du wirst sie schon zurückgewinnen«, versprach Eliud verzweifelt. »Schweig jetzt, schweig und schlafe!« Er streckte den Arm aus und löschte die kleine Flamme ihrer winzigen Lampe. Die Spannung und Entspannung dieses Körpers, neben dem er von klein auf geschlafen hatte, kannte er gut genug und wußte, daß der Schlaf schon bleischwer an Elis schmerzenden Augenlidern zerrte. Es gibt Menschen, die wie neugeboren aufwachen und jeden Tag von neuem ihren Kummer entdecken müssen. Eliud war ein ganz anderer Mensch. Er hegte schlaflos seinen Kummer bis in den frühen Morgen, und der Grund dafür lag in tiefem Schlummer unter seinem schützenden Arm.

8

Anion, der Viehhirt, gewöhnt an die Kälber oder Lämmer der Abtei, um die er sich kümmerte, hatte viel Zeit in den Ställen verbracht, wo er wenigstens Pferde versorgen und sich an ihrem Anblick erfreuen konnte. Sehr bald schon würde man ihn auf den Bauernhof zurückschicken, auf dem er diente, doch er durfte erst gehen, wenn Bruder Edmund ihn entließ. Er konnte gut mit Tieren umgehen, und die Stallburschen kannten ihn und standen mit ihm auf gutem Fuße.

Bruder Cadfael näherte sich ihm auf eine indirekte Weise, weil er ihn nicht vorschnell erschrecken oder verwirren wollte. Das war nicht schwer. Pferde und Maultiere hatten genau wie Menschen ihre Krankheiten und Verletzungen und brauchten immer wieder die Medikamente aus Cadfaels Apotheke. Eines der Ponys, das die Laienbrüder als Packpferd benutzten, war lahm geworden und mußte mit Cadfaels Ölen eingerieben werden, um die Zerrung zu mildern. Cadfael brachte die Flasche selbst in die Ställe, weil er sicher war, Anion dort zu finden. Ohne weiteres konnte er den erfahrenen Viehhirten auch dazu bewegen, die Massage selbst auszuführen, so daß Cadfael bei ihm stehen und zusehen und die Art bewundern konnte, in der seine kräftigen, doch beweglichen Finger die schmerzenden Muskeln durcharbeiteten. Das Pony, das ihm völlig vertraute, blieb still stehen. Auch das war schon sehr bedeutsam.

»Ihr verbringt jetzt immer weniger Zeit in der Krankenstation«, sagte Cadfael, während er das strenge, dunkle Profil unter dem glatten schwarzen Haar betrachtete. »Wir werden Euch sehr bald schon verlieren. Ihr seid mit der Krücke so schnell wie viele von uns auf zwei gesunden Beinen, die nie gebrochen waren. Ich glaube, Ihr könntet die Krücke jederzeit fortwerfen, wenn Ihr es wolltet.«

»Ich soll aber noch warten«, sagte Anion kurz angebunden. »Ich tue hier, was mir befohlen wird. Es ist das Schicksal mancher Männer, Bruder, Befehle auszuführen.«

»Dann werdet Ihr gewiß froh sein, zu Eurem Vieh zurückzukehren, das zur Abwechslung einmal Euch gehorchen wird.«

»Ich pflege die Tiere und sorge für sie und meine es gut mit ihnen«, sagte Anion, »und das wißt Ihr.«

»Und Edmund tut mit Euch das gleiche, und Ihr wißt es auch.« Cadfael setzte sich neben den gebückten Mann auf einen Sattel, um auf gleicher Höhe mit ihm zu sein und ihm wie ein Gleichgestellter zu begegnen. Anion hatte keine Einwände, und auf seinen festgeschlossenen Lippen schien einen Augenblick der schwache Schatten eines Lächelns zu spielen. Er sah überhaupt nicht aus wie ein kranker Mann, er war ja auch kaum älter als siebenundzwanzig oder achtundzwanzig Jahre. »Ihr wißt, was in der Krankenstation geschah?« fragte Cadfael. »Zur Essenszeit wart Ihr dort drinnen sicher der beweglichste Mann. Aber ich bezweifle, daß Ihr nach dem Essen lange geblieben seid. Ihr seid zu jung, um mit den unpäßlichen Alten eingesperrt sein zu wollen. Ich habe sie alle gefragt, ob sie einen Mann verstohlen oder auf irgendeine andere Art ins Krankenzimmer gehen hörten, aber sie haben nach dem Essen geschlafen. Das aber gilt für die Alten, nicht für Euch. Ihr wart gewiß auf, während sie schlummerten.«

»Ich ließ sie schnarchen«, sagte Anion, indem er seine tiefliegenden Augen voll auf Cadfael richtete. Er langte nach einem Lumpen, um sich die Hände abzuwischen, und richtete sich steif auf, das verletzte Bein etwas hinter sich herziehend.

»Bevor wir alle das Refektorium verließen? Und bevor die Waliser zu ihrem Mahl geführt wurden?«

»Als alles still war. Ich nehme an, Ihr Brüder wart noch bei Eurem Mahl. Warum?« fragte Anion unumwunden.

»Weil Ihr vielleicht ein guter Zeuge seid, warum sonst? Wißt Ihr, ob irgend jemand etwa zu der Zeit, als Ihr sie verließt, die Krankenstation betrat? Saht oder hörtet Ihr irgend etwas, das Euch seltsam vorkam? Vielleicht ein herumschleichender Mann, der nicht dorthin gehörte? Der Sheriff hatte Feinde«, sagte Cadfael fest, »wie wir anderen Sterblichen auch, und einer von ihnen war ein Todfeind. Was auch immer er schuldig war, hat er jetzt bezahlt oder wird es zahlen. Möge Gott keinem von uns eine so schlimme Rechnung präsentieren.«

»Amen«, sagte Anion. »Bruder, als ich die Krankenstation verließ, traf ich keinen Mann, und ich sah keinen Mann, weder Freund noch Feind, in der Nähe jener Tür.«

»Wohin wolltet Ihr gehen? Hier herunter, um die walisischen Pferde zu betrachten? Wenn dies so ist«, erklärte Cadfael leichthin, indem er Anions scharfem Blick auswich, »dann könntet Ihr ein Zeuge sein, falls einer dieser Burschen sich entfernte und etwa zu dieser Zeit seine Gefährten alleinließ.«

Anion tat es mit einem geringschätzigen Achselzukken ab. »Ich war gar nicht in den Ställen, da noch nicht. Ich ging durch den Garten zum Bach hinunter. Bei Westwind kann man da unten die Berge riechen«, sagte er. »Mir wurde schlecht vom Geruch der eingesperrten alten Männer und von ihrem Gerede, das sich immer um dieselben Dinge dreht.«

»Genau wie meines!« entgegnete Cadfael mitfühlend und erhob sich vom Sattel. Sein Blick fiel auf die Krücke, die achtlos an der offenen Stalltür lehnte, gute fünfzig

Schritte von ihrem Besitzer entfernt. »Ja, man kann sehen, daß Ihr die Krücke bald nicht mehr braucht. Ihr habt sie gestern noch benutzt, jedenfalls, wenn Bruder Rhys sich nicht geirrt hat. Er hörte Euch auf dem Weg zum Garten durch den Flur tappen, oder er glaubt es jedenfalls.«

»Das kann gut sein«, sagte Anion und schüttelte sich die zottige schwarze Mähne aus der gewölbten braunen Stirn. »Ich habe mich daran gewöhnt, nachdem ich sie so lange brauchte, auch wenn es jetzt nicht mehr nötig ist. Aber wenn es ein Tier zu versorgen gibt, dann vergesse ich sie und lasse sie hinter mir in der Ecke stehen.«

Er drehte sich demonstrativ um, legte dem Pony einen Arm um den Hals und führte es langsam auf dem Pflaster herum, um seinen Gang zu beobachten. Das Gespräch war beendet.

Bruder Cadfael war den ganzen Tag über mit seinen Alltagspflichten beschäftigt, doch dies hinderte ihn nicht daran, ausgiebig über die Umstände von Gilbert Prestcotes Tod nachzudenken. Der Sheriff hatte sich schon vor langer Zeit eine Gruft in der Kirche der Abtei, deren beständiger Patron und Wohltäter er gewesen war, reservieren lassen, und am folgenden Tag sollte er dort zur letzten Ruhe gebettet werden. Doch die Umstände seines Todes würden jenen, die zurückgeblieben waren, keine Ruhe lassen. Von seiner verzweifelten Familie bis zu den unglücklichen walisischen Verdächtigen und Gefangenen in der Burg gab es keinen Menschen, der nicht sein eigenes Leben durch diesen Todesfall erschüttert und verändert sah.

Die Neuigkeit machte inzwischen sicher schon überall im Land die Runde, von Dorf zu Dorf und von Hof zu Hof in der ganzen Grafschaft. Zweifellos waren die Männer und Frauen in den Straßen von Shrewsbury eifrig damit beschäftigt, diesem und jenem die Schuld zuzuschreiben, wobei Elis ap Cynan ihr Lieblingsbösewicht war. Allerdigs hatten sie nicht die winzigen Fädchen gesehen, die Cadfael in seiner kleinen Schachtel verwahrte, und sie waren nicht vergeblich durch den ganzen Bezirk geeilt, um ein Tuch zu finden, das aus den gleichen Farbtönen und einem gezwirbelten Goldfaden gewirkt war. Sie wußten auch nichts von der massiv goldenen Nadel, die aus Gilberts Totenzimmer verschwunden und im ganzen Bezirk nicht mehr aufzufinden war.

Cadfael hatte Lady Prestcote mehrmals im Hof zwischen der Friedhofskapelle, wo ihr Gatte im Totengewand aufgebahrt lag, und dem Gästehaus hin und her gehen gesehen. Nur das Mädchen war nicht aufgetaucht. Gilbert, der jüngere Sohn, ein wenig verstört, doch des Unglücks nicht gewahr, spielte mit den Zöglingen und wurde dabei zärtlich von Bruder Paul, dem Novizenmeister, behütet. Mit seinen sieben Jahren betrachtete er die Absonderlichkeiten der Erwachsenen mit unbesorgtem Gleichmut und konnte sich heimisch fühlen, wo immer seine Mutter ihn plötzlich unterbrachte. Sobald sein Vater beerdigt war, würde sie ihn gewiß wieder von hier fortbringen, wahrscheinlich zu einem der Güter ihres Mannes, wo sein Leben unbeschadet und angenehm weitergehen würde.

Einige enge Freunde des Sheriffs waren eingetroffen und hatten sich wohnlich eingerichtet. Cadfael sah ihnen müßig zu und verband edle Namen mit den trauernden Gesichtern. Er war gerade auf dem Weg zum Herbarium, als er einen unerwarteten, doch willkommenen Besuch entdeckte. Schwester Magdalena trat zu Fuß und allein energisch durch die Pforte und sah sich nach einem bekannten Gesicht um. Nach ihrem freudigen Blick und ihrem raschen Weiterschreiten zu schließen, war sie froh, Cadfael zu begegnen.

»Nun, nun!« sagte Cadfael und ging ihr entgegen, um sie ähnlich erfreut zu begrüßen. »Wir hätten nicht gedacht, Euch so bald schon wiederzusehen. Geht alles gut in Eurem Wald? Keine weiteren Überfälle?«

»Bisher nicht«, entgegnete Schwester Magdalena vorsichtig, »aber ich würde nicht behaupten, daß sie es nicht wieder versuchen werden, wenn sie bemerken, daß Hugh Beringar gerade nicht zur Stelle ist. Es muß Madog ap Meredith hart angekommen sein, von einer Handvoll Waldleuten und Bauern zurückgeschlagen zu werden, und er mag wohl auf Rache sinnen und auf einen günstigen Augenblick warten. Doch die Wäldler geben gut acht. Aber anscheinend sind nicht wir es, bei denen jetzt Aufregung herrscht. Was hörte ich da in der Stadt? Gilbert Prestcote tot und der walisische Bursche, den ich Euch schickte, der Tat beschuldigt?«

»Dann wart Ihr also in der Stadt? Und diesmal ohne kräftigen Begleitschutz?«

»Zwei sind bei mir«, sagte sie, »aber ich ließ sie bei dem Tuchhändler zurück, wo wir übernachten werden. Wenn es wahr ist, daß der Sheriff morgen begraben werden soll, dann muß ich bleiben, um ihm die letzte Ehre zu erweisen. Als wir heute morgen aufbrachen, habe ich an nichts Böses gedacht; ich kam in einer ganz anderen Angelegenheit. Eine Großnichte von Mutter Mariana, die Tochter eines Tuchhändlers hier aus Shrewsbury, will zu uns kommen und den Schleier anlegen. Ein einfaches Kind, nicht sehr klug, aber willig, und sie weiß, daß sie kaum Aussichten auf eine gute Partie hat. Besser, sie kommt zu uns, als daß sie wie ein schlechtgewachsenes Fohlen an den Erstbesten verkauft wird, der ein halbherziges Angebot für sie abgibt. Ich habe meine Männer und die Pferde auf ihrem Hof gelassen, wo ich erfuhr, was hier geschehen ist. Im übrigen will ich die ganze Wahrheit hören — da unten in den Straßen kursieren sehr verschiedene Versionen.«

»Wenn Ihr eine Stunde Zeit habt«, sagte Cadfael munter, »dann kommt und trinkt ein Gläschen Wein mit mir im Kräutergarten. Ich will Euch die ganze Wahrheit berichten, so weit sie jedenfalls bis jetzt bekannt ist. Wer weiß, vielleicht findet Ihr einen Fingerzeig, den ich übersehen habe.«

In dem nach Holz duftenden düsteren Verschlag im Herbarium erzählte er ihr gemütlich und ausführlich alles, was er über Gilbert Prestcotes Tod wußte oder gefolgert hatte, auch das, was er im Hinblick auf Elis ap Cynan wußte. Sie lauschte, breitbeinig und aufrecht auf der Bank gegen die Wand gelehnt, den Becher mit beiden Händen umschlossen, um den schweren Rotwein zu wärmen. Sie bemühte sich nicht mehr, anmutig zu wirken, falls sie das überhaupt jemals getan hatte, besaß ihre kräftige Gestalt doch eine ganz eigene Anmut.

»Ich würde nie behaupten, daß der Junge nicht töten *könnte*«, sagte sie schließlich. »Diese Jungen handeln ohne nachzudenken, und das Bedauern kommt erst hinterher. Aber ich glaube nicht, daß er den Vater seines Mädchens töten würde. Ihr sagt, es muß sehr leicht gewesen sein, den Mann aus der Welt zu schaffen, und ich glaube Euch; so könnte selbst einer, der gar keinen Mord begehen will, es tun, ohne zu bemerken, was er tut. Ja, aber die, welche ein Mann leichthin tötet, sind für gewöhnlich Fremde, die ihm nichts bedeuten. Doch dieser hier hatte eine klare Identität — er war ihr Vater, kein geringerer als der Mann, der sie zeugte. Und doch«, räumte sie kopfschüttelnd ein, »mag ich mich in ihm irren. Er mag einer sein, der tut, was jemand seiner Art eigentlich nicht tut. Es gibt immer eine Ausnahme.«

»Das Mädchen glaubt fest an seine Schuld«, sagte Cadfael nachdenklich, »vielleicht, weil sie sich nur zu gut dessen bewußt ist, was sie für ihre eigene Schuld hält. Der Herr kehrt zurück, und die Liebenden werden auseinandergerissen — es ist kein großer Schritt davon zu träumen, daß er nicht zurückkehrt, und kein großer Sprung, seinen Tod als letztendliche Ursache des Ausbleibens herbeizuwünschen. Doch waren dies gewiß nur Träume, keine aufrichtigen Wünsche. Der Junge steht auf sicherem Boden, wenn er schwört, er wollte versuchen, ihren Vater zu gewinnen, damit er ihrer Verbindung freundlich zustimmte. Denn wenn ich jemals einen jungen Mann sah, der im Glanz der Sonne steht und von Natur aus gutgläubig ist, dann ist das Elis.«

»Und das Mädchen?« grübelte Schwester Magdalena, während sie den Weinbecher zwischen den Händen drehte. »Wenn sie auch im gleichen Alter sind, dann muß sie doch um Jahre reifer sein als er. So ist es eben! Ist es denn überhaupt möglich, daß *sie*...?«

»Nein«, sagte Cadfael überzeugt. »Sie war die ganze Zeit mit ihrer Mutter und Hugh und den walisischen Abgesandten zusammen. Ich weiß, daß sie ihren Vater lebend verließ und erst nach seinem Tod zurückkam, und auch da war Hugh bei ihr. Nein, sie quält sich für nichts und wieder nichts. Wenn sie jetzt hier wäre, dann würdet Ihr sie recht bald als das einfache, unschuldige Kind erkennen, das sie ist.«

Schwester Magdalena wollte gerade philosophisch antworten: »Diese Chance werde ich wohl kaum bekommen«, als es an der Tür klopfte. Das Geräusch war so leise und unsicher und wurde doch so beharrlich wiederholt, daß sie verstummten, um sich zu vergewissern.

Cadfael erhob sich, um die Tür zu öffnen und durch einen schmalen Spalt nach draußen zu lugen, da er überzeugt war, daß niemand dort wäre; doch dort stand sie, die Hand erhoben, um abermals zu klopfen, bleich, elend und doch entschlossen. Sie war einen halben Kopf größer als er: dieses einfache, unschuldige Kind, das er beschrieben hatte, und das dennoch einen stahlharten Kern normannischen Adelsstolzes in sich hatte, der sie zwang, über sich hinauszuwachsen. Er riß hastig die Tür auf. »Kommt aus der Kälte herein. Wie kann ich Euch helfen?«

»Der Pförtner erzählte mir, daß die Schwester aus Godric's Ford vor einer Weile ankam«, erklärte Melicent, »und daß sie vielleicht hier ist, um Medizin aus Eurer Apotheke zu holen. Ich würde gerne mit ihr sprechen.«

»Schwester Magdalena ist hier«, sagte Cadfael. »Kommt, setzt Euch zu ihr an die Kohlenpfanne, und ich will Euch allein lassen, damit Ihr ungestört reden könnt.«

Sie trat etwas verschüchtert ein, als könne der kleine, unvertraute Raum schreckliche Geheimnisse bergen. Sie machte zierliche, ängstliche Schritte, kam fast trippelnd herein und war doch von einer Entschlossenheit getrieben, die sie weiterzwang. Tief und fasziniert sah sie Schwester Magdalena in die Augen, denn sie hatte zweifellos alte und neue Geschichten über sie gehört, die sie nur schwerlich miteinander in Einklang bringen konnte.

»Schwester«, begann Melicent, unvermittelt zur Sache kommend, »wollt Ihr mich mit Euch nehmen, wenn Ihr nach Godric's Ford zurückkehrt?«

Cadfael zog sich, seinem Wort getreu, leise zurück und schloß die Tür hinter sich, aber nicht schnell genug, um Schwester Magdalenas einfache und praktische Antwort zu überhören: »Warum?«

Sie tat und sagte nie, was man von ihr erwartete, und dies war eine gute Frage. Sie beließ Melicent im Irrglauben, sie wüßte wenig oder nichts über sie und müßte die ganze schreckliche Geschichte hören; und beim Wiedererzählen mochte die Geschichte eine neue Gestalt annehmen und es dem Mädchen erlauben, ihre Situation mit einer weniger verzweifelten Dringlichkeit zu betrachten. Dies hoffte Bruder Cadfael jedenfalls, als er durch den Garten trottete, um eine angenehme halbe Stunde mit Bruder Anselm, dem Vorsänger, in seiner Lesenische im Kreuzgang zu verbringen, wo er sicher gerade die Musikfolge für Gilbert Prestcotes Bestattung festlegte.

»Ich habe die Absicht«, erwiderte Melicent etwas überheblich, weil sie durch die unverblümte Frage recht erschüttert war, »den Schleier anzulegen, und ich möchte dies als Novizin bei den Benediktinerschwestern in Polesworth tun.«

»Setzt Euch hier zu mir«, sagte Schwester Magdalena besänftigend, »und erzählt mir, was Euch auf diesen Weg brachte, ob Ihr Eure Familie ins Vertrauen gezogen habt und ob sie Eure Entscheidung gutheißt. Ihr seid noch sehr jung und habt noch Euer ganzes Leben vor Euch...«

»Ich bin fertig mit der Welt«, entgegnete Melicent.

»Mein Kind, solange Ihr lebt und atmet, seid Ihr noch nicht fertig mit der Welt. Wir im Kloster leben in der gleichen Welt wie all die armen Seelen draußen. Kommt, Ihr müßt gute Gründe haben, wenn Ihr wünscht, ins Klosterleben einzutreten. Setzt Euch und erzählt, laßt mich Eure Gründe hören. Ihr seid jung und schön und von adeliger Geburt, und doch wünscht Ihr, der Ehe zu entsagen, den Kindern, die Ihr haben könnt, der Stellung und der Ehre, alldem... Warum?«

Melicent sank neben ihr auf die Bank, legte in der Wärme der Kohlenpfanne die Arme um sich und ließ die Barrieren ihrer Bitterkeit fallen, um die Flut ihrer Gefühle freizugeben. Was sie Sybillas voreingenommene Ohren hatte hören lassen, war nichts weiter als der Faden, an welchen dieses Geständnis geknüpft war. Und nun sprudelte der ganze vergangene Traum wie das Liebeslied eines Minnesängers aus ihr heraus.

»Selbst wenn Ihr recht daran tut, einen Mann abzuweisen«, sagte Magdalena schließlich milde, »dann seid Ihr äußerst ungerecht, wenn Ihr alle zurückweist. Ganz zu schweigen von der Möglichkeit, daß Ihr Euch in diesem Elis ap Cynan irrt. Denn solange nicht bewiesen ist, daß er lügt, müßt Ihr bedenken, daß er die Wahrheit sprechen könnte.«

»Er sagte, daß er für mich töten würde«, gab Melicent erbarmungslos zurück, »er ging ins Krankenzimmer meines Vaters, und mein Vater ist tot. Soweit bekannt ist, kam niemand sonst in seine Nähe. Was mich angeht, so habe ich keine Zweifel. Ich wünschte, ich hätte nie sein Gesicht gesehen und ich bete, daß ich es nie wieder sehen werde.«

»Und Ihr wollt nicht warten, bis endgültig festgestellt wurde, ob er Euch betrogen hat?«

»Zumindest weiß ich«, sagte Melicent verbittert, »daß Gott mich nicht betrügt. Mit Männern bin ich fertig.«

»Kind«, sagte Schwester Magdalena seufzend, »Ihr werdet bis zu Eurem Todestag mit Männern zu tun haben. Bischöfe, Äbte, Priester, Beichtväter — alle sind Männer und Blutsbrüder der gemeinsten, sündigsten Menschen. Solange Ihr lebt, könnt Ihr nicht vor Eurem Anteil an der Menschheit fliehen.«

»Nun, dann bin mit der Liebe fertig«, entgegnete Melicent um so heftiger, weil sie insgeheim wußte, daß sie log.

»Oh, mein liebes Mädchen, die Liebe ist das einzige, dessen Ihr Euch nie entsagen dürft. Denn was nützt Ihr uns oder irgendeinem anderen ohne Liebe? Natürlich gibt es verschiedene Arten zu lieben«, erläuterte die spät zu ihrem Zölibat berufene Nonne, während sie sich an die Zeit erinnerte, in der sie diesen Titel kaum verdient hätte; inzwischen erkannte sie ihr Vorleben als einen anderen Aspekt der Liebe. »Und für alle Arten braucht man Herzenswärme, und wenn dieses Feuer verlöscht, dann kann es nicht neu entfacht werden. Nun«, fuhr sie nachdenklich fort, »wenn Eure Stiefmutter Euren Entschluß, mit mir zu gehen, billigt, dann mögt Ihr mit mir kommen und willkommen sein. Bleibt eine Weile bei uns, dann werden wir weitersehen.«

»Werdet Ihr mit mir zu meiner Mutter kommen und anhören, wie ich sie um Erlaubnis bitte?«

»Das werde ich tun«, sagte Schwester Magdalena, indem sie sich erhob und ihr Gewand für den Weg hochraffte.

Sie berichtete Bruder Cadfael in groben Zügen, bevor sie in die Stadt zum Haus des Tuchhändlers zurückging, wo sie wohnte.

»Sie ist bei uns draußen, von dem Burschen entfernt, doch mit dem Bild von ihm, das sie mit sich trägt, gewiß gut aufgehoben. Zeit und Wahrheit sind das, was die beiden jetzt am meisten brauchen, und ich werde dafür sorgen, daß sie ihre Gelübde nicht ablegt, bevor nicht die ganze Angelegenheit aufgeklärt ist. Der Junge bleibt besser in Eurer Obhut, wenn Ihr nur ab und zu ein Auge auf ihn werfen könnt.«

»Ihr glaubt also auch nicht«, sagte Cadfael, »daß er ihrem Vater ein Leid antat?«

»Kann ich das wissen? Gibt es einen Mann oder eine Frau, die, ist die Not erst groß, nicht töten könnten? Ein stattlicher, aufrechter, unverschämter und offenherziger Junge ist er«, sagte Schwester Magdalena, »einer, der mir damals, als mir Männer noch gefielen, wohl selbst gefallen hätte.«

Cadfael ging zum Abendbrot ins Refektorium und dann zur Bibellesung in den Kapitelsaal, die er oft ausließ, wenn er in seinem Verschlag heilsame Tränke braute. Seine Grübeleien, seine Suche nach der Wahrheit hatten bisher zu nichts geführt, und es war angenehm, all dies beiseite zu schieben und mit Freude im Herzen den Geschichten aus dem Leben der Heiligen zu lauschen. Sie hatten die Mühsal der Welt abgeschüttelt, um die Verheißungen der jenseitigen Welt zu genießen, und sie betrachteten die irdische Gerechtigkeit als bloßes Schattenspiel, das die absolute Gerechtigkeit des Himmels verbarg, auf die kein Mensch länger warten muß, als seine sterbliche Lebensspanne währt.

Sankt Gregor war vorbei, und Sankt Eduard der Bekenner und Sankt Benedikt standen bevor — es war Mitte März, der Frühling nahte, und vor den Menschen lagen Hoffnung und Wachstum. Eine gute Zeit. Cadfael hatte die Stunden, bevor Schwester Magdalena gekommen war, mit Umgraben und Jäten der Hälfte seines Minzebeetes verbracht, um Raum für das Wachstum des neuen, jungen Grüns zu schaffen und das Alte und Verfallene zu entfernen. Er verließ den Kapitelsaal mit einem Gefühl der Erneuerung, und zunächst war es bestenfalls eine milde Überraschung, daß Bruder Edmund noch zu ihm kam und mit der Haltung eines Bischofs etwas präsentierte, das auf den ersten Blick wie ein Bischofsstab aussah, das aber auf den Boden gestellt nicht höher war als seine Schultern und sich eindeutig als Krücke erwies.

»Dies fand ich in einer Ecke der Ställe. Sie gehört Anion! Cadfael, er ist heute nicht zum Abendbrot gekommen, und er ist nirgends in der Krankenstation zu finden — nicht im Gemeinschaftsraum, nicht in seinem Bett und nicht in der Kapelle. Habt Ihr ihn heute irgendwo gesehen?«

»Nicht mehr seit heute morgen«, sagte Cadfael, indem er sich mühsam aus der friedlichen Stimmung der Bibellesung riß. »War er denn beim Mittagsmahl?«

»Das war er, aber ich kann niemand finden, der ihn danach noch gesehen hat. Ich habe überall nach ihm gesucht und nach ihm gefragt, aber nichts weiter von ihm gefunden als dies hier, achtlos fortgeworfen. Anion ist verschwunden! O Cadfael, ich befürchte fast, er ist vor seiner Todsünde geflohen. Warum sonst sollte er fortlaufen?«

Es war schon eine ganze Weile nach der Abendmesse, als Hugh Beringar sein eigenes Heim betrat, mit leeren Händen und unzufrieden nach den vergeblichen Befragungen der Waliser. Vor sich sah er Bruder Cadfael mit Aline am Kamin sitzen. Der Bruder erwartete ihn mit düsterem Gesicht.

»Was führt Euch so spät zu mir?« fragte Hugh verwundert. »Wieder einmal ohne Ausgang unterwegs?«

Das war schon öfter geschehen, und die Erinnerung an eine solche Expedition, vor den Tagen des strengen Abt Radulfus, war ein alter, heimlicher Scherz zwischen ihnen.

»Das bin ich nicht«, erwiderte Cadfael fest. »Ich habe eine unerwartete Nachricht, die selbst Prior Robert für so wichtig hielt, daß sie Euch sofort erreichen mußte. Wir hatten in unserer Krankenstation einen Mann namens Anion, der sich das Bein gebrochen hatte, inzwischen jedoch fast wieder bereit war, uns zu verlassen. Ich glaube nicht, daß der Name Euch viel sagt, denn nicht Ihr hattet damals mit seinem Bruder zu tun. Aber Ihr erinnert Euch sicher an eine Prügelei in der Stadt, zwei Jahre ist es jetzt her, als ein Torhüter auf der Brücke ermordet wurde? Prestcote ließ den Waliser, der es tat, erhängen. Ob er es nun war oder nicht, und natürlich sagte er, er hätte es nicht getan . . . Sicher ist, daß er an jenem Abend sturzbetrunken war und wahrscheinlich selbst die Wahrheit nicht mehr wußte. Wie auch immer es sich zugetragen hatte, er wurde erhängt. Es war ein junger Bursche, der irgendwo aus der Nähe von Mechain heruntergekommen war, um auf dem Markt Felle zu verkaufen. Nun, dieser Anion ist sein Bruder zur linken Hand, und zwischen den beiden gab es kein böses Blut, solange der Vater lebte. Sie lernten sich kennen und schätzen.«

»Wenn ich je davon wußte«, sagte Hugh, indem er sich ans Feuer setzte, »dann habe ich es vergessen.«

»Anion aber nicht. Er hat wenig geredet, aber man weiß, daß er seinen Groll genährt hat, und er ist Waliser genug, um Rache als seine Pflicht zu betrachten, sobald sich eine Gelegenheit dazu bietet.«

»Und was ist jetzt mit ihm?« Hugh musterte aufmerksam das Gesicht seines Freundes; er ahnte, was kommen würde. »Wollt Ihr mir sagen, dieser Mann sei im Kloster gewesen, als man den Sheriff hilflos gebracht hat?«

»Das war er, und zwischen ihm und seinem Feind war

nichts als eine halboffene Tür – wenn er ihn für einen Feind hielt, wie die Gerüchte besagen. Allerdings war er nicht der einzige mit einem Groll, so daß es keinen weiteren Beweis als diesen gibt, daß nämlich die Gelegenheit für ihn gekommen war. Aber seit heute abend gibt es noch etwas, das gegen ihn spricht: Er ist verschwunden. Er kam nicht zum Abendbrot, er ist nicht in seinem Bett, seit dem Mittagsmahl hat ihn niemand mehr gesehen. Edmund vermißte ihn beim Abendbrot und hat ihn seither gesucht, doch ohne eine Spur von ihm zu finden. Und die Krücke, die er benutzte, wenn auch mehr aus Gewohnheit als aus Not, lag in den Ställen. Anion hat sich auf die Beine gemacht. Und die Schuld, falls es hier eine Schuld gibt«, sagte Cadfael aufrichtig, »trifft mich. Edmund und ich haben jeden Mann in der Krankenstation gefragt, ob er in der Kammer des Sheriffs etwas Bemerkenswertes sah oder hörte, ob jemand hinein- oder herausging. Ich stellte Anion die gleichen Fragen und war mit ihm, als ich heute morgen in den Ställen mit ihm sprach, sogar noch vorsichtiger als mit allen anderen. Aber trotz alledem habe ich ihn fraglos verschreckt.«

»Zu erschrecken und fortzurennen ist nicht ungedingt ein Schuldbeweis«, sagte Hugh vernünftig. »Männer ohne Privilegien neigen leicht zu dem Glauben, daß ihnen die Schuld für jede Missetat angelastet wird. Ist er denn ganz sicher verschwunden? Ein Mann, dessen gebrochenes Bein gerade geheilt ist? Hat er ein Pferd oder Maultier genommen? Ist etwas gestohlen?«

»Nichts. Aber es gibt noch mehr zu berichten. Bruder Rhys, dessen Bett an der Tür und dem Krankenzimmer des Sheriffs direkt gegenüber steht, hörte zweimal die Tür quietschen, und er sagt, beim erstenmal sei jemand eingetreten oder habe zumindest die Tür aufgedrückt, der eine Krücke benützte. Der zweite kam später, und das mag Elis gewesen sein. Rhys kann die Zeit nicht genau angeben, weil er vorher und nachher schlief, aber beide Besucher kamen, als es im Hof still war – er sagt, während wir Brüder im Refektorium saßen. Dies und die Tatsache, daß er fortlief, spricht für sich. Mittlerweile ist sogar Edmund davon überzeugt, daß Anion der Mörder ist. Morgen früh wird man sich in der Stadt über seine Schuld den Mund zerreißen.«

»Aber Ihr seid nicht so sicher«, sagte Hugh, der ihn unbewegt beobachtete.

»Er hatte gewiß etwas im Sinn, etwas, das er als Schuld betrachtete oder von dem er wußte, daß andere es so nennen würden, denn sonst wäre er nicht fortgelaufen. Aber ein Mord...? Hugh, ich habe in meiner Pillenschachtel einige Beweisstücke, gefärbte Wollfäden und etwas Gold, das von dem Tuch stammt, mit dem der Mord begangen wurde. Und dies ist *sicher*, wogegen eine Flucht auch ein Beweis für die Angst eines Unschuldigen sein kann. Ihr wißt wie ich, daß es nirgends in jenem Raum oder in der Krankenstation oder im ganzen Kloster, soweit wir es erforschen konnten, ein so gewirktes Stück Tuch gibt. Der, der es benutzte, brachte es mit sich. Woher sollte Anion ein so kostbares Tuch haben? Er hat in seinem ganzen Leben nie etwas Besseres als einfarbiges selbstgewebtes und ungebleichtes Flachstuch in den Händen gehabt. Dies wirft starke Zweifel an seiner Schuld auf, wenn es sie auch nicht völlig ausschließt. Und deshalb habe ich ihn nicht zu sehr gedrängt — jedenfalls dachte ich das!« ergänzte er traurig.

Hugh stimmte vorsichtig nickend zu und hakte den Punkt im Geiste ab. »Aber trotzdem muß ich morgen früh Suchtruppen von hier bis zur walisischen Grenze ausschicken, denn das ist gewiß die Richtung, in die er sich wendet. Sein erster Gedanke wird es sein, eine Grenze zwischen sich und seine Furcht zu bringen. Wenn ich ihn fassen kann, dann muß und will ich es tun. Und dann können wir aus ihm herausbekommen, was immer er weiß. Ein lahmer Mann kann nicht weit kommen.«

»Aber vergeßt nicht das Tuch. Denn diese Fäden lügen nicht, während ein sterblicher Mensch, ob schuldig oder nicht, das sehr wohl tun mag. Wir müssen das Tuch finden, das der Mörder benützt hat.«

Die Jagd begann im Morgengrauen; kleine Gruppen zogen auf allen Wegen, die nach Wales führten, durch den Wald. Doch sie kehrten mit leeren Händen im Dunkeln zurück. Lahm oder nicht, Anion war es gelungen, binnen eines halben Tages spurlos zu verschwinden.

Inzwischen hatte die Geschichte in der Stadt und der Klostersiedlung die Runde gemacht, jede Werkstatt und jeder Kunde wußte Bescheid, in den Tavernen wurde lebhaft diskutiert, und die allgemeine Überzeugung war, daß weder Hugh Beringar noch irgend jemand sonst weiter nach dem Mörder des Sheriffs suchen mußte. Der mürrische Viehtreiber mit dem Groll gegen den Sheriff war gehört worden, als er das Todeszimmer betrat und wieder verließ, und war nach der Befragung geflohen. Nichts konnte einfacher sein.

An diesem Tag wurde Gilbert Prestcote in der Gruft, die er für sich in einem Seitenschiff der Abtei hatte reservieren lassen, bestattet. Die Hälfte der Adeligen aus der Grafschaft erwies ihm die letzte Ehre, Hugh Beringar kam mit einer Eskorte seiner Offiziere, und Geoffrey Corviser, der Ortsvorsteher von Shrewsbury, war mit seinem Sohn Philip und seiner Frau Emma da; auch die ehrbaren Handwerker der städtischen Gilden kamen. Die Witwe des Sheriffs war tief in Trauer, ihr kleiner Sohn hing mit großen Augen und eingeschüchtert an ihrem Arm. Die Musik und die Feierlichkeit, die gewaltige Kirchenkuppel, die Kerzen und Fackeln, all dies verzauberte und faszinierte ihn; er hielt sich während des Gottesdienstes völlig still.

Obwohl sich Gilbert Prestcote womöglich einige persönliche Feinde gemacht hatte, war er seiner Grafschaft im allgemeinen ein gerechter und vertrauenswürdiger Sheriff gewesen, und die großen Händler wußten sehr gut, welch relative Sicherheit und Gerechtigkeit sie unter ihm genossen hatten, während ein großer Teil Englands ein weitaus schlimmeres Schicksal erlitt.

So wurde Gilbert bei seinem Tod große Ehre zuteil, und sein Volk legte bei seinem Gott für ihn eine gewichtige und wohlverdiente Fürsprache ein.

»Nein«, sagte Hugh, der Cadfael erwartete, als die Brüder am Abend aus dem Vespergottesdienst kamen, »noch nichts. Lahm oder nicht, anscheinend hat sich Euer Anion in Luft aufgelöst. Ich habe längs der Grenze Wachen aufstellen lassen, falls er auf unserer Seite in Deckung bleiben will, bis die Jagd abgeblasen wird, aber ich bezweifle, daß er schon über den Grenzwall ist. Und ich weiß nicht recht, ob ich darüber fröhlich oder traurig sein soll. Ich habe auf meinem Gut auch Waliser, Cadfael, und ich weiß, was sie bewegt und kenne das Gesetz, dem sie folgen. Ich war mein ganzes Leben ein Grenzgänger und in zwei Ländern zu Hause.«

»Ihr müßt ihn weiter verfolgen«, sagte Cadfael mitfühlend. »Ihr habt keine Wahl.«

»Nein, keine. Gilbert war mein Vorgesetzter«, sagte Hugh, »und ich war ihm treu ergeben. Wir hatten sehr wenig gemeinsam, ich kann nicht einmal sagen, daß ich ihn besonders mochte. Aber Respekt − ja, den gab es zwischen uns. Seine Frau kommt mit dem kleinen Sohn und den wenigen Dingen, die sie hergebracht hat, auf die Burg zurück. Ich warte gerade auf sie, weil ich sie begleiten will.« Ihre Stieftochter war bereits mit Schwester Magdalena und der Tochter des Tuchhändlers in die Einsamkeit von Godric's Ford aufgebrochen. »Er wird seine Schwester vermissen«, sagte Hugh, der den kleinen Jungen ins Herz geschlossen hatte.

»Das wird noch einer«, sagte Cadfael, »wenn er hört, daß sie gegangen ist. Und die Nachricht von Anions Flucht konnte sie nicht umstimmen?«

»Nein, sie ist unerbittlich, sie hat Elis verdammt.

Scheltet mich, wenn Ihr wollt«, sagte Hugh mit einem traurigen Lächeln, »aber ich habe ihm bereits eröffnet, daß sie fortgegangen ist, um das Leben einer Nonne zu führen. Soll er nur eine Weile schmoren — das ist das mindeste, was ich ihm gönne. Und ich habe sein Wort akzeptiert, seines und das des anderen Jungen, Eliud. Beide haben sich für sich selbst und den anderen verpfändet, keinen Fuß hinter den Wachtturm zu setzen und keinen Fluchtversuch zu machen, wenn ich ihnen Ausgang innerhalb der Wälle gewähre. Sie haben füreinander ihre Hälse verpfändet. Nicht, daß ich sie ihnen umdrehen will, aber andererseits konnte es nicht schaden, ihre Verpflichtung anzunehmen.«

»Und ich bezweifle nicht«, sagte Cadfael, indem er ihn aufmerksam ansah, »daß Ihr außerdem sehr scharfe Wachen an den Toren aufgestellt und äußerst wachsame Leute auf den Mauern postiert habt, um zu sehen, ob einer der beiden oder beide ausbrechen und fortlaufen.«

»Ich würde meiner Verantwortung nicht gerecht, wenn ich dies versäumt hätte«, erwiderte Hugh aufrichtig.

»Wissen sie inzwischen, daß ein halbwalisischer Viehhirte, der in den Diensten der Abtei stand, seine Krücke fortgeworfen hat und um sein Leben rennt?«

»Sie wissen es. Und was sagen sie? Sie sagen wie mit einer Stimme, Cadfael, daß eine solche arme Seele — Waliser noch dazu und ohne Verwandte oder Privilegien hier in England — natürlich fortläuft, sobald das Auge des Gesetzes auf ihn fällt, da er sicher ist, beschuldigt zu werden, solange er nicht beweisen kann, daß er zur entscheidenden Zeit mindestens eine Meile entfernt war. Könnt Ihr daran etwas Falsches finden? Das habe ich mir ja auch selbst gesagt, als Ihr mir die Botschaft überbrachtet.«

»Daran ist nichts Falsches«, entgegnete Cadfael nachdenklich. »Und doch gibt es Stoff zum Grübeln, meint Ihr nicht auch? Wenn so etwas ein Bedrohter von einem anderen Bedrohten sagt, das ist schon sehr edelmütig.«

9

Owain Gwynedd schickte seine Antwort auf die Ereignisse in Shrewsbury am Tage nach Anions Flucht durch den Mund des jungen John Marchmain, der beim Gefangenenaustausch als Geisel in Wales zurückgeblieben war. Die sechs Waliser, die ihn auf dem Heimweg begleiteten, kamen nur bis zu den Stadttoren mit, wo sie salutierten und sich sofort wieder zurückzogen.

John, der Sohn der jüngeren Schwester von Hughs Mutter, ein hochaufgeschossener neunzehnjähriger Junge, ritt unter der Würde der Botschaft, die ihm anvertraut war, steif in die Burg ein und wandte sich förmlich an Hugh.

»Owain Gwynedd bittet mich zu sagen, daß durch einen derart herbeigeführten Tod seine Ehre auf dem Spiel steht. Er befiehlt seinen Männern, sich in Geduld zu üben und nach Kräften zu helfen, bis die Wahrheit gefunden und der Mörder entdeckt ist und sie für die Heimkehr freigegeben werden. Er schickt mich als durch das Schicksal befreit zurück. Er sagt, er hat keinen Gefangenen mehr gegen Elis ap Cynan auszutauschen und will keinen Finger rühren, ihn zu befreien, bis sowohl der Schuldige als auch die Unschuldigen entdeckt sind.«

Hugh, der ihn von Kindheit an kannte, hob beeindruckt die Augenbrauen unter dem dunklen Haar, pfiff leise und lachte. »Du kannst wieder herunterkommen, du fliegst zu hoch für mich.«

»Ich spreche für einen hochfliegenden Falken«, entgegnete John, indem er laut schnaufte, das Gesicht zu einem Grinsen verzog und sich gegen die Wand des Wachzimmers zurücklehnte. »Nun, du hast ihn verstanden. Genauso hochgestochen klang es auch. Aber es gibt noch mehr zu berichten. Was weißt du Neues aus dem Süden? Ich glaube, Owain hat seine Augen und Ohren überall an der Grenze, weiter jedenfalls, als dein Einfluß reicht. Er sagt, die Kaiserin wird wahrscheinlich siegen und zur Königin gekrönt werden, denn Bischof Henry empfing sie in der Kathedrale von Winchester, wo Krone und Kronschatz bewacht werden, und der Erzbischof von Canterbury windet sich und vertröstet sie — er kann sie nicht anerkennen, ehe er nicht mit dem König gesprochen hat. Und, bei Gott, das hat er inzwischen getan, denn er war in Bristol und nahm ein Gefolge von Bischöfen mit sich und es wurde ihm auch erlaubt, mit dem Gefangenen Stephen zu sprechen.«

»Und was sagt König Stephen?« fragte Hugh.

»Er erklärte ihnen in seiner großartigen Redeweise, daß sie auf ihr Gewissen hören und natürlich das tun müßten, was ihnen als das Beste erschiene. Owain sagte, das würden sie tun, nämlich was ihnen für ihre eigene Haut am besten erscheint! Sie werden die Köpfe neigen und zum Sieger halten. Aber da gibt es noch etwas Wichtiges, das Owain bedacht hat. Ranulf von Chester ist genau im Bilde und weiß inzwischen, daß Gilbert Prestcote tot ist, so daß er unsere Grafschaft in tiefer Verwirrung glaubt. Die Folge davon ist, daß er nach Süden, gen Shropshire und weiter nach Wales vordringt, daß er Männer in seine vorgeschobenen Garnisonen schickt und sich in kleinen Etappen vortastet.«

»Und was erbittet Owain von uns?« fragte Hugh, der sofort erkannte, daß noch eine Bitte folgen würde.

»Er sagt, wenn du mit einer ansehnlichen Streitmacht nach Norden ziehst, dich an der Grenze von Cheshire zeigst und Oswestry und Whitchurch und alle anderen Festungen da oben verstärkst, dann hilfst du dir selbst und auch ihm, denn er will gegen den gemeinsamen Feind das gleiche tun. Und er läßt ausrichten, daß er in zwei Tagen bei Sonnenuntergang nach Rhyd-y-Croesau bei Oswestry zur Grenze kommen will, wenn du bereit bist, ihn dort zu Verhandlungen zu treffen.«

»Und wie ich entschlossen bin!« sagte Hugh energisch und erhob sich, um seinen vor Eifer glühenden Vetter zu umarmen und ihn weiter über das bevorstehende Treffen mit Owain zu befragen; er würde der Herausforderung mit der stärksten Kraft begegnen, die er in seiner belagerten Grafschaft nur aufbieten konnte.

Daß Owain ihnen nur zweieinhalb Tage gegeben hatte, um die Männer auszuheben, die Stadt und die Burg mit einer dezimierten Garnison zu besetzen und die Streitmacht in den Norden der Grafschaft zu verlegen, war eher ein Beweis für die Leichtigkeit und Raschheit, mit welcher Owain sich in einem eigenen Gebirgsland bewegen konnte, als ein Anzeichen für die Dringlichkeit der ganzen Sache. Hugh verbrachte den Rest des Tages damit, in Shrewsbury seine Vorkehrungen zu treffen und die Einberufungen an alle dienstverpflichteten Männer zu schicken. Im Morgengrauen des nächsten Tages würde seine Vorausabteilung aufbrechen, und er selbst hatte vor, mit der Haupttruppe am Mittag zu folgen. Binnen weniger Stunden war viel zu erledigen.

Lady Prestcote versammelte ihre Diener und ihre persönliche Habe in den hohen, öden Gemächern, um am nächsten Morgen für den Aufbruch zum östlichsten und friedlichsten ihrer Landgüter bereit zu sein. Sie hatte bereits eine Gruppe Packpferde mit dreien ihrer Diener vorausgeschickt. Da sie sich in der Stadt befand, war es nur vernünftig, solche Dinge einzukaufen, die in dem Gebiet, in das sie wollte, knapp waren; unter anderem hatte sie eine Anzahl getrockneter Kräuter aus Cadfaels Lager erbeten. Ihr Herr mochte nun tot in seiner Gruft liegen, so hatte sie doch immer noch ihre Pflichten zu erfüllen und für das Wohl ihres Sohnes zu sorgen. Männer mochten sterben, doch das Fleisch, das die Lebenden brauchten, mußte mit Konservierungsmitteln, Salz und Gewürzen behandelt werden, damit es gut und bekömmlich blieb. Außerdem hatte der Junge im Frühlingsregen einen Husten bekommen, und sie bat Cadfael um ein Glas Salbe, mit der sie ihm die Brust einreiben konnte. Gilbert Prestcote der Jüngere und ihre häuslichen Pflichten würden bald schon die Lücke schließen, welche Gilbert Prescotes des Älteren Tod gerissen hatte.

Es wäre nicht unbedingt nötig gewesen, daß Cadfael die Kräuter und Medizinen persönlich ablieferte, aber er ergriff freudig die Gelegenheit, um einerseits seine Neugierde zu befriedigen, und um andererseits den Spaziergang und die frische Luft an einem schönen, wenn auch stürmischen Märztag zu genießen. Durch die Klostersiedlung ging er, dann über die Brücke, die den vom Tauwetter in den Bergen verschlammten und schäumenden Severn überspannte, hinein durchs Stadttor und die lange, steile Straße der Wyle hinauf; dahinter wieder sanft bergab vom High Cross zum Torhaus der Burg. Er ging mit aufgesperrten Augen und Ohren und blieb viele Male stehen, um freundliche Worte und Grüße zu wechseln. Und überall sprachen die Männer über Anions Flucht und stritten, ob er davonkommen oder vor Einbruch der Nacht am Strick zurückgebracht würde.

Hughs Einberufungsbefehl war noch nicht überall in der Stadt bekannt, doch bis zum Abend wußten es sicher alle. Sobald aber Cadfael die Burg betrat, wurde durch das allgegenwärtige geschäftige Treiben sofort deutlich, daß etwas Wichtiges im Gange war. Der Schmied und die Waffenmeister waren eifrig bei der Arbeit, und ebenso die Stallburschen, die die Vorratswagen beluden, die gemächlicher den schnellen Reitern und Fußtruppen folgen sollten. Cadfael übergab die Kräuter der Dienstmagd, die ihn empfing, und begab sich auf die Suche nach Hugh. Er fand ihn bei den Ställen, wo er requirierte Pferde einwies.

»Dann zieht Ihr nach Norden?« fragte Cadfael ohne sonderliche Überraschung. »Und wie ich sehe, wird es ein großes Aufgebot.«

»Mit etwas Glück wird es nur eine Demonstration un-

147

serer Kräfte«, sagte Hugh, indem er seine konzentrierte Arbeit unterbrach und seinem Freund ein flüchtiges warmes Lächeln schenkte.

»Sticht Chester der Hafer?«

Hugh lachte und klärte ihn auf. »Mit Owain auf einer Seite der Grenze und mir auf der anderen wird er es sich zweimal überlegen. Er erprobt gerade erst seine Muskeln. Er weiß, daß Gilbert gefallen ist, aber mich kennt er nicht. Noch nicht!«

»Höchste Zeit, daß er dich und Owain kennenlernt«, bemerkte Cadfael. »Vernünftige Männer haben ihn schon vor langer Zeit richtig eingeschätzt und recht hoch bewertet. Ranulf ist kein Dummkopf, wenn ich auch nicht ausschließen würde, daß er, kühn geworden durch seine Erfolge, zu einer Dummheit fähig wäre. Auch der klügste Mann kann einen zu großen Schritt tun und aufs Gesicht fallen.« Und dann, während er auf all die Geräusche um ihn lauschte und die Schatten betrachtete, die sich auf dem Pflaster abzeichneten, fragte er: »Weiß Euer walisisches Zwillingspaar, wohin es geht und wer Euch warum eine Nachricht schickte?«

Er hatte bei der Frage die Stimme gesenkt, und Hugh tat es ihm ohne besonderen Grund gleich. »Nicht von mir. Ich konnte keine Zeit für Höflichkeiten erübrigen. Aber sie werden es wohl wissen. Warum?«

»Weil sie gerade zu uns kommen, die beiden. Und ängstlich sind sie.«

Hugh erleichterte ihnen die Annäherung, indem er den schwergebauten Grauen, den er beobachtet hatte, einem Burschen übergab und sich wie selbstverständlich von den Ställen abwandte, als hätte er diese Aufgabe für den Augenblick erledigt. Und da waren sie auch schon, Elis und Eliud, Schulter an Schulter gehend, als wären sie derart verbunden geboren worden, und wandten sich mit zusammengezogenen Augenbrauen und besorgten Blicken an ihn.

»Mein Herr Beringar...«, Eliud, der Stille, der Ernste,

der Dunklere, sprach für sie beide. »Ihr zieht zur Grenze? Droht ein Krieg? Etwa mit Wales?«

»Zur Grenze schon«, sagte Hugh leichthin, »aber zu einem Treffen mit dem Prinzen von Gwynedd. Mit eben jenem, der Euch und Eure Gefolgschaft bat, Eure Seelen in Geduld zu üben und mit mir zusammenzuarbeiten, um Gerechtigkeit in der Euch bekannten Angelegenheit zu finden. Nein, macht Euch keine Sorgen! Owain Gwynedd ließ mich wissen, daß er und ich im Norden dieser Grafschaft ein gemeinsames Interesse haben, daß nämlich ein gemeinsamer Feind dort sein Glück versucht. Wales droht von meiner Seite keine Gefahr, und ich glaube, auch meine Grafschaft wird von Wales nicht bedroht. Zumindest nicht«, fügte er, sich rasch besinnend hinzu, »von Gwynedd.«

Die beiden Vettern sahen sich groß an, die Schultern gegeneinander gelehnt, und dachten nach. Dann sagte Elis abrupt: »Mein Herr, behaltet Powys im Auge. Sie... *wir*«, berichtigte er sich mit einem ablehnenden Schnaufen, »*wir* sind unter dem Banner von Chester nach Lincoln gezogen. Wenn Chester nun angreift, dann werden sie es in Caus wissen, sobald Ihr nach Norden zieht. Sie könnten glauben, daß es... daß es nun möglich wäre... die Damen dort in Godric's Ford...«

»Eine Herde dummer Frauen«, sagte Cadfael nachdenklich, aber hörbar in seine Kapuze, »und alt und häßlich noch dazu.«

Das runde, offene Gesicht unter dem schwarzen, lokkigen Haargewirr entflammte vom Hals bis zur Stirn, doch der Junge schlug weder die Augen nieder noch veränderte er seinen gespannten Gesichtsausdruck. »Ich habe alle möglichen Narrheiten gestanden und gebeichtet«, erwiderte Elis unbeirrt, »und diese gehört dazu. Bewacht sie nur gut! Ich meine es ernst! Der Fehlschlag wird an meinen Gefährten von damals nagen, und sie könnten es noch einmal versuchen.«

»Ich habe das bedacht«, sagte Hugh geduldig. »Ich

hatte nicht die Absicht, die Grenze völlig von Männern zu entblößen.«

Die Röte des Jungen verblich und flammte erneut auf. »Verzeiht! Das ist Eure Aufgabe. Aber ich weiß genau... diese Abfuhr sitzt ihnen wie ein Stachel im Fleisch.«

Eliud zupfte seinen Vetter am Ärmel und zog ihn fort. Sie traten ein paar Schritte beiseite. An den Stalltoren bogen sie um die Ecke, nicht ohne einen letzten Blick über die Schultern zu werfen, und verschwanden, immer noch Schulter an Schulter, wie ein einziges tiefbetrübtes Wesen.

»Mein Gott!« sagte Hugh, ihnen nachblickend, mit einem Stoßseufzer. »Um die Wahrheit zu sagen, habe ich weniger Männer, als mir lieb ist, und dieser grüne Junge warnt mich auch noch! Als ob ich nicht wüßte, daß ich jetzt mit jedem Atemzug und jedem Bogenschützen, den ich abziehe, ein Risiko eingehe. Hätte ich ihn fragen sollen, wie man eine halbe Kompanie auf ein Gebiet verteilt, daß für dreie noch zu groß wäre?«

»Ach, er wollte nur, daß Ihr Eure ganze Streitmacht zwischen Godric's Ford und seinen Landsleuten aufbaut«, meinte Cadfael verständnisvoll. »Dort ist das Mädchen, das er liebt. Ich bezweifle, ob ihm am Schicksal von Oswestry oder Whitchurch genausoviel gelegen ist. Nur der große Wald soll unbehelligt bleiben. Haben die beiden Euch bisher keine Schwierigkeiten gemacht?«

»Ganz und gar nicht! Sie sind nicht einmal in den Schatten des Tores getreten.« Die Worte wurden mit selbstverständlicher Gewißheit gesprochen. Hugh hatte jemand abgestellt, der jede Bewegung der beiden Gefangenen beobachtete, und wußte vom Morgengrauen bis zur Dämmerung alles, was sie taten, wenn auch nicht alles, was sie sagten; doch falls einer von den beiden je den Fuß über die Schwelle setzte, würde man ihm sogleich nachdrücklich auf die Zehen treten. Es sei denn, es wäre wichtiger, ihm zu folgen und herauszufinden, mit welcher Absicht er sein Ehrenwort brach. Aber wie

konnte man wissen, ob der Stellvertreter dieselbe unauf-
dringliche Bewachung aufrechterhalten würde, wenn
Hugh erst im Norden war?

»Wem überlaßt Ihr hier die Führung?«

»Dem jungen Alan Herbard. Aber Will Warden wird
ihn im Auge behalten. Warum? Erwartet Ihr etwa einen
Fluchtversuch, sobald ich ihnen den Rücken kehre?«
Nach seinem Tonfall zu urteilen, machte sich Hugh keine großen Sorgen deswegen. »Wenn es darauf an-
kommt, kann man bei niemandem absolut sicher sein,
aber diese beiden wurden bei Owain ausgebildet und
messen sich an ihm, so vertraue ich im großen und ganzen ihrem Wort.«

So dachte auch Cadfael. Und doch war es möglich,
daß jeder Mensch in eine außergewöhnliche Lage kommen, wider seine eigene Natur handeln und genau das
Gegenteil tun mochte. Cadfael sah die beiden Vettern
noch einmal, als er heimkehrte und durch den Außenwall trat. Sie waren droben auf dem Wachgang des
Hauptwalles, wo sie in einer der weiten Lücken zwischen den Zinnen lehnten und über die geschäftigen
Burghöfe zur dunstigen Ferne der Straße nach Wales
hinter der Stadt hinausblickten. Eliud hatte den Arm um
Elis Schultern gelegt, damit sie bequem in die Lücke
paßten, und ihre Gesichter waren einander zugewandt
und schienen gleichermaßen gespannt und verschlossen. Cadfael wanderte mit diesem Doppelbild vor dem
inneren Auge, das auf seltsame Weise einprägsam und
aufwühlend war, durch die Stadt zurück. Mehr denn je
erschienen sie ihm wie Spiegelbilder, bei denen Rechts
und Links austauschbar waren: die helle und die dunkle
Seite ein und desselben Geschöpfes.

Sybilla Prestcote reiste ab, den Sohn auf seinem stämmigen braunen Pony dicht an ihrer Seite. Der Geleitzug
von Dienern und Packpferden wirbelte den März-
schlamm hoch, den die kürzlich aufgekommenen Ost-

winde wieder zu feinem Staub trocknen würden. Hughs Vorausabteilung war bereits im Morgengrauen aufgebrochen, und er folgte mit dem Haupttrupp von Bogenschützen und Bewaffneten gegen Mittag. Die Nachschubwagen knirschten zwischen den beiden Gruppen über die Nordstraße; Hugh würde sie auf dem Weg nach Oswestry bald überholen und hinter sich lassen. In der Burg stellte ein etwas nervöser Alan Herbard, der ehrgeizige Sohn eines Ritters, gewissenhaft Wachposten auf und machte aus Angst, beim erstenmal etwas übersehen zu haben, jede Runde zweimal. Er war athletisch gebaut und im Umgang mit Waffen recht geschickt, doch besaß er bislang kaum Erfahrung und war sich wohl bewußt, daß einige Unterführer, die Hugh zurückgelassen hatte, für die anstehende Aufgabe besser gerüstet waren als er. Sie wußten es natürlich auch, aber sie ersparten ihm eine allzu offensichtliche Demonstration dessen.

Nachdem die Hälfte der Garnison ausgezogen war, senkte sich eine seltsame Stille über Stadt und Abtei, als könnte dort nichts Böses geschehen. Die walisischen Gefangenen waren in den Mauern zur Langeweile verdammt, die Suche nach Gilberts Mörder war in eine Sackgasse geraten, und außer der täglichen Routine von Arbeit, Freizeit und Gottesdiensten gab es nichts zu tun als zu warten.

Und nachzudenken, da das Handeln sich verbot. Cadfael fand nun Gelegenheit, beharrlich und tief über die beiden fehlenden Stücke im Mosaik nachzusinnen: Einon ab Ithels goldene Nadel, an die er sich ganz deutlich erinnerte, und das geheimnisvolle Tuch, das er nie gesehen und das dennoch einen Mann erstickt hatte.

Aber war es wirklich so sicher, daß er es nie gesehen hatte? Nicht bewußt jedenfalls, aber es war dagewesen, hier in der Enklave, in der Krankenstation, in jenem Raum. Es war dort gewesen, und nun war es nicht mehr da. Die Suche nach dem Tuch hatte noch am gleichen

Tag begonnen, und das Tor war allen Männern verschlossen worden, die etwa versuchen wollten, sich direkt nach dem Todesfall zu entfernen. Wie groß aber mochte die verbliebene Zeitspanne für den Mörder gewesen sein? Zwischen dem Rückzug der Klosterbrüder ins Refektorium und dem Auffinden des toten Gilbert konnte der Mörder ungehindert durchs Tor gegangen sein. Es war eine Spanne von wohl zwei Stunden. Dies war eine Möglichkeit.

Die zweite, sinnierte Cadfael, ist die, daß sowohl Tuch als auch Nadel noch da waren — irgendwo in der Enklave, aber so gut versteckt, daß sie trotz der intensiven Suche nicht entdeckt worden waren.

Und die dritte... er hatte den ganzen Tag über sie gegrübelt, und obwohl er sie immer wieder als sinnlose Verirrung abgetan hatte, ließ sie ihm keine Ruhe: fast schien sie ihm das einzige Schlupfloch zu sein. Zwar hatte Hugh von dem Augenblick an, als das Verbrechen bekanntgeworden war, einen Wächter am Tor aufgestellt, doch man hatte drei Leute hinausgelassen; nämlich jene drei, die auf keinen Fall getötet haben konnten, da sie die ganze Zeit über in Hughs und des Abtes Gesellschaft gewesen waren. Einon ab Ithel und seine beiden Hauptmänner waren zu Owain Gwynedd zurückgeritten. Sie schienen ohne jede Schuld, und doch konnten sie unwissentlich ein Beweisstück mitgenommen haben.

Drei Möglichkeiten, und gewiß lohnte es, selbst die dritte und am weitesten hergeholte zu prüfen. Er hatte sich mit den anderen beiden schon seit einigen Tagen herumgeschlagen und beständig über sie nachgegrübelt, ohne zu einem Ergebnis zu kommen. Aber für seine Landsleute, die in der Burg eingesperrt waren, für Abt und Prior und Brüder und für die Familie des toten Sheriffs würde es keinen wahren Seelenfrieden geben, solange die Wahrheit nicht bekannt war.

Vor dem Abendgebet ging Cadfael, wie er es schon so

viele Male getan hatte, mit seinen Sorgen zu Abt Radulfus.

»Entweder das Tuch ist noch hier bei uns, Vater, aber so gut versteckt, daß wir es trotz all unseres Suchens nicht finden konnten, oder es wurde von jemand, der in der kurzen Spanne zwischen dem Mittagsmahl und der Entdeckung des toten Sheriffs unsere Mauern verließ, hinausgebracht. Es kann auch ein anderer gewesen sein, der nach der Entdeckung offen und mit Erlaubnis aufbrach. Von diesem Zeitpunkt an ließ Hugh Beringar alle beobachten, die die Enklave verließen. Ich glaube, bevor der Mord bekannt wurde, sind nur wenige Menschen durch das Tor getreten, denn die Zeitspanne war kurz, und der Pförtner konnte nur drei benennen; alles gute Leute aus der Klostersiedlung, die für uns unterwegs waren. Und alle wurden aufgesucht und sind eindeutig schuldlos. Ich räume ein, daß es noch andere gegeben haben mag, doch der Pförtner konnte sich an niemand mehr erinnern.«

»Wir wissen von dreien«, erwiderte der Abt nachdenklich, »die noch am gleichen Nachmittag aufbrachen, um nach Wales zurückzukehren, die jedoch durch einen absolut gültigen Beweis als unschuldig zu gelten haben. Und wir wissen von einem, nämlich Anion, der floh, nachdem er befragt worden war. Ihr wißt so gut wie ich, daß für die meisten Anion seine Schuld durch die Flucht bewiesen hat. Scheint es Euch nicht auch so?«

»Nein, Vater, zumindest nicht die Schuld dieser Todsünde. Gewiß weiß und fürchtet er etwas, und vielleicht hat er Grund zu fürchten. Aber nicht jene Tat. Er war einige Wochen in unserer Krankenstation, und allen anderen Insassen ist sein gesamter Besitz bekannt — er hat kaum etwas, die Liste ist nur klein —, und wenn er je ein solches Tuch, wie ich es suche, in den Händen gehabt hätte, dann wäre es bemerkt und er danach gefragt worden.«

Radulfus nickte zustimmend. »Ihr habt noch nicht die goldene Nadel aus Herrn Einons Mantel erwähnt, obwohl auch sie fehlt.«

»Das«, sagte Cadfael, der die Anspielung verstand, »ist möglich. Es würde Anions Flucht erklären. Und er wurde und wird gesucht. Aber wenn er das eine Ding nahm, dann brachte er doch nicht das andere mit. Wenn er nicht ein Tuch, wie ich es Euch beschrieb, in den Händen hatte, dann ist er kein Mörder. Und das Wenige, das er besaß, haben viele Männr hier gesehen und gekannt. Und soweit wir es erforschen konnten, hat dieses Haus noch nie ein solches Tuch in seinen Vorratskammern gehabt, das dann entwendet und mißbraucht wurde.«

»Wenn aber dieses Tuch am gleichen Tage auftauchte und wieder verschwand«, sagte Radulfus, »dann wollt Ihr wohl sagen, daß es mit den walisischen Herren kam und ging? Wir wissen, daß sie keine Missetat begangen haben. Wenn sie auf dem Rückweg auf die Idee gekommen wären, irgend etwas in ihrem Gepäck hätte mit dieser Angelegenheit zu tun, würden sie uns doch sicher eine Nachricht zukommen lassen.«

»Dafür gibt es keinen Grund, Vater, denn sie können nicht wissen, welche Bedeutung das Tuch für uns hat. Erst nach ihrer Abreise entdeckten wir jene winzigen Fädchen, die ich Euch zeigte. Woher sollten sie wissen, daß wir ein solches Tuch suchen? Und bisher kam überhaupt keine Nachricht von ihnen, nichts als die Nachricht von Owain Gwynedd an Hugh Beringar. Wenn Einon ab Ithel seinen Schmuck jetzt vermißt, dann ist ihm vielleicht gar nicht klar, daß er ihn hier verlor.«

»Und Ihr glaubt«, fragte der Abt nachdenklich, »daß es nützlich sein könnte, mit Einon und seinen Offizieren zu sprechen, um diese Dinge aufzuklären?«

»Nur, wenn Ihr es wollt«, erwiderte Cadfael. »Man kann nicht wissen, ob es zu mehr Erkenntnissen führt, als wir bereits besitzen. Nur, daß es so sein *könnte!* Ach, es gibt so viele Seelen, die zu ihrem Trost diese Angelegenheit geklärt wissen wollen. Sogar der Schuldige.«

»Der an erster Stelle«, sagte Radulfus und schwieg eine Weile. Das Licht in seinem Sprechzimmer begann gerade zu verblassen. An diesem bewölkten Tag war die Dämmerung früh gekommen. Etwa zu dieser Zeit, vielleicht ein wenig früher, wartete Hugh wahrscheinlich am großen Wall bei Rhyd-y-Croesau in der Nähe von Oswestry auf Owain Gwynedd. Es sei denn, Owain neigte wie er dazu, zu einem Treffen zu früh zu kommen. Diese beiden würden sich ohne viele Worte verstehen. »Laßt uns zum Abendgebet gehen«, sagte der Abt, indem er aufstand, »und um Erleuchtung beten. Morgen nach der Prim werden wir noch einmal darüber reden.«

Die Waliser aus Powys hatten bei ihrem Vorstoß nach Lincoln sehr gut abgeschnitten, denn sie führten ihn eher wegen der Beute aus, als aus dem Wunsch heraus, dem Grafen von Chester, der weit häufiger Feind als Verbündeter war, zu helfen. Madog ap Meredith war gern bereit, abermals gemeinsam mit Chester zu handeln, vorausgesetzt, für Madog war Profit herauszuschlagen, und die Nachricht von Ranulfs Vorstößen über die Grenzen von Gwynedd und Shropshire ließen ihn an erfreuliche Gelegenheiten denken. Es war schon einige Jahre her, daß die Männer aus Powys die Burg von Caus eingenommen und teilweise niedergebrannt hatten; dies war geschehen, nachdem William Corbett gestorben und sein Bruder und Erbe abwesend gewesen war; sie hatten diesen vorgeschobenen Außenposten seitdem als günstig gelegene Basis für weitere Übergriffe gehalten. Da Hugh Beringar nun mit der halben Garnison von Shrewsbury nach Norden gezogen war, schien die Zeit reif zum Handeln.

Das erste, was geschah, war ein Blitzüberfall von Caus aus durch das Tal in Richtung Minsterley, wo ein isoliertes Anwesen niedergebrannt und eine kleine Viehherde weggetrieben wurde. Die Räuber zogen sich so schnell zurück, wie sie gekommen waren, und als die Männer von Minsterley sich gegen sie sammelten, waren sie mit ihrer Beute schon durch die Hügel nach Caus geflohen. Aber es war ein deutlicher Hinweis darauf, daß man sie mit einem größeren Aufgebot noch einmal erwarten mußte, da dieser erste Überfall so mühelos und ohne Verluste gelungen war. Alan Herbard schwitzte, trieb noch ein paar Männer auf, um Minsterley zu verstärken, und wartete auf das Schlimmste.

Die Botschaft von diesem probeweisen Überfall erreichte die Abtei und die Stadt am nächsten Morgen. Die trügerische Ruhe, die darauf folgte, war zu schön, um wahr zu sein, aber die Männer aus dem Grenzland, die an Unsicherheit wie an eine Alltäglichkeit des Lebens gewöhnt waren, beseitigten gelassen die Trümmer und hielten ihre Hippen und Mistgabeln bereit.

»Es scheint mir jedoch«, sagte Abt Radulfus, als er die Situation ohne Überraschung oder Schrecken, doch mit Sorge um die von zwei Seiten bedrohte Grafschaft bedachte, »daß es für beide Parteien jener Konferenz im Norden gut wäre, wenn sie von diesem Überfall wüßten. Hier besteht ein beidseitiges Interesse. Wie kurzlebig es sich auch erweisen mag«, fügte er trocken hinzu und lächelte. Als Fremder unter den Walisern hatte er seit seiner Ernennung in Shrewsbury eine Menge dazugelernt. »Gwynedd ist ein enger Nachbar von Chester, Powys jedoch nicht, und ihre Interessen sind sehr unterschiedlich. Außerdem, scheint mir, kann man darauf vertrauen, daß er ehrbar und vernünftig ist. Der zweite aber − nein, nach unseren Maßstäben würde ich ihn weder für klug noch für zuverlässig halten. Ich will nicht, daß unsere Leute im Westen bedrängt und ausgeplündert werden, Cadfael. Ich habe über unser gestriges Gespräch nachgedacht. Wenn Ihr noch einmal nach Wales reist, um jene Herren zu finden, die uns besuchten, dann werdet Ihr auch in der Nähe des Ortes sein, an dem Hugh Beringar mit dem Prinzen berät.«

»Gewiß«, erwiderte Cadfael, »denn Einon ab Ithel ist in der Rangfolge nach Owain Gwynedds *penteulu*, dem Hauptmann seiner Leibwache, der zweite. Sie werden zusammen sein.«

»Wenn ich Euch denn also als meinen Gesandten zu Einon schicke, dann wäre es nur gut, wenn Ihr auch zur Burg gehen und dem jungen Stellvertreter erklären könntet, daß Ihr Euch auf diese Reise begeben wollt und nach seinem Belieben Botschaften an Hugh Beringar übermitteln könnt. Ich glaube, Ihr wißt selbst am besten«, sagte Radulfus mit seinem ernsten Lächeln, »wie Ihr einen solchen Kontakt diskret gestaltet. Der junge Mann ist neu in seinem Amt.«

»Ich muß in jedem Falle durch die Stadt«, entgegnete Cadfael leise, »und selbstverständlich muß ich die Befehlshaber in der Burg von meinem Auftrag unterrichten und sie um Erlaubnis bitten. Es ist eine gute Gelegenheit, denn es sind nur wenige Männer verfügbar.«

»Wohl wahr«, sagte Radulfus, der daran dachte wie dringend die Männer vielleicht in Kürze unten an der Grenze gebraucht wurden. »Nun gut denn! Wählt Euch ein gutes Pferd aus. Ihr habt Erlaubnis, nach Eurem Gutdünken zu verfahren. Ich will, daß für diesen Tod gesühnt und gebüßt wird. Ich will Gottes Frieden für meine Krankenstation und innerhalb meiner Mauern haben, und die Schuld muß bezahlt werden. Geht und tut, was Ihr könnt.«

Auf der Burg gab es keine Schwierigkeiten. Herbard brauchte nur zu hören, daß ein Gesandter des Abtes nach Oswestry und weiter aufbrechen wollte, um ihm sofort eine Botschaft an den neuen Sheriff mitzugeben. So unbeholfen und sicher er sich auch fühlte, er war fest entschlossen und gewillt, allem zu begegnen, was da kam, und es lag ihm viel daran, seinen Vorgesetzten auf dem laufenden zu halten. Er war ängstlich, aber resolut; Cadfael glaubte, daß er sich gut machte und, sobald Blut floß, ein nützlicher Mann für Hugh wäre. Bis dahin mochte es nicht mehr lange dauern.

»Laßt den Herrn Beringar wissen«, sagte Herbard, »daß ich beabsichtige, die Grenze bei Caus genau zu überwachen. Ich wünsche, daß er erfährt, daß die Männer von Powys auf der Lauer liegen. Wenn es weitere Überfälle gibt, werde ich sofort einen Boten schicken.«

»Er soll es erfahren«, sagte Cadfael und ritt bald darauf ein kurzes Stück durch die Stadt, vom High Cross zur Waliser Brücke hinunter, und weiter nach Nordwesten gen Oswestry.

Zwei Tage später kam der nächste Schlag. Madog ap Meredith war mit seinem ersten Versuch sehr zufrieden gewesen und stellte jetzt eine größere Zahl von Männern zusammen, bevor er mit aller Gewalt angriff. Sie schwärmten durch das Rea-Tal nach Minsterley hinunter, brannten und plünderten, umkreisten Minsterley und zogen nach Pontesbury weiter.

In Shrewsbury wurden walisische wie englische Ohren gespitzt, jedermann lauschte zitternd und angestrengt auf jede Unruhe und jedes Gerücht.

»Sie sind losgezogen!« sagte Elis, als er in der Nacht gespannt und schlaflos neben seinem Vetter lag. »O Gott, wenn ich an Madog und seine Rachsucht denke! Und *sie* ist dort! Melicent ist in Godric's Ford. Oh, Eliud, wenn er es sich nun in den Kopf setzt, Rache zu üben?«

»Du machst dir Sorgen um nichts«, gab Eliud leidenschaftlich zurück. »Sie wissen dort, was sie tun, sie werden aufpassen und achtgeben, daß den Nonnen kein Schaden geschieht. Außerdem zieht Madog nicht in ihre Richtung, sondern durchs Tal, wo die Beute am fettesten ist. Und du hast ja selbst gesehen, wozu die Wäldler fähig sind. Warum sollte er das noch einmal versuchen? Es war ja nicht seine eigene Nase, die dort blutig geschlagen wurde; du hast mir doch erzählt, wer den Überfall anführte. Und was gibt es für einen wie Madog in Godric's Ford zu plündern, wenn man es mit den reichen Anwesen im Tal von Ministerley vergleicht? Nein, sie ist dort bestimmt sicher.«

»*Sicher!* Wie kannst du das nur sagen? Wo gibt es überhaupt noch Sicherheit? Man hätte sie nie gehen lassen dürfen.« Elis stieß wütend die Fäuste in das raschelnde Stroh ihrer Matratze und warf sich im Bett herum. »Oh, Eliud, wenn ich nur hier herauskönnte und frei wäre...«

»Aber das bist du nicht«, erwiderte Eliud mit der verzweifelten Schärfe eines Menschen, der vom gleichen Schmerz gequält wird, »genauso wenig wie ich. Wir sind gebunden, und wir können nichts daran ändern. Um Himmels willen, sei doch gerecht mit den Engländern. Sie sind weder Narren noch Feiglinge, und sie werden ihre Stadt und ihren Boden halten und auf ihre Frauen achtgeben, ohne dich oder mich rufen zu müssen. Welches Recht hast du, an ihnen zu zweifeln? Und ausgerechnet du, der selbst dort einfiel, muß so reden!«

Elis ergab sich mit einem Seufzen und einem freudlosen Lächeln. »Und ich habe meine Quittung dafür bekommen! Warum bin ich überhaupt mit Cadwaladr gegangen? Gott weiß, wie oft und wie bitter ich es seitdem bereut habe.«

»Es ist schon gut«, sagte Eliud traurig, da er sich schämte, Salz in die Wunde gestreut zu haben. »Und nun sieh doch ein, daß sie dort in Sicherheit ist. Ihr und den Nonnen wird kein Härchen gekrümmt werden. Trau nur diesen Engländern, daß sie auf die ihren achtgeben werden. Sonst können wir nichts tun.«

»Wenn ich nur frei wäre«, quälte Elis sich weiter, »dann würde ich sie dort fortholen und an einen Ort bringen, an dem sie ganz außer Gefahr ist...«

»Sie würde nicht mit dir gehen«, erwiderte Eliud nun grob. »Mit dir bestimmt nicht! O Gott, wie sind wir nur in diesen Sumpf geraten und wie sollen wir je wieder herauskommen?«

»Wenn ich sie erreichen könnte, dann könnte ich sie auch überzeugen. Am Ende würde sie mir zuhören. Sie wird sich inzwischen besser an mich erinnern. Sie wird wissen, daß sie mir Unrecht tut. Sie würde mit mir gehen. Wenn ich sie nur erreichen könnte...«

»Aber du bist wie ich verpflichtet hierzubleiben«, sagte Eliud tonlos. »Wir haben unser Wort gegeben, und es wurde bereitwillig angenommen. Keiner von uns kann einen Fuß vor das Tor setzen, ohne seine Ehre zu verlieren.«

»Nein«, stimmte Elis elend zu, schwieg, lag still und starrte in der Dunkelheit zur niedrigen Decke hinauf.

10

Bruder Cadfael traf am Abend in Oswestry ein und fand Stadt und Burg wachsam und geschäftig, doch Hugh Beringar war bereits wieder fort. Er hatte sich nach seinem Treffen mit Owain Gwynedd nach Osten gewandt, erfuhr Cadfael, nach Whittington und Ellesmere, um die Nordgrenze zu verstärken und bis nach Whitchurch neue Truppen auszuheben. Währenddessen war Owain an der Grenze nach Norden gezogen, um sich mit dem Burgvogt von Chirk zu treffen und dafür zu sorgen, daß jene Ecke sicher und gut bemannt war. Es hatte einige kleinere Einfälle von Stoßtrupps aus Cheshire gegeben, doch nur zögernd. Ranulf wollte sich offenbar nur vorsichtig weitertasten und prüfen, wie gut seine Gegner organisiert waren. Bislang hatte er sich bei jeder Begegnung sofort zurückgezogen. Er hatte in Lincoln viel gewonnen und nicht die Absicht, das Gewonnene zu gefährden, sondern das sehr menschliche Bedürfnis, seinen Gewinn zu mehren, wenn die Gegner unvorbereitet waren.

»Und das werden wir nicht sein«, sagte der fröhliche Unterführer, der Cadfael in der Burg empfing, das Pferd in den Stall bringen und den Reiter versorgen ließ. »Der Graf ist kein Verrückter, der mit der Faust in ein Hornissennest schlägt. Wenn er nur eine Woche unbeobachtet bleibt, nagt er sich langsam herein – aber das lassen wir nicht zu. Er glaubte wohl, daß nun, da Prestcote tot sei, ihn niemand mehr aufhalten könne. Den neuen Mann hielt er für unerfahren und für einen leichten Gegner. Aber er wird eines besseren belehrt! Und wenn die Waliser aus Powys ihre Ohren richtig aufsperren, dann werden sie die Omen verstehen. Doch wer kann ergründen, was die Waliser tun? Dieser Owain, das ist ein Mann mit ganz eigenen Absichten. Strohblond wie ein Sachse und so groß! Was tut so einer in Wales?«

»Er war hier?« fragte Cadfael, der spürte, wie sich sein walisisches Blut freudig regte.

»Gestern abend zum Abendmahl mit Beringar, und im Morgengrauen ritt er nach Chirk. Waliser und Engländer werden die Festung dort gemeinsam bemannen, statt darum zu kämpfen. Es ist ein Wunder!«

Cadfael dachte über seine Aufträge nach und bedachte die Zeit. »Was glaubt Ihr denn, wo Hugh Beringar heute abend ist?«

»Höchstwahrscheinlich in Ellesmere. Und morgen in Whitchurch. Und am Tag danach können wir ihn wieder hier erwarten. Er will sich noch einmal mit Owain treffen, und später, wenn hier alles gut verläuft, an der Grenze entlang zurückreiten.«

»Und wenn Owain heute nacht in Chirk lagert, wohin wird er sich dann morgen wenden?«

»Er hat sein Hauptlager noch in Tregeiriog bei seinem Freund Tudur ap Rhys. Dort hat er auch die neuen Männer einberufen, die an der Grenze Dienst tun.«

Also mußte er immer wieder dorthin zurück, um nach dem Rechten zu sehen. Und wenn er am folgenden

Abend nach Tregeiriog zurückkehrte, dann würde Einon ab Ithel wohl bei ihm sein.

»Ich werde über Nacht hierbleiben«, sagte Cadfael, »und morgen will ich mich ebenfalls auf den Weg nach Tregeiriog machen. Ich kenne das Anwesen und seinen Herrn. Dort werde ich Owain erwarten, und Ihr laßt Hugh Beringar wissen, daß die Waliser aus Powys wieder ins Feld gezogen sind, wie ich Euch berichtet habe. Bisher ist noch kein großer Schaden entstanden, und sollte es zu Schlimmerem kommen, wird Herbard einen Boten schikken. Aber wenn diese Grenze hält und Chester sich überall, wo er es versucht, eine blutige Nase holt, wird auch Madog ap Meredith zur Besinnung kommen.«

Die Grenzbefestigung von Oswestry und die Stadt gehörten dem König, doch das Anwesen von Maesbury war Hughs Geburtsort, und es gab hier keinen Mann, der nicht zu ihm hielt und ihm vertraute. Cadfael spürte die Kraft von Hughs Namen und einer doppelt loyalen Garnison um sich herum — man war gleichermaßen Stephen und Hugh verpflichtet. Es war ein gutes Gefühl, um so mehr, als Owain Gwynedd jetzt den Schatten einer wohlwollenden Hand über eine Grenze legte, die eigentlich zu Powys gehörte. Nach dem Besuch des Abendgebets in der Burgkapelle schlief Cadfael gut und tief. Er stand früh wieder auf, aß und trank etwas und überquerte dann den großen Wall nach Wales.

Er hatte beinahe zehn Meilen bis nach Tregeiriog vor sich, und der Weg wand sich die ganze Zeit durch näherrückende Hügel, mit bewaldeten Abhängen auf einer oder beiden Seiten und gelegentlichen freien Ausblicken über die kahlen, grasbewachsenen Gipfel. Über allem hing ein verhangener, stiller und milder Himmel. Es war kein Gebirgsland, nicht die stahlblauen Felsen des Nordwestens, sondern ein Hügelland, das nur begrenzte Ausblicke bot, mit abschüssigen Stücken Wald und engen Tälern, die sich erst im letzten Augenblick öffneten, nur um einen abermals versperrten Blick zu erlauben. Er erwartete, daß sich in der Nähe von Tregeiriog Wachtposten aus den niedrigen Büschen erheben würden, die ihn anrufen, ihn erkennen und passieren lassen würden. Seine walisische Muttersprache war dann der sicherste Geleitschutz, der ihm einen großen Vorteil verschaffte.

Die Farben hatten gewechselt, seit er das letzte Mal den steilen Hügel nach Tregeiriog hinuntergewandert war. Rings um das aus braunem, warmen Holz erbaute Anwesen und das Dorf am Fluß waren die schwarzen Skelette der Bäume jetzt mit zartgrünen, winzigen Knospen besetzt, und auf den hohen, runden Hügeln dahinter war der Schnee verschwunden. Das gebleichte alte Gras aus dem letzten Jahr zeigte denselben zarten Ton wie die Bäume. Im braunen, verfaulten Farn entrollten sich die ersten neuen Wedel. Hier war der Frühling schon gekommen.

Die Männer am Tor von Tudurs Anwesen erkannten ihn und kamen sofort herbei, um ihn hereinzuführen und sein Pferd zu versorgen. Es war nicht Tudur selbst, sondern sein Verwalter, der den Gast begrüßte und ihm die Ehre des Hauses erwies. Tudur war beim Prinzen, aber zu dieser Stunde zweifellos schon auf dem Rückweg von Chirk. Im kleinen Tal des Nebenflusses hinter dem Anwesen stiegen von den Lagerfeuern seiner Grenztruppen blaue Rauchwolken in die unbewegte Luft. Am Abend würde die Halle wieder Owains Hof sein, wo sich die wichtigsten Führer der Grenzpatrouillen an seiner Tafel versammelten.

Cadfael wurde in eine kleine Kammer im Haus geführt und erhielt die zeremonielle Wasserschale, um sich den Reisestaub von den Füßen zu waschen. Diesmal bediente ihn eine Magd, doch als er in den Hof trat, sah er Cristina in einem Wirbel von Röcken und mit hochfliegendem Haar aus der Küche zu ihm eilen.

»Bruder Cadfael... Ihr seid es! Man hat mir erzählt«, sagte sie, als sie atemlos und begierig vor ihm stehenblieb, »daß ein Bruder aus Shrewsbury gekommen sei, und ich hoffte, Ihr wärt es. Ihr wißt viel..., Ihr könnt mir die Wahrheit sagen... über Elis und Eliud...«

»Was hat man Euch bereits erzählt?« fragte Cadfael. »Kommt herein, damit wir ungestört sind, und ich werde Euch berichten, was ich weiß, denn mir ist klar, daß Ihr in großer Sorge sein müßt.« Und trotzdem, dachte er wehmütig, als sie sich umdrehte und ihm in die Halle vorausging, würde es sie kaum trösten, wenn er sein Wort einlöste und ihr alles sagte, was er wußte. Ihr Verlobter war nicht nur von ihr getrennt, bis seine Unschuld an dem Mord bewiesen war, sondern auch unglücklich in ein Mädchen verliebt, wie er noch nie in sie verliebt gewesen war. Was konnte man zu einer so enttäuschten Dame sagen? Es wäre ebenso niederträchtig, Cristina anzulügen, wie es grausam wäre, ihr die ungeschminkte Wahrheit aufzutischen. Er mußte seinen Weg irgendwo dazwischen suchen.

Sie zog ihn in eine Ecke der Halle, wo es um diese Stunde, da die meisten Männer ihrer Arbeit nachgingen, still und düster war. Sie setzten sich unter die verrußten Wandbehänge, und ihr schwarzes Haar streifte über seine Schulter, als sie aufgeregt erzählte, was sie wußte.

»Ich weiß wohl, daß der englische Herr gestorben ist, bevor Einon ab Ithel sich auf den Rückweg machte, und man sagt, er sei nicht einfach an seinen Verletzungen gestorben und alle, deren Unschuld nicht erwiesen ist, müßten als Gefangene und Mordverdächtige dort bleiben, bis die Schuld eines Mannes bewiesen ist − ob Engländer oder Waliser, Laie oder Bruder. Und wir hier müssen ebenfalls warten. Aber was wird getan, um sie freizubekommen? Wie wollt Ihr den Schuldigen finden? Ist das alles wahr? Ich weiß, daß Einon herkam und mit Owain Gwynedd sprach, und ich bin sicher, der Prinz wird seine Männer nicht zurückbeordern, solange ihre Unschuld nicht erwiesen ist. Er sagt, er hätte einen Toten zurückgeschickt, und mit einem Toten kann man keinen Lebenden freikaufen. Und weiterhin, daß das

Lösegeld für Euren Toten ein Leben sein muß — das Leben seines Mörders. Glaubt Ihr denn, daß einer unserer Männer diese Schuld trägt?«

»Ich würde nicht behaupten, daß es irgendeinen Mann gibt, der nicht töten würde, wenn er einen gewaltigen, zwingenden Antrieb dazu verspürte«, sagte Cadfael aufrichtig.

»Und keine Frau«, erwiderte sie mit einem schweren, hilflosen Seufzer. »Aber bisher habt Ihr noch keinen Hauptverdächtigen? Gibt es keinen Fingerzeig?«

Nein, sie wußte es natürlich nicht. Einon war aufgebrochen, bevor Melicent ihre Liebe und ihren Haß hinausgeschrien hatte, und Elis anklagte. Weitere Nachrichten hatte diese Gegend bisher nicht erreicht. Selbst wenn Hugh mit dem Prinzen über diese Angelegenheit gesprochen hatte, waren die Neuigkeiten noch nicht nach Tregeiriog gedrungen. Aber wenn Owain zurückkehrte, würde dies gewiß geschehen. Und am Ende würde sie hören, daß sich ihr Verlobter Hals über Kopf in eine andere Frau verliebt hatte, die ihn des Mordes an ihrem Vater beschuldigte, eines Mordes aus Liebe, welcher der Liebe ein Ende setzte. Und wo blieb nun Cristina? Vergessen wie ein gesunkener Stern? Aber immer verbunden mit einem Bräutigam, der sie nicht wollte und die Braut nicht bekommen konnte, die er wirklich liebte! Welch verwirrter Knoten, in dem alle diese vier unglücklichen Kinder verstrickt waren!

»Fingerzeige gab es in mehr als eine Richtung«, sagte Cadfael, »aber Beweise gegen den einen oder anderen Mann gibt es nicht. Bisher läuft niemand Gefahr, sein Leben zu verlieren, und alle sind gesund und werden gut behandelt, selbst wenn sie eingesperrt bleiben müssen. Man kann nichts weiter tun als zu warten und an die Gerechtigkeit zu glauben.«

»An die Gerechtigkeit zu glauben, ist nicht immer leicht«, gab sie scharf zurück. »Ihr sagt, sie sind wohlauf? Und Elis und Eliud sind zusammen?«

»Das sind sie. Diese Gunst wurde ihnen gewährt. Und innerhalb der Burgmauern dürfen sie sich frei bewegen. Sie haben ihr Wort gegeben, keinen Fluchtversuch zu machen, und ihr Wort wurde akzeptiert. Sie sind wohlauf, das könnt Ihr mir glauben.«

»Aber Ihr könnt mir keine Hoffnung geben, Ihr könnt mir keine Zeit nennen, wann er nach Hause kommen wird?« Sie sah Cadfael mit großen, ruhigen Augen an, und die Hände in ihrem Schoß waren so fest verschränkt, daß die Knöchel weiß hervortraten wie nackte Knochen. »Wenn er nur heimkehrt, lebendig und entlastet«, sagte sie.

»Das kann ich ebensowenig wissen wie Ihr«, mußte Cadfael traurig zugeben. »Aber ich will tun, was ich kann, um die Zeit zu verkürzen. Ich weiß, wie schwer Euch das Warten fällt.« Aber wieviel schwerer wäre die Rückkehr, wenn Elis entlastet käme, nur um eine Suche nach Melicent Prestcote wieder aufzunehmen und sich aus seiner walisischen Verlobung zu lösen. Es wäre besser, wenn sie jetzt schon eine Warnung bekäme, bevor der Schlag sie traf. Cadfael grübelte, was er am besten für sie tun könne, während er nur mit halbem Ohr auf ihre Worte hörte.

»Wenigstens habe ich meine Seele geläutert«, sagte sie ebenso zu sich selbst wie zu ihm. »Ich habe immer gewußt, wie sehr er mich liebt, wenn er nur nicht seinen Vetter genauso oder noch mehr lieben würde. Ziehbrüder sind eben so — Ihr seid Waliser, Ihr wißt das. Aber da er sich nicht überwinden konnte, abzuändern, was so schlecht begann, habe ich es jetzt für ihn getan. Ich war des Schweigens müde. Warum sollten wir ohne einen Laut verbluten? Ich habe getan, was getan werden mußte, ich habe mit meinem und mit seinem Vater gesprochen. Wißt Ihr, daß es nicht Elis — daß es Eliud ist, den ich liebe? Am Ende werde ich meinen Willen bekommen.«

Sie stand auf und schenkte ihm ein bleiches, doch entschlossenes Lächeln. »Wir werden noch einmal miteinander sprechen können, bevor Ihr uns verlaßt, Bruder. Ich muß nun in der Küche nach dem Rechten sehen; sie werden am Abend wieder hier sein.«

Er entbot ihr ein zerstreutes Lebewohl und sah ihr nach, wie sie mit dem freien Schritt eines Jungen und in aufrechter, stolzer Haltung die Halle durchmaß. Erst als sie die Tür erreicht hatte, begriff er die Bedeutung ihrer Worte. »Cristina!« rief er ihr verblüfft nach, als die Erkenntnis kam; aber die Tür war schon geschlossen, und sie war verschwunden.

Es gab keinen Irrtum, er hatte richtig gehört. *Sie wußte, wie sehr sie Eliud liebte, wenn er nur nicht seinen Vetter genauso oder noch mehr lieben würde, wie es Ziehbrüder eben tun!* Ja, alles das hatte er schon gewußt, er hatte es an ihren kämpferischen Worten bemerkt, und sie doch völlig mißverstanden.

Sie hatte mit ihrem Vater gesprochen − *und mit seinem!* Cadfael hörte im Geiste Elis ap Cynans fröhliche Stimme, als er kurz nach seiner Ankunft in Shrewsbury von sich erzählte. Owain Gwynedd war sein Oberherr, der ihm einen Ziehvater zugewiesen hatte, zu dem er ihn gab, als sein Vater starb...

»... bei meinem Onkel Griffith ap Meilyr, wo ich mit meinem Vetter Eliud wie ein Bruder aufwuchs...«

Zwei junge Männer, einander nahe wie Zwillinge, viel zu nahe, als daß Raum für die dem einen versprochene Braut blieb. Ja, und sie kämpfte heftig um das, was sie für ihr Recht hielt, und sie wußte genau, daß ihre Liebe tief und leidenschaftlich erwidert werden würde, *wenn nur*... wenn nur eine rücksichtslos in der Kindheit geschlossene Verbindung ehrenhaft aufgelöst werden konnte. Wenn diese beiden nur getrennt werden konnten, dieses Doppelwesen, von dem man nicht wußte, wer der eine, wer der andere war. Wie konnte es ein Fremder wissen?

Aber nun wußte er es, sie hatte gemeint, was sie gesagt hatte. Ein Onkel mag auch ein Ziehvater sein, aber nur ein leiblicher Vater ist ein Vater.

Wie damals kamen sie alle bei Einbruch der Dämmerung. Cadfael war immer noch benommen, als er ihre Ankunft hörte und sich erhob, um hinauszugehen und das von Fackeln erhellte Getümmel im Hof zu beobachten: das Funkeln auf den Pferdedecken, das Klingeln der Geschirre, das Klappern von Zaumzeug und Steigbügeln, das fröhliche Summen vielfältiger Stimmen, das Rufen und Schmeicheln der Stallburschen, das Trampeln von Hufen und das leise Schnauben der Pferde in der kalten, aber frostfreien Luft. Ein prächtiges, lebhaftes Muster aus Licht und Schatten, und dahinter die Tür der Halle, die zu einem warmen Willkommen offenstand. Tudur ap Rhys war als erster aus dem Sattel und ließ es sich nicht nehmen, seinem Prinzen selbst den Steigbügel zu halten. Owain Gwynedds helles Haar glänzte unbedeckt im rötlichen Fackellicht, als er vom Pferd sprang, einen Kopf größer als sein Gastgeber. Einer nach dem anderen kamen sie heran, Anführer auf Anführer, die Fürsten aus Gwynedds Lehnsgütern, die Nachbarn aus England. Cadfael betrachtete sie alle beim Absteigen und hielt sich in der Nähe, bis sie neben ihren Pferden standen, während ihr Gefolge sich zu den Lagern hinter dem Anwesen begab. Doch Einon ab Ithel, den er suchte, fand er nicht.

»Einon?« erwiderte Tudur, den er schließlich fragte. »Er folgt später nach, und vielleicht kommt er sogar zu spät zum Abendmahl. Er hatte in Llansantffraid, wo eine seiner Töchter verheiratet ist, einen Besuch zu machen; sein erster Enkel hat gerade das Licht der Welt erblickt. Aber er wird sich später am Abend zu uns gesellen. Seid unter meinem Dach herzlich willkommen, Bruder, und um so mehr, als Ihr dem Prinzen erfreuliche

Nachrichten bringt. Es war schlimm, was dort bei Euch geschah, und er empfindet es als einen traurigen Makel auf einer sonst guten Beziehung.«

»Ich suche eher Erleuchtung, als daß ich sie bringe«, gestand Cadfael. »Doch vertraue ich darauf, daß die Missetat eines einzigen Mannes die Treffen zwischen Eurem Prinz und unserem Sheriff nicht überschatten kann. Owain Gwynedds guter Wille ist für uns in Shropshire nicht mit Gold aufzuwiegen, und dies um so mehr, seit Madog ap Meredith wieder seine Zähne zeigt.«

»Was sagt Ihr da? Owain wird das gewiß hören wollen, aber erst nach dem Abendessen wird der richtige Augenblick dafür sein. Ich will Euch einen Platz an der Haupttafel geben.«

Da er nun auf Einons Ankunft warten mußte, vertrieb Cadfael sich die Zeit damit, beim Abendessen die Versammlung in Tudurs Halle zu studieren und die Gesellschaft zu genießen, die Wärme des Hauptkamins, die Fackeln, den Wein und das Harfenspiel. Ein Mann von Tudurs Rang hatte das Privileg, zusätzlich zu seiner Pflicht, den reisenden Musikern ein großzügiger Gastgeber zu sein, eine Harfe zu besitzen und einen eigenen Harfner zu beschäftigen. Und da der Prinz als Held zu preisen war, entstand ein Wettkampf der Sänger, der die ganze Mahlzeit über dauerte. Im Hof herrschte immer noch reges Kommen und Gehen: Nachzügler ritten ein, Offiziere aus den Lagern, die an den Grenzen patrouillierten und Posten austauschten, und die Frauen waren da, die Dinge hin- und hertrugen und innehielten, um mit den Bogenschützen und Bewaffneten zu sprechen. Hier war nun eben der Hof von Gwynedd, zu dem alle kommen mußten, wo Bittsteller, Überbringer von Geschenken und junge Männer Dienst und Gunst suchten.

Die Tische waren abgedeckt und Met und Wein wurde schon reichlich ausgeschenkt, als Tudurs Hausverwalter in die Halle kam und sich zur Haupttafel wandte.

»Mein Herr, da ist einer gekommen, der um Erlaubnis bittet, Euch seinen leiblichen Sohn vorzustellen, den er erst vor zwei Tagen als seinen rechtmäßigen Nachkommen anerkannt hat. Es ist Griffri ap Llywarch aus dem nahegelegenen Meifod. Wollt Ihr ihn anhören?«

»Aber gern«, sagte Owain und hob den hellhaarigen Kopf, um mit einiger Neugierde durch Qualm und Schatten zum Eingang der Halle zu blicken. »Laßt Griffri ap Llywarch eintreten. Er soll willkommen sein.«

Cadfael hatte nicht auf den Namen gehört, und selbst wenn er das getan hätte, hätte er ihn sicher nicht erkannt. Der Neuankömmling folgte dem Hausverwalter in die Halle und zwischen den Tischen hindurch zur Haupttafel. Es war ein schlanker, sehniger Mann, etwa fünfzig Jahre alt, mit schütterem Haar und Bart, dem Gang eines Mannes aus den Bergen und dem verwitterten Gesicht und den faltigen, weitblickenden Augen eines Schäfers. Seine Kleidung war von schlichtem Braun, doch gutes, selbstgemachtes Tuch. Er kam geradewegs zum Podest und entbot dem Prinzen die höfliche, doch nicht unterwürfige Ehrerweisung der Waliser.

»Mein Herr Owain, ich habe Euch meinen Sohn gebracht, auf daß Ihr ihn kennenlernt und ihm Eure Gunst erweist. Denn der einzige Sohn, den meine Frau mir schenkte, ist seit mehr als zwei Jahren tot, und ich blieb dann kinderlos, bis dieser Sohn von einer anderen Frau, mit der ich früher etwas zu tun hatte, zu mir kam und sich als mein Sohn erklärte und mir das auch bewies. Ich habe ihn als den meinen anerkannt und ihn in meine Sippe aufgenommen und als meinen Sohn akzeptiert. Und nun erbitte ich auch Eure Zustimmung.«

Er hielt sich stolz und aufrecht, froh über das, was er zu sagen hatte, und erfreut über den jungen Mann, den er vorstellen wollte. Sein Weg durch die Halle war von höflichem Schweigen begleitet gewesen. Schatten und Rauch umhüllten die Gestalt, die ihm respektvoll in einigen Schritten Abstand gefolgt war. Das Geräusch der

Schritte des jungen Mannes konnte man kaum hören, sie waren zögernd, unregelmäßig, einen Fuß schien er nachzuziehen. Cadfaels Blicke fielen auf den Sohn, als er zögernd ins Fackellicht vor die Haupttafel trat. Er kannte diesen Mann, wenn das schwarze Haar jetzt auch geschnitten und stolz aus einem Gesicht zurückgekämmt war, das nicht mehr düster und verschlossen, sondern offen, hoffnungsvoll und energisch wirkte — unter der Achsel war keine stützende Krücke mehr zu sehen.

Cadfael blickte zwischen Anion ap Griffri und Griffri ap Llywarch hin und her, dessen trostlose und kinderlose mittlere Lebensjahre durch diesen unerwarteten Sohn plötzlich mit Herzenswärme, Hoffnung und Zufriedenheit erfüllt worden waren. Das selbstgemachte Tuch hing lose auf Griffiths Schultern, gehalten von einer langen Nadel mit einem großen Kopf aus getriebenem Gold, die mit einer schmalen Goldkette gesichert war. Und auch dieses Ding hatte Cadfael schon einmal gesehen. Und kannte es nur zu gut.

Er war nicht der einzige. Einon ab Ithel war hereingekommen wie einer, der mit dem Haus vertraut ist und nicht wünscht, ungebührliche Unruhe zu schaffen. Er war aus den Privatgemächern durch die hohe Tür getreten und tauchte unbemerkt hinter dem Tisch des Prinzen auf. Der Mann, der im Mittelpunkt der Aufmerksamkeit stand, erregte natürlich auch die seine. Das rote Fackellicht blinkte auf dem Schmuck, der offen und stolz getragen wurde. Sein Besitzer hatte allen Grund zur Annahme, daß es nicht zwei davon gab, nicht zwei von genau dieser Größe und mit diesen Verzierungen.

»Im Namen Gottes!« fluchte Einon ab Ithel laut und empört. »Was haben wir denn da für einen Dieb, der unter meinen Augen mein eigenes Gold trägt?«

Das Schweigen brach so unheildrohend herein wie ein Donnerschlag, und alle Köpfe fuhren vom Prinzen und dem Bittsteller herum zu diesem lauten Ankläger. Einon umrundete mit einigen langen Schritten die Haupttafel und kam vom Podest so weit herunter, daß Griffri erschrocken zurückwich. Er drückte einen harten braunen Finger auf die Nadel, die im dunklen Mantel funkelte, und sagte zu Owain: »Mein Herr, dies — dies gehört mir! Es ist Gold aus meiner Erde, ich ließ es schürfen, ich ließ den Schmuck für mich anfertigen, und in diesem oder einem anderen Land gibt es kein ähnliches Stück. Als ich von dem Auftrag, der allen bekannt ist, aus Shrewsbury zurückkam, war es nicht mehr an meinem Kragen, und ich habe es seitdem nicht mehr gesehen. Ich dachte, es sei irgendwo auf die Straße gefallen und kümmerte mich nicht weiter darum. Gold ist nicht etwas, um das man klagen sollte! Nun sehe ich es wieder und wundere mich. Mein Herr, es liegt in Euren Händen. Fragt diesen Mann, wie er dazu kommt zu tragen, was mir gehört.«

Die Hälfte der Menschen in der Halle war aufgesprungen, es gab drohendes Gemurmel, denn unabhängig von den Umständen war ein Diebstahl das schlimmste Verbrechen, das alle kannten, und der auf frischer Tat ertappte Dieb konnte auf der Stelle vom Bestohlenen getötet werden. Griffri stand wie betäubt da und starrte verwirrt drein. Anion stürzte mit ausgebreiteten Armen zwischen Einon und seinen Vater.

»Mein Herr, mein Herr, ich schenkte es ihm, ich gab es meinem Vater. Ich habe es nicht gestohlen... ich nahm es als Blutpreis! Gebt meinem Vater keine Schuld, wenn die Schuld nur die meine ist.«

Er schwitzte vor Angst, gewaltige Sturzbäche rannen ihm plötzlich über die Stirn und stauten sich in seinen dichten Augenbrauen. Wenn er auch ein wenig walisisch sprach, so half ihm das in dieser Notlage nicht, denn er hatte englisch gesprochen. Alle waren einen Augenblick überrascht. Owain gebot mit erhobener Hand der ganzen Halle Schweigen.

»Setzt Euch alle und haltet den Mund. Dies ist meine

Angelegenheit. Ich will es hier still haben, und dann soll Recht gesprochen werden.«

Sie murmelten, aber sie gehorchten. Während des folgenden Schweigens erhob Bruder Cadfael sich unauffällig und umrundete den Tisch. So diskret seine Bewegungen auch waren, erregten sie doch die Aufmerksamkeit des Prinzen.

»Mein Herr«, sagte Cadfael flehend, »ich bin aus Shrewsbury, ich bin mit diesem Anion ap Griffri hier bekannt. Er wurde in England erzogen, was nicht sein Fehler ist. Sollte er einen Übersetzer brauchen, dann kann ich diesen Dienst leisten, damit er von allen hier verstanden wird.«

»Ein edles Angebot«, sagte Owain und musterte ihn nachdenklich. »Seid Ihr denn auch berechtigt, Bruder, für Shrewsbury zu sprechen? Denn es scheint, als reichte die Anklage in jene Stadt und bis zu der Angelegenheit, von der wir wissen, zurück. Und wenn dies so ist, sprecht Ihr dann für die Grafschaft und die Stadt oder nur für die Abtei?«

»Hier und jetzt«, erwiderte Cadfael kühn, »will ich für beide eintreten. Und falls daran später ein Makel gefunden wird, dann soll er allein auf mich fallen.«

»Ich vermute«, sagte Owain nachdenklich, »daß Ihr eben wegen dieser Angelegenheit hier seid.«

»So ist es. Teilweise, weil ich nach eben diesem Schmuckstück suche. Denn es verschwand am Tage des Todes von Gilbert Prestcote aus dessen Kammer in unserer Krankenstation. Der Mantel, der dem Kranken als Schutz mit auf die Bahre gegeben worden war, wurde Einon ab Ithel ohne das Schmuckstück zurückgegeben. Erst als er abgereist war, erinnerten wir uns an die Brosche und suchten nach ihr. Und erst jetzt sehe ich sie wieder.«

»Sie war in dem Zimmer, in dem ein Mann ermordet wurde?« sagte Einon. »Bruder, Ihr habt mehr als nur das Gold gefunden. Ihr mögt die anderen Verdächtigen heimschicken.«

Anion stand furchtsam, aber aufrecht zwischen seinem Vater und den anklagenden Blicken einer ganzen Halle voller Menschen. Er war weiß wie Eis und sah aus, als hätte alles Blut seine Adern verlassen. »Ich habe nicht getötet«, sagte er heiser, während seine Brust sich schwer hob, damit er genug Luft zum Sprechen bekam. »Mein Herr, ich wußte nicht... Ich dachte, die Nadel sei seine, Prestcotes. Ich nahm sie aus dem Mantel, ja...«

»Nachdem Ihr ihn getötet hattet«, sagte Einon barsch.

»Nein! Ich schwöre es! Ich habe den Mann nicht angerührt.« Er drehte sich verzweifelt flehend zu Owain um, der leidenschaftslos lauschend am Tisch saß, die Finger leicht um den Stiel seines Weinglases gelegt, die Augen hellwach und aufmerksam. »Mein Herr, so hört mich an! Und haltet meinen Vater aus allem heraus, denn alles, was er weiß, habe ich ihm erzählt, und ich will Euch dasselbe sagen, und so wahr Gott mich sieht, ich lüge nicht.«

»Gebt mir die Nadel, die Ihr tragt«, sagte Owain. Und als Griffri sie hastig mit zitternden Fingern gelöst und dem Prinzen in die Hand gegeben hatte, fuhr er fort: »So! Ich kenne dieses Ding zu lange und habe es zu oft gesehen, um daran zu zweifeln, wessen Eigentum es ist. Von Euch, Bruder, und von Einon hier weiß ich, wie es offen am Bett des Sheriffs zu liegen kam. Nun mögt Ihr mir erklären, Anion, wie es in Euren Besitz kam. Ich bin des Englischen mächtig, macht Euch also keine Sorge, mißverstanden zu werden. Und Bruder Cadfael wird Eure Worte ins Walisische übersetzen, damit Euch auch die anderen verstehen.«

Anion schnappte nach Luft und begann mit einer heiseren Stimme, die an Kraft und Leidenschaft gewann, während er sprach. Schrecken und Angst hatten seine Kehle beengt, doch der Fluß der Worte spülte die Behinderung fort. »Mein Herr, bis vor ein paar Tagen hatte ich meinen Vater noch nie gesehen und er mich auch nicht, aber ich hatte, wie er bereits sagte, einen Bruder, den ich zufällig kennenlernte, als er nach Shrewsbury kam, um Wolle zu verkaufen. Ein Jahr lag zwischen uns, ich bin der Ältere. Er war mein Bruder, und ich schätzte ihn. Und einmal, als er die Stadt besuchte und ich nicht dort war, gab es einen Kampf, ein Mann wurde getötet und meinem Bruder wurde die Tat angelastet. Gilbert Prestcote ließ ihn hängen!«

Owain blickte zur Seite zu Cadfael und wartete, bis die Antwort ins Walisische übersetzt war. Dann fragte er: »Wißt Ihr von diesem Fall? Wurde er ordentlich verhandelt?«

»Wer weiß, durch welche Hand der Tod kam?« sagte Cadfael. »Es war eine Straßenschlägerei, die jungen Männer waren betrunken. Gilbert Prestcote war von Natur aus übereifrig, aber gerecht. Nur eines ist gewiß: Hier in Wales wäre der junge Mann nicht gehängt worden. Ein Blutpreis wäre für den Toten bezahlt worden.«

»Fahrt fort«, sagte Owain.

»Ich trug von diesem Tage an einen Groll im Herzen«, sagte Anion, dessen Leidenschaft jetzt immer mehr durchbrach. »Aber wann kam ich je in Reichweite des Sheriffs? Erst als Eure Männer ihn verwundet nach Shrewsbury schleppten und in der Krankenstation unterbrachten, war das der Fall. Und ich war also mit meinem fast verheilten gebrochenen Bein dort, dieser Mann nur zwanzig Schritte von mir entfernt, nur eine Wand war zwischen uns, mein Feind war mir auf Gedeih und Verderb ausgeliefert. Als alles still war und die Brüder beim Essen saßen, ging ich in sein Krankenzimmer. Er schuldete meinem Haus ein Leben – und auch, wenn ich ein Mischling bin, in diesem Augenblick fühlte ich mich als Waliser, und wollte Rache üben – ich wollte töten! Der einzige Bruder, den ich je hatte, ein fröhlicher, gutaussehender Mann, war für einen unglücklichen Schlag, als er betrunken gewesen war, gehängt worden! Ich ging hinein, um zu töten. Aber ich konnte es nicht tun! Als ich meinen Feind so geschwächt sah, so alt und müde mit kaum noch Blut und Atem im Leib... Ich stand neben ihm und beobachtete ihn, und alles, was ich fühlte, war Trauer. Es schien mir, daß hier Rache nicht mehr nötig sei, denn sie war bereits geschehen. So dachte ich an etwas anderes. Es gab kein Gericht, das einen Blutpreis festsetzen und die Zahlung bewirken konnte, aber im Mantel neben seinem Bett war jene Goldnadel. Ich hielt sie für seine. Woher sollte ich es anders wissen? So nahm ich sie als *galanas*, um die Schuld und den Groll zu sühnen. Aber am Ende jenes Tages wußte ich, wie wir jetzt alle wissen, daß Prestcote tot war, gestorben durch Mord, und als man auch mich zu befragen begann, wußte ich, man würde mir die Schuld an seinem Tod geben, wenn je herauskam, was ich getan hatte. Deshalb lief ich fort. Ich wollte sowieso eines Tages hierher kommen und meinen Vater suchen und ihm erzählen, daß der Tod meines Bruders gesühnt war, doch weil ich Angst hatte, mußte ich schnell laufen.«

»Und zu mir ist er gekommen«, sagte Griffri ernst, die Hand auf die Schulter seines Sohnes gelegt, »und er zeigte mir als Beweis den gelben Stein, den ich vor langer Zeit seiner Mutter schenkte. Doch ich erkannte ihn vor allem am Gesicht... Er sieht aus wie der Bruder, den er verlor. Und er gab mir dieses Ding, das Ihr jetzt haltet, Herr, und erklärte mir, der Tod des jungen Griffri sei gesühnt und dies sei der Preis für sein Blut, womit der Groll begraben sei, denn unser Feind war tot. Da verstand ich ihn noch nicht genau, und ich erklärte ihm, daß er kein Recht habe, auch noch einen Preis zu nehmen, wenn er Griffris Mörder erschlagen hatte. Aber er schwor mir mit feierlichen Eiden, daß nicht er den Mann getötet hätte, und ich glaube ihm. Und nun urteilt, ob ich das Glück haben soll, in meinen mittleren Lebensjahren einen Sohn zu finden, der mir im Alter eine Stütze ist. Um Himmels willen, Herr, nehmt ihn mir jetzt nicht fort!«

Im ängstlichen, nachdenklichen Schweigen, das auf

Cadfaels Übersetzung von Anions Worten folgte, hatte der Bruder Gelegenheit, das unbewegliche Gesicht des Prinzen zu beobachten. Das Schweigen dauerte eine lange Minute, denn niemand wollte sprechen, solange Owain nicht die Erlaubnis dazu gegeben hatte. Und auch er selbst war nicht in Eile. Er betrachtete Vater und Sohn, die sich unter dem Podest ängstlicher beisammen hielten, er betrachtete Einon, dessen Gesicht verschlossen war wie sein eigenes, und zuletzt Cadfael.

»Bruder, Ihr wißt besser als jeder andere hier, was in der Abtei von Shrewsbury vor sich ging. Ihr kennt diesen Mann. Was meint Ihr? Glaubt Ihr seine Gesichte?«

»Ja«, sagte Cadfael mit ernster und von Herzen kommender Eindringlichkeit. »Ich glaube ihm. Es paßt zu allem, was ich weiß. Aber ich möchte Anion eine Frage stellen.«

»Dann stellt sie.«

»Ihr habt am Bett gestanden, Anion, und den Schläfer betrachtet. Seid Ihr sicher, daß er da noch lebte?«

»Aber gewiß«, sagte Anion verwundert. »Er atmete, er stöhnte sogar im Schlaf. Ich sah und hörte ihn. Er lebte.«

»Mein Herr«, sagte Cadfael, Owains fragendem Blick begegnend, »eine kleine Weile später wurde ein zweiter gehört, der den Raum betrat und verließ; jemand, der nicht zögernd ging wie Anion, sondern leicht. Dieser zweite nahm nichts, es sei denn ein Leben. Außerdem glaube ich, was Anion uns erzählte, weil ich noch ein zweites Ding finden muß, bevor ich Gilbert Prestcotes Mörder gefunden habe.«

Owain nickte verstehend und dachte eine Weile schweigend nach. Dann nahm er die Goldnadel mit einer raschen Bewegung in die Hand und hielt sie Einon hin. »Was sagt Ihr? War es ein Diebstahl?«

»Ich bin es zufrieden«, sagte Einon und lachte und löste damit die Spannung in der Halle. In der allgemeinen Unruhe und dem Murmeln, als die Menschen sich wieder beruhigten, wandte sich der Prinz an seinen Gastgeber.

»Dann schafft dort unten einen Platz, Tudur, für Griffri ap Llywarch und seinen Sohn Anion.«

11

Und nun ging Shrewsburys Hauptverdächtiger, der Mann, den der Klatsch bereits gehängt und begraben hatte, hinter seinem Vater die Halle hinunter und stolperte ein wenig, benommen wie ein Mann im Traum. Doch dann begann er zu strahlen, als wäre in ihm eine Fackel entzündet worden; er schritt mit seinem Vater zu ihren Plätzen an einem der Tische, ein gleicher unter gleichen. Gezeugt beim Fehltritt einer Dienstmagd ohne Besitz und Privilegien, war er plötzlich ein freier Mann geworden, der einen rechtmäßigen Platz in seiner Verwandtschaft besaß, Erbe eines geachteten Mannes war und von seinem Prinzen akzeptiert wurde. Die Gefahr, die ihn gezwungen hatte, Fersengeld zu geben, war zum größten Segen seines Lebens geworden und hatte ihn zu der einzigen Stellung geführt, die ihm nach walisischem Recht zustand: der wahre Sohn eines Vaters zu sein, der ihn stolz anerkannte. Hier war Anion kein Bastard.

Cadfael sah die beiden zu ihren Plätzen gehen und freute sich, daß aus dem Bösen wenigstens ein Gutes entstanden war. Wie sonst hätte der junge Mann den Mut gefaßt, seinen weit entfernten, unbekannten Vater zu suchen, der noch dazu eine fremde Sprache sprach, wenn ihn nicht die Angst getrieben und ihm den Sprung über die Grenze erleichtert hätte? Der Ausgang war gewiß den Schrecken wert, den er vorher durchgemacht hatte. Cadfael konnte Anion jetzt vergessen. Anions Hände waren sauber.

»Wenigstens habt Ihr mir«, bemerkte Owain nachdenklich, während die beiden ihre Plätze einnahmen, »im Austausch für meine acht, die noch gefangen sind, einen Mann geschickt. Und er ist kein schlechter Mann. Aber wohl nicht im Kampf erfahren.«

»Er ist ein ausgezeichneter Viehhirte«, erwiderte Cadfael. »Er hat eine gute Hand für alle Tiere. Ihr könnt beruhigt die Pferde seiner Obhut übergeben.«

»Und Ihr verliert damit, so nehme ich an, Euren Hauptanwärter auf den Strick. Kommen Euch nicht doch noch Zweifel?«

»Kein einziger. Ich bin sicher, daß es sich so verhielt, wie er sagte. Er träumte von der Rache an einem starken, rücksichtslosen Mann und fand einen Hinfälligen, den er nicht anders als bedauern konnte.«

»Kein schlechter Ausgang«, sagte Owain. »Und nun, glaube ich, sollten wir uns an einen ruhigeren Ort zurückziehen, damit Ihr uns berichten könnt, was immer Ihr uns zu berichten habt, und fragen könnt, was immer Ihr fragen wollt.«

In der Kammer des Prinzen saßen sie um die kleine, durch ein Drahtgeflecht geschützte Kohlenpfanne: Owain, Tudur, Einon ab Ithel und Cadfael. Cadfael hatte die Schachtel mitgebracht, in der er die Wollfetzen und den goldenen Faden aufbewahrte. Diese kostbaren Schattierungen von Dunkelblau und hellem Rosa konnte man nicht exakt im Gedächtnis behalten; man mußte sie immer wieder dem Auge vorhalten und mit dem vergleichen, was vielleicht gefunden wurde. Er hatte etwas Angst, die Schachtel zu öffnen, da schon ein schwacher Luftstrom die fast schwerelosen Fäden herauswehen konnte. Nur ein Hauch, und seine Schätze waren weg.

Er hatte mit sich gerungen, wieviel er erzählen sollte, doch im Licht von Cristinas Enthüllung und da ihr Vater an der Beratung teilnahm erzählte er alles, was er wußte – wie der gefangene Elis sich unglücklich in Prestcotes Tochter verliebt hatte, wie die beiden keine Hoffnung gesehen hatten, für ihre Verbindung die Billigung des Sheriffs zu erlangen, so daß sich ein Grund für Elis ergab, die Ruhe des Verletzten zu stören — ob er nun das Hindernis vor seiner Liebe durch Mord beseitigen wollte, wie Melicent behauptete, oder um sein aussichtsloses Anliegen vorzubringen, wie Elis selbst eingewandt hatte.

»So war das also«, sagte Owain und wechselte mit Tudur einen geraden, harten Blick; der Blick war weder überrascht, noch zeugte er von Mitgefühl oder Vorwurf. Tudur war mit seinem Prinzen durch eine enge persönliche Freundschaft verbunden und hatte mit ihm gewiß über Cristinas Enthüllungen gesprochen. Hier zeigte sich die andere Seite der Münze. »Und das war, nachdem Einon Euch verlassen hatte?«

»Ganz genau. Es stellte sich heraus, daß der Junge versucht hatte, mit Gilbert zu sprechen, worauf Bruder Edmund ihn hinauswies. Als das Mädchen davon hörte, nannte sie ihn einen Mörder.«

»Aber Ihr seid nicht damit einverstanden. Und es scheint, als hätte auch Beringar es nicht akzeptiert.«

»Es gibt weiter keine Beweise dafür, außer dem, daß er sich neben dem Bett aufhielt, als Edmund kam und ihm die Tür wies. Und dann, versteht Ihr, war da noch die goldene Nadel. Wir bemerkten erst, daß sie fehlte, als Ihr, mein Herr, schon auf dem Heimweg wart. Und offensichtlich hatte Elis sie nicht bei sich, noch hatte er eine Gelegenheit gehabt, sie irgendwo zu verstecken, bevor er durchsucht wurde. Deshalb war noch jemand anderes in dem Raum gewesen und hatte sie weggenommen.«

»Aber nun, da wir wissen, was mit meiner Nadel geschah«, sagte Einon, »und zufrieden sind, daß Anion nicht den Mord beging, gerät der Junge doch abermals in Gefahr, des Mordes an einem kranken und schlafenden Mann angeklagt zu werden. Allerdings«, fuhr er fort, »paßt das schlecht zu dem, was ich über ihn weiß.«

»Wer von uns«, sagte Owain düster, »hätte noch nie etwas Unehrenhaftes getan, das sehr schhlecht zu dem paßt, was unsere Freunde über uns wissen? Ganz zu schweigen von dem, was wir über uns selbst wissen oder zu wissen glauben! Ich würde jedem Mann zutrauen, daß er einmal in seinem Leben eine schreckliche Schandtat begeht.« Er blickte zu Cadfael. »Bruder, ich erinnere mich an Eure Worte in der Halle, daß es noch etwas anderes gibt, das Ihr finden müßt, bevor Ihr Prestcotes Mörder gefunden habt. Was ist dieses Ding?«

»Es ist das Tuch, das genutzt wurde, um Gilbert zu ersticken. Es wurde ihm über Nase und Mund gepreßt, und er atmete Fäden in die Nasenlöcher und biß hinein, und einige Fäden fanden wir auch in seinem Bart. Es ist kein gewöhnliches Tuch. Elis besaß nichts in dieser Art und hielt auch nichts in den Händen, als er aus der Krankenstation herauskam. Als ich die Fädchen gefunden und verwahrt hatte, suchten wir auf dem ganzen Gelände der Abtei danach, denn es mochte ein Wandbehang oder ein Altartuch sein, aber wir haben nichts gefunden, was zu diesen Fädchen paßt. Solange wir nicht wissen, was es war und was mit ihm geschehen ist, wissen wir auch nicht, wer Gilbert Prestcote tötete.«

»Und das ist gewiß?« fragte Owain. »Ihr habt dem toten Mann die Fäden aus den Nasenlöchern und dem Mund gezogen? Und Ihr glaubt, Ihr könntet das Tuch erkennen, mit dem er erstickt wurde, wenn Ihr es seht?«

»Das glaube ich in der Tat, denn die Farben sind deutlich sichtbar und es sind keine gewöhnlichen Farbtöne. Ich habe die Schachtel hier. Aber öffnet sie mit Vorsicht. Was drinnen ist, ist fein wie Spinnweben.« Cadfael reichte sie über die Kohlenpfanne. »Aber nicht hier. Der Auftrieb der warmen Luft könnte die Fädchen fortwehen.«

Owain ging beiseite und hielt die Schachtel unter eine Lampe, damit das Licht hineinfallen konnte. Die winzigen Fädchen zitterten leicht und blieben ruhig liegen.

»Da ist ein Goldfaden, das ist klar; ein gedrehter Faden. Der Rest — ich kann an den vielen Härchen und der lebendigen Beschaffenheit erkennen, daß es Wolle ist. Eine dunkle Farbe und eine hellere.« Er musterte sie von nahem, doch dann gab er kopfschüttelnd auf. »Ich könnte nicht sagen, was für Farbtöne das sind, nur daß das Tuch mit Goldfäden durchwirkt wurde. Und ich glaube auch, daß es ein schweres Tuch ist, dichtgewoben, denn die Wolle ringelt und kräuselt sich. Das Garn besteht wohl aus vielen solcher feinen Haare.«

»Laßt mich sehen«, sagte Einon und beugte sich mit zusammengekniffenen Augen über die Kiste. »Das Gold kann ich sehen, aber die Farben... nein, das sagt mir nichts.«

Tudur lugte hinein und schüttelte den Kopf. »Wir haben hier kein richtiges Licht, mein Herr. Am Tag würden die Fäden ganz anders aussehen.«

So war es, denn das sanfte Licht der Öllampen ließ das Haar des Prinzen wie tiefgoldenes Getreide zur Erntezeit erscheinen, fast schon braun. Bei Tageslicht hatte es das Gelb von Schlüsselblumen. »Es wird besser sein«, stimmte Cadfael zu, »diese Angelegenheit bis morgen ruhen zu lassen. Selbst wenn wir besser sehen könnten, um diese Zeit können wir nichts tun.«

»Das Licht trügt das Auge«, sagte Owain. Er klappte den Deckel über den hauchzarten Fädchen zu. »Warum glaubt Ihr, Ihr könntet hier finden, was Ihr sucht?«

»Weil wir das Tuch in der ganzen Abtei nicht finden konnten, mußten wir außerhalb suchen, bei allen Männern, welche die Abtei verlassen haben. Der Herr Einon und zwei Hauptmänner waren aufgebrochen, kurz bevor wir diese Fäden entdeckten. Es besteht die Möglichkeit, wie unwahrscheinlich auch immer, daß dieses Tuch unwissentlich mit ihnen gegangen ist. Bei Tageslicht werden die Farben als das zu sehen sein, was sie wirklich sind. Vielleicht könnt Ihr Euch dann auch erinnern, einen solchen Stoff gesehen zu haben.«

Cadfael nahm die Schachtel wieder an sich. Es war im besten Falle eine unsichere Hoffnung gewesen, und es blieb ja auch immer noch der nächste Tag. Das Leben eines Mannes und sein Seelenheil hingen von diesen paar zitternden Fädchen ab, deren Hüter Cadfael war.

»Morgen«, sagte der Prinz entschieden, »werden wir es im Lichte Gottes, da das unsere zu schwach ist, noch einmal versuchen.«

In den frühesten Morgenstunden der gleichen Nacht erwachte Elis in der dunklen Zelle in der Außenmauer der Burg von Shrewsbury. Er lag angespannt lauschend da, kämpfte sich aus der Benommenheit des Schlafes und fragte sich, was ihn aus einem so tiefen Schlummer gerissen haben mochte. Er hatte sich an die Alltagsgeräusche dieses Ortes und die normalerweise ungebrochene Stille der Nacht gewöhnt. Diese Nacht aber war anders, denn sonst wäre er nicht so grob aus der einzigen Zuflucht vor dem Elend seiner Tage gerissen worden. Etwas war nicht so, wie es sein sollte; jemand regte sich um eine Zeit, um die es sonst immer Schweigen und Stille gegeben hatte. Die Luft schien erfüllt von leichten Bewegungen und fernen Stimmen.

Sie waren nicht eingesperrt, ihr Wort war ohne Mißtrauen akzeptiert worden. Das war Band genug, um sie zu halten. Elis richtete sich vorsichtig auf einen Ellbogen auf und beugte sich zu Eliud hinüber, der neben ihm im Bett schlief. Sein Schlaf war tief, wenn auch nicht völlig friedlich. Er zuckte und wand sich ohne aufzuwachen, und die Geschwindigkeit seiner Atemzüge veränderte sich seltsam; sie wurden manchmal kürzer und flacher, um sich dann wieder zu beruhigen und lang und gleichmäßig zu kommen, was einer tieferen Ruhe entsprach. Elis wollte ihn nicht stören. Es lag nur an ihm, an seiner närrischen Torheit, sich Cadwaladr anzuschließen, daß Eliud jetzt als Gefangener neben ihm lag. Er durfte nicht noch tiefer in

Verhöre und Gefahr hineingezogen werden, was auch immer mit Elis selbst geschah.

Da hatten sich eindeutig Stimmen erhoben, nicht allzuweit entfernt, leise und durch die dicken Steinwände stark gedämpft. Und obwohl er in seiner Zelle keine einzelnen Worte unterscheiden konnte, verriet das Hin und Her des Wortwechsels eine unerklärliche Aufregung, etwas wie Schrecken lag in der Luft. Elis glitt vorsichtig aus dem Bett, blieb stehen und hielt einen Augenblick den Atem an, um sich zu vergewissern, daß Eliud nicht aufgewacht war; er tastete nach seinem Mantel, dankbar, daß er in Hemd und Hose schlief und nicht im Dunkeln herumfummeln und sich ankleiden mußte. Trotz allen Kummers und aller Angst, die er bei Tag und Nacht mit sich trug, mußte er den Grund für diese unerwartete Unruhe herausfinden. Jede Abweichung vom Gewohnten war eine Bedrohung.

Die Tür war schwer, aber gut geschmiert und schwang lautlos auf. Die Nacht draußen war mondlos, doch klar; über den Mauern und Türmen, die einen Bereich absoluter Dunkelheit schufen, funkelte das schwache Geflimmer von Sternenlicht. Er zog die Tür hinter sich zu. Nun war das Gemurmel deutlicher, und er konnte die Richtung bestimmen: es kam aus dem Wachzimmer im Torhaus. Und dieses scharfe, kurze Klappern, das sogar einen Funken aus dem Pflaster schlug, das war ein Pferd. Ein Reiter um diese Stunde?

Er tastete sich an der Wand entlang in Richtung der Geräusche und drückte sich immer wieder flach gegen den Stein, um zu lauschen. Das Pferd bewegte sich und schnaubte. Langsam schälten sich Umrisse aus der dichten Dunkelheit, die beiden Türme des Tores zeigten vor einem nur wenig helleren Himmel die Zähne, und die ebene Fläche des geschlossenen Tores darunter hatte einen hohen, schmalen und hellen Schlitz, gerade hoch und breit genug für einen Mann auf einem Pferd. Die Reiterpforte war offen. Sie war offen, weil erst vor Minuten jemand mit wichtigen Nachrichten gekommen war und bisher noch niemand daran gedacht hatte, sie wieder zu schließen.

Elis schob sich näher heran. Die Tür des Wachraumes stand einen Spalt breit auf, ein langer Lichtkeil von den brennenden Fackeln im Raum lag zitternd auf dem dunklen Pflaster. Die Stimmen hoben und senkten sich, als hitzig gesprochen wurde, und ab und zu konnte er ein paar Worte deutlich verstehen.

»... westlich von Pontesbury eine Farm niedergebrannt«, berichtete der Bote, der vom eiligen Ritt noch atemlos war, »und sich nicht zurückgezogen... sie haben über Nacht kampiert... und eine andere Gruppe umrundet Minsterley, um sich ihnen anzuschließen.«

Eine andere Stimme, scharf und klar, höchstwahrscheinlich einer der älteren Unterführer: »Wie viele sind es?«

»Insgesamt... wenn sie sich sammeln... ich erfuhr, daß es gut hundertfünfzig sein mögen...«

»Bogenschützen? Lanzenreiter? Fußtruppen und wie viele zu Pferd?« Das war nicht der Unterführer, das war eine junge Stimme, vor Aufregung eine Winzigkeit höher, als sie hätte sein sollen. Sie hatten Alan Herbard aus dem Bett geholt, denn dies war eine ernste Angelegenheit.

»Mein Herr, der weitaus größte Teil ist zu Fuß. Sie haben aber auch sowohl Lanzenreiter als Bogenschützen und könnten versuchen, Pontesbury zu umzingeln... Sie wissen, daß Hugh Beringar im Norden ist...«

»Auf halbem Wege nach Shrewsbury!« war Herbards Stimme zu hören.

»Das werden sie nicht wagen«, sagte der Unterführer. »Sie wollen nur plündern. Die Gehöfte im Tal... da gibt es viele Lämmer...«

»Madog ap Meredith hat eine Rechnung zu begleichen«, gab der Bote, immer noch atemlos, zu bedenken, »für jenen Überfall im Februar. Sie sind nahe..., aber dort im Wald können sie nicht viel Beute machen... ich bezweifle...«

Auf halbem Wege nach Shrewsbury, das war auch mehr als der halbe Weg zu der Furt im Wald, wo dieser ganze Ärger entstanden war. Und die Beute... Elis drehte den Kopf gegen den kalten Stein, an dem er lehnte, und schluckte seine Angst hinunter. Eine Herde dummer Frauen! Er hatte mehr als genug für diese Bemerkung bezahlt, denn er hatte nun selbst eine Frau dort, um die er sich sorgen mußte, eine junge, wunderschöne Frau mit flachsblondem Haar, großgewachsen wie eine Weide. Die vierschrötigen dunklen Männer aus Powys würden sich auf sie stürzen und sich gegenseitig für sie umbringen, um auch sie zu töten, wenn sie mit ihr fertig waren.

Er hatte die schützende Wand schon verlassen, bevor er bemerkte, was er tat. Das mit gesenktem Kopf geduldig dastehende Pferd hätte ihn vielleicht verraten, doch es blieb stumm und ohne zu erschrecken stehen, als er sich vorbeischlich und eine Hand hob, um es zu streicheln, damit es ruhig bliebe. Er wagte nicht, es zu nehmen, denn beim ersten Hufklappern würden sie wie Hornissen herausschwärmen; aber zumindest ließ es ihn unbehelligt vorbei. Der große Leib dampfte leicht, er spürte seine Hitze, die Nüstern rieben sich in seiner Hand. Er zog die Finger mit verstohlener Sanftheit fort und glitt zu der schmalen Pforte hinaus, die ihm einen Fluchtweg in die Nacht bot.

Jetzt hatte er den Abstieg zur Vorstadt zu seiner Rechten und den Weg in die Stadt hinein zur Linken. Vor allem, er hatte die Burg verlassen, er, der sein Wort gegeben hatte, die Schwelle nicht zu überschreiten, er, der von diesem Augenblick an verloren war, weil er sein Wort gebrochen hatte. Ein Ausgestoßener! Nicht einmal Eliud würde für ihn sprechen, wenn er dies erfuhr.

Die Stadttore würden erst im Morgengrauen wieder geöffnet werden. Elis wandte sich nach links in die Stadt und tastete sich durch unbekannte Straßen und Gassen, um eine Ecke zu finden, in der er sich bis zum Morgen verbergen konnte. Er war noch nicht sicher, welches der beste Fluchtweg wäre, und er überlegte sich keinen Augenblick, ob er überhaupt unbemerkt hinauskäme. Alles, was er wußte, war, daß er Godric's Ford erreichen mußte, ehe seine Landsleute es erreichten. Er fand sich instinktiv zurecht und stolperte blind in Richtung der Osttore. Im Friedhof von Saint Mary's, den er allerdings nicht als solchen erkannte, sank er, um sich vor dem kalten Wind zu schützen, in den Schutz eines Grabsteines. Er hatte Mantel und Ehre in seiner Zelle zurückgelassen, er war halb nackt, der Schande und der Nacht ausgeliefert, aber er war frei und unterwegs, um sie zu retten. Was war denn seine Ehre, was war sein Leben, verglichen mit ihrer Sicherheit?

Die Stadt erwachte früh. Händler und Reisende erhoben sich und machten sich vor dem vollen Tageslicht zu den Toren auf, um beizeiten hinauszukommen und ihren Geschäften nachzugehen. Dies tat auch Elis ap Cynan; er ging verstohlen mit ihnen, mantel- und waffenlos, verzweifelt, heldenhaft und sinnlos, um seine Melicent zu retten.

Eliud streckte, noch bevor er ganz erwachte, die Hand aus, um nach seinem Vetter zu tasten, und setzte sich abrupt und erschrocken auf, als er die andere Seite des Bettes leer und kalt fand. Aber der dunkelrote Mantel war noch über das Fußende des Lagers gelegt, und Eliud beruhigte sich. Warum sollte Elis nicht früh aufstehen und auf die Wälle hinausgehen, bevor sein Bettgefährte erwacht war? Ohne seinen Mantel konnte er nicht weit weg sein. Aber trotzdem, und so kurz die Trennung auch war, beunruhigte sie Eliud wie ein physischer Schmerz. Hier in ihrem Gefängnis waren sie kaum einmal einen Augenblick getrennt gewesen, als hinge ihrer beider Glaube an einen glücklichen Ausgang von der Gegenwart des anderen ab. Eliud erhob sich, zog sich an und ging zum Trog am Brunnen hinaus, um sich zu waschen und mit Hilfe des eiskalten Wassers ganz wach zu werden. In den Ställen und der Waffenkammer herrschte eine ungewöhnliche Unruhe, aber nirgends sah er ein Zeichen von Elis, nirgendwo stand Elis grübelnd an der Mauer und blickte in Richtung Wales. Die Sehnsucht nach ihm begann wie ein verletztes Glied zu schmerzen.

Sie nahmen ihre Mahlzeiten in der Halle zusammen mit ihren englischen Gefährten ein, doch an diesem klaren Morgen kam Elis nicht zum Essen. Und inzwischen hatten auch andere seine Abwesenheit bemerkt. Ein Unterführer der Garnison hielt Eliud auf, als dieser die Halle verlassen wollte. »Wo ist Euer Vetter, ist er krank?«

»Ich weiß nicht mehr als Ihr«, erwiderte Eliud. »Ich habe ihn gesucht. Er war aufgestanden, bevor ich erwachte, und ich habe ihn seitdem nicht gesehen.« Und erschreckt und hastig, da der Mann die Stirn runzelte und ihn mißtrauisch anstarrte, fuhr er fort: »Aber er kann nicht weit sein. Sein Mantel ist noch in der Zelle. Überall ist es so unruhig, ich dachte, er wäre früh aufgestanden, um herauszufinden, was dort unten vor sich geht.«

»Er gab sein Wort, keinen Fuß vor die Tore zu setzen«, sagte der Unterführer. »Ihr wollt mir doch nicht einreden, daß er das Essen aufgegeben hat? Ihr müßt mehr wissen, als Ihr vorgebt.«

»Nein! Er ist hier in der Burg, er muß hier sein. Er würde sein Wort nicht brechen, das verspreche ich Euch.«

Der Mann sah ihn scharf an und wandte sich abrupt auf dem Absatz um, um zum Torhaus zu gehen und die Wächter zu befragen. Eliud hielt ihn am Ärmel fest. »Was braut sich hier zusammen? Gibt es Neuigkeiten? Soviel Betrieb in der Waffenkammer, und die Bogenschützen holen ihre Pfeile... was ist über Nacht geschehen?«

»Was geschehen ist? Eure Landsleute schwärmen mit ihrer Streitmacht durch das Tal von Minsterley, wenn Ihr's schon wissen wollt. Sie brennen Höfe nieder und ziehen gegen Pontesbury. Vor drei Tagen war es eine Handvoll, jetzt sind es über hundert von Euch.« Dann dreht er sich plötzlich um und fragte: »Habt Ihr in der Nacht etwas gehört? Ist es das? Ist Euer Vetter fortgelaufen, um sich seinen zerlumpten Verwandten anzuschließen und beim Morden zu helfen? War der Sheriff nicht gut genug zu ihm?«

»Nein!« rief Eliud. »Das würde er nicht tun! Es ist unmöglich!«

»Als wir ihn das erste Mal faßten, war er bei einer plündernden, mordenden Bande wie dieser. Damals gefiel es ihm, und jetzt kommt es ihm wohl recht. Den Hals aus der Schlinge ziehen und die Freunde in der Nähe, damit sie ihn sicher nach Hause bringen.«

»Das könnt Ihr nicht sagen! Ihr wißt doch nichts anderes, als daß er, seinem Wort getreu, hier in der Burg ist.«

»Nun, wir werden es bald herausfinden«, entgegnete der Unterführer grimmig und packte Eliud fest am Arm. »Geht in Eure Zelle und wartet. Der Herr Herbard muß davon erfahren.«

Er entfernte sich rasch, und Eliud trottete in verzweifeltem Gehorsam zu seiner Zelle zurück und setzte sich, nur mit Elis Mantel als Gesellschaft, aufs Bett. Inzwischen war er sicher, wie die Suche enden würde. Das Tageslicht war erst eine oder zwei Stunden alt, und es gab unzählige Orte, an denen ein Mann sein konnte, wenn er weder auf Essen noch auf die Gesellschaft seiner Gefährten Lust hatte; außerdem fühlte Eliud eine Leere, als wäre Elis nicht mehr da — die Burg war kalt und fremd, als wäre er nie hiergewesen. In der Nacht war anscheinend ein Kurier mit der Nachricht gekommen, daß stärkere Truppen aus Powys nahe bei Shrewsbury plünderten — und damit waren sie noch näher am Waldhof der Abtei von Polesworth bei Godric's Ford.

Dort, wo ihr schwerer Weg begonnen hatte und wo er vielleicht auch enden mußte. Wenn Elis diese nächtliche Unruhe gehört hatte und hinausgegangen war, um den Grund zu erforschen — ja, dann konnte er in seiner Verzweiflung Eid und Ehre und alles andere vergessen haben. Eliud wartete niedergeschlagen, bis Alan Herbard mit zwei Unterführern auf den Fersen zurückkam. Er hatte lange gewartet; wahrscheinlich hatten sie inzwischen schon die Burg durchsucht. Und ihre grimmigen Gesichter verrieten, daß sie Elis nicht gefunden hatten.

Eliud stand auf, um ihnen entgegenzutreten. Er würde seine ganze Kraft und seine ganze Würde brauchen, wenn er jetzt für Elis sprechen wollte. Dieser Alan Herbard war kaum ein oder zwei Jahre älter als er und wurde ebenso schwer geprüft wie er selbst.

»Wenn Ihr wißt, auf welche Weise Euer Vetter geflohen ist«, sagte Herbard unvermittelt, »dann wäre es klug, wenn Ihr redet. Ihr habt Euch diesen engen Raum geteilt. Wenn er des nachts aufstand, so habt Ihr es gewiß bemerkt. Denn ich sage Euch offen, er ist fort. Er ist fortgelaufen. In der Nacht stand das Tor offen, nachdem ein Mann eingelassen worden war. Es ist jetzt kein Geheimnis mehr, daß auch ein Mann hinausging — ein Abtrünniger, der seinen Eid gebrochen und sich selbst zum Mörder gestempelt hat. Warum sonst sollte er diese Gelegenheit ergreifen?«

»Nein!« sagte Eliud. »Ihr tut ihm Unrecht, und am Ende wird sich zeigen, daß Ihr ihm Unrecht tut. Er ist kein Mörder. Und wenn er geflüchtet ist, dann ist dies nicht der Grund.«

»Es git kein *wenn*. Er ist verschwunden. Ihr wißt nichts davon? Ihr habt seine Flucht verschlafen?«

»Ich vermißte ihn, als ich erwachte«, sagte Eliud. »Ich weiß nicht, wie und wann er ging. Aber ich kenne ihn. Wenn er in der Nacht aufstand, weil er die Ankunft Eures Mannes hörte, und wenn er dabei belauschte — trifft dies zu? —, daß die Waliser von Powys und in großer

191

Zahl nahe heranrücken, dann, so schwöre ich Euch, ist er nur aus Furcht um Gilbert Prestcotes Tochter geflohen. Sie ist bei den Schwestern in Godric's Ford, und Elis liebt sie. Ob sie ihn verschmäht oder nicht, er hat nicht aufgehört, sie zu lieben, und wenn sie in Gefahr ist, wird er sein Leben und sogar seine Ehre hingeben, um sie in Sicherheit zu bringen. Wenn er das getan hat«, fuhr Eliud leidenschaftlich fort, »dann wird er hierher zurückkehren, um sich dem Schicksal zu stellen, das ihn erwartet. Er ist kein Abtrünniger! Er hat seinen Eid nur für Melicent gebrochen – und er wird zurückkommen! Ich verpfände meine Ehre für ihn! Mein eigenes Leben!«

»Ich möchte Euch daran erinnern«, sagte Herbard grimmig, »daß Ihr das bereits getan habt. Jeder von Euch hat sein Wort für beide gegeben. In diesem Augenblick habt Ihr Eure Ehre verloren und seid die Sicherheit für seinen Verrat. Ich könnte Euch hängen lassen und wäre völlig im Recht.«

»Dann tut es!« entgegnete Eliud und wurde kreidebleich. Seine Augen weiteten sich und flackerten grün. »Hier bin ich, immer noch das Unterpfand für ihn. Ich sage Euch, dieser Hals gehört Euch, wenn ich mich in Elis irre. Ich gebe Euch selbst die Erlaubnis dazu. Wie ich sehe, bereitet Ihr Euch auf einen Ausritt vor. Ihr wollt gegen die Waliser von Powys ziehen. Nehmt mich mit Euch! Gebt mir ein Pferd und eine Waffe, und ich werde für Euch kämpfen, und Ihr könnt einen Bogenschützen in meinem Rücken postieren, der mich niederschießt, sobald ich eine falsche Bewegung mache. Und wenn Elis nicht bis aufs letzte Wort genau das tut, was ich sage, nun, Ihr könnt mir jetzt schon ein Seil um den Hals legen, um mich an den nächsten Baum zu knüpfen, sobald die Männer aus Powys zurückgeschlagen sind.«

Er zitterte vor Inbrunst, gespannt wie eine Bogensehne. Herbard riß angesichts solcher Leidenschaft die Augen weit auf und musterte ihn einen langen Augenblick in besorgter Überraschung. »So sei es!« sagte er schließ-

lich abrupt und wandte sich an seine Männer. »Sorgt dafür! Gebt ihm ein Pferd und ein Schwert, legt ihm ein
Seil um den Hals und laßt den besten Bogenschützen
dichtauf folgen; er soll sich bereithalten, ihn zu erschie-
ßen, falls er uns hintergeht. Er sagt, er sei ein Mann, der
zu seinem Wort steht, und sein entflohener Freund sei
nicht anders wie er. Nun gut, wir wollen ihn bei seinem
Wort nehmen.«

In der Tür drehte er sich noch einmal um. Eliud hatte
Elis roten Mantel aufgehoben und hielt ihn in den Armen. »Wenn Euer Vetter nur halb der Mann gewesen
wäre, der Ihr seid«, sagte Herbard, »dann könntet Ihr
Euch Eures Lebens völlig sicher sein.«

Eliud fuhr herum und drückte den zusammengefalteten Mantel an sich, als wolle er einen unerträglichen
Schmerz mit Balsam lindern. »Habt Ihr es denn immer
noch nicht verstanden? Er ist *besser* als ich, tausendmal
besser!«

12

Auch in Tregeiriog stand man im ersten Morgengrauen
auf, kaum zwei Stunden nach Elis Flucht durch die Pforte in Shrewsbury, denn Hugh Beringar war die halbe
Nacht durchgeritten und im taubengrauen Dämmerlicht
des frühen Morgens eingetroffen. Schläfrige Burschen
standen mit roten Augen da, um die Pferde ihrer englischen Gäste zu übernehmen; es war eine Truppe von
zwanzig Männern. Hugh hatte die anderen gutbewaff-
net und gutausgerüstet im Norden der Grafschaft verteilt, und bisher hatten sie den wenigen und zögernden
Angriffen, denen sie ausgesetzt worden waren, leicht
widerstanden.

Bruder Cadfael, der auf nächtliche Ankömmlinge
ebenso empfindsam reagierte wie Elis, war aus dem

193

Schlaf gefahren, als er die Geräusche und das Gemurmel hörte. Die Sitte, bis auf die Kapuze in voller Tracht zu schlafen, so daß er sofort aufstehen und gehen konnte, barfuß oder nachdem er die Sandalen angezogen hatte, wie mitten am Tag, hatte einiges für sich. Zweifellos war diese Sitte entstanden, als die Mönchsklausen an sehr gefährlichen Orten erbaut worden waren, und die Zeit hatte ihr den Segen der Tradition gegeben. Cadfael verließ das Zimmer und hatte schon die halbe Strecke zu den Ställen zurückgelegt, als er Hugh im perlmuttfarbenen Zwielicht begegnete; Tudur stand gleichermaßen hellwach und gespannt neben seinem Gast.

»Was bringt Euch so früh her?« fragte Cadfael. »Gibt es neue Nachrichten?«

»Für mich auf jeden Fall, aber soweit ich weiß, sind sie für Shrewsbury schon alt.« Hugh nahm ihn am Arm und kehrte mit ihm zur Halle zurück. »Ich muß dem Prinzen berichten, und dann wollen wir auf dem kürzesten Weg die Grenze entlang reiten. Madogs Burgvogt in Caus schickt immer mehr Männer in das Tal von Minsterley. Als wir nach Oswestry einritten, erwartete mich ein Bote; sonst wäre ich dort über Nacht geblieben.«

»Herbard hat aus Shrewsbury eine Nachricht geschickt?« fragte Cadfael. »Als ich vor zwei Tagen aufbrach, war kaum mehr als eine Handvoll Räuber unterwegs.«

»Es ist jetzt eine Kriegertruppe von mehr als hundert Männern. Sie waren schon bis Minsterley vorgedrungen, als Herbard Wind von dem Aufmarsch bekam, und wenn sie eine so große Streitmacht aufgeboten haben, dann ist mit dem Schlimmsten zu rechnen. Ihr wißt besser als ich, daß sie keine Zeit vergeuden. Vielleicht sind sie jetzt an diesem Morgen schon weitergezogen.«

»Ihr braucht frische Pferde«, sagte Tudur praktisch.

»Wir haben erst in Oswestry neue bekommen, und sie werden den Rest des Weges durchstehen. Aber für die anderen will ich gerne Pferde von Euch borgen, und ich danke Euch dafür von Herzen. Ich habe jede Garnison im Norden alarmiert zurückgelassen, doch Ranulf hat anscheinend seine Voraustrupps bis Wrexham zurückgezogen. Er versuchte in Whitchurch einen Scheinangriff und holte sich eine blutige Nase; ich glaube, daß er sich für eine Weile die Hörner abgestoßen hat. Aber ob dies so ist oder nicht, ich muß aufbrechen und mich um Madog kümmern.«

»Macht Euch um Chirk keine Sorgen«, versicherte Tudur ihm. »Darum werden wir uns kümmern. Laßt Eure Männer wenigstens etwas essen und die Pferde verschnaufen. Ich werde die Frauen aus den Betten trommeln, damit sie Euch etwas zubereiten, und Einon soll Owain wecken, falls er nicht schon auf ist.«

»Was habt Ihr vor?« fragte Cadfael. »In welche Richtung wollt Ihr Euch wenden?«

»Nach Llansilin und weiter die Grenze hinunter. Wir werden östlich an den Breidden Hills vorbeireiten und über Westbury nach Minsterley vorstoßen, um ihnen, wenn möglich, den Weg abzuschneiden, wenn sie zu ihrem Lager in Caus zurückwollen. Ich bin es leid, daß Männer aus Powys auf dieser Burg hocken«, sagte Hugh und schob den Unterkiefer vor. »Wir müssen die Festung zurückgewinnen und bewohnbar machen und dort eine Garnison einrichten.«

»Für ein so großes Aufgebot, wie Ihr es erwähntet, seid Ihr zu wenige«, sagte Cadfael. »Warum geht Ihr nicht erst nach Shrewsbury und beruft neue Männer ein, und wendet euch dann nach Westen, um sie von dort aus zu stellen?«

»Die Zeit ist zu kurz. Und außerdem halte ich Alan Herbard für vernünftig und mutig genug, um aus eigenem Antrieb eine gute Streitmacht aufzustellen und die Stadt zu schützen. Wenn wir uns schnell genug bewegen, können wir sie vielleicht in die Zange nehmen und sie knacken wie eine Nuß.«

Sie hatten die Halle erreicht. Die Neuigkeit hatte bereits die Runde gemacht, denn die Schläfer rollten sich eilig aus dem Stroh, Diener deckten Tische, und die Mägde kamen mit frischen Brotlaiben aus der Bäckerei und großen Krügen Dünnbier gelaufen.

»Wenn ich meine Angelegenheiten hier abschließen kann«, sagte Cadfael, »dann werde ich mit Euch reiten, so Ihr mich haben wollt.«

»Ich will, und Ihr seid herzlich willkommen.«

»Dann kümmere ich mich am besten zuerst um das, was hier noch nicht erledigt ist, sobald Owain Gwynedd Zeit dazu hat. Während Ihr Euch mit ihm beratet, kann ich mein eigenes Pferd für die Reise bereitmachen.«

Er war so mit dem bevorstehenden Kampf und dem, was vielleicht gerade in Shrewsbury geschah, beschäftigt, daß er sich zu den Ställen wandte, ohne die leichten Schritte zu hören, die ihm aus Richtung der Küche nacheilten, bis eine Hand seinen Ärmel packte und er sich umdrehte. Cristina stand vor ihm und starrte ihn mit geweiteten, dunklen Augen an.

»Bruder Cadfael, ist es wahr, was mein Vater sagt? Er meint, ich brauchte mir keine Sorgen zu machen, weil Elis irgendwo in Shrewsbury ein Mädchen gefunden habe und mich lieber heute als morgen loswerden wolle. Er sagt, alles könne in beiderseitigem Einvernehmen gelöst werden. So daß ich frei bin und Eliud auch! Ist das wahr?« Sie war ernst, und doch glühte sie. Elis Fahnenflucht war ihr Hoffnung und Hilfe. So konnte der verwirrte Knoten vielleicht ohne Groll gelöst werden.

»Es ist wahr«, sagte Cadfael. »Aber hütet Euch, jetzt schon zu sehr auf diese Aussichten zu bauen, denn es ist noch lange nicht sicher, daß er die Dame, die er begehrt, auch bekommt. Sagte Euch Tudur auch, daß sie es war, die Elis des Mordes an ihrem Vater anklagte? Das ist keine sehr hoffnungsvolle Art, eine Ehe zu beginnen.«

»Aber er meint es ernst! Er liebt das Mädchen! Dann wird er sich nicht wieder mir zuwenden, ob er sie nun gewinnt oder nicht. Er hat mich noch nie gewollt. Oh, ich wäre schon gut genug für ihn gewesen«, sagte sie, indem sie die Schultern hob und die Lippen schürzte. »So gut wie jedes Mädchen, das ihm an Alter und Stellung gleichkommt, aber ich war für ihn noch nie etwas anderes als ein Mädchen, mit dem er aufwuchs und das er in gewisser Weise mochte. Aber nun«, sagte sie mitfühlend, »nun weiß er, was es heißt, zu begehren. Gott weiß, ich wünsche ihm alles Glück, das ich auch für mich selbst erhoffe.«

»Geht mit mir zu den Ställen«, erwiderte Cadfael, »und leistet mir in den wenigen Minuten, die wir noch haben, Gesellschaft. Denn ich werde mit Hugh Beringar aufbrechen, sobald seine Männer gefrühstückt haben und ausgeruht sind und sobald ich noch einmal mit Owain Gwynedd und Einon ab Ithel gesprochen habe. Kommt und erzählt mir geradeheraus, wie die Dinge zwischen Euch und Eliud stehen, denn das eine Mal, als ich Euch zusammen sah, verstand ich Euch völlig falsch.«

Sie ging bereitwillig mit, ihr Gesicht war im Perlmuttlicht, das sich langsam rosa färbte, klar und rein. Und ihre Stimme war ruhig, als sie sagte: »Ich liebte Eliud schon, als ich noch gar nicht wußte, was Liebe war. Ich wußte nur, wie sehr sie schmerzen konnte. Ich ertrug es nicht, von ihm getrennt zu sein, ich folgte ihm und wollte bei ihm sein, und er wollte mich nicht sehen, wollte nicht mit mir sprechen und wies mich grob von seiner Seite, wenn ich mich an ihn klammerte. Ich war Elis versprochen, und Elis war mehr als die Hälfte von Eliuds Welt, und um keinen Preis hätte er etwas berührt oder begehrt, was seinem Ziehbruder gehörte. Ich war damals noch zu jung, um das Ausmaß seiner Zurückweisung als Maß seiner Liebe für mich zu begreifen. Aber als ich verstand, was mich da quälte, wußte ich, daß Eliud jeden Tag dieselben Qualen durchlitt.«

»Ihr seid Euch seiner recht sicher«, sagte Cadfael. Es war eine Feststellung, kein Zweifel.

»Ich bin sicher. Von dem Augenblick an, als ich es verstand, versuchte ich ihm deutlich zu machen, was ich weiß und was auch er als die Wahrheit erkannt haben muß. Doch je mehr ich dränge und bitte, desto mehr wendet er sich ab und will nicht sprechen und hören. Aber um so mehr will er mich. Ich sage Euch die Wahrheit. Als Elis fortging und eingesperrt wurde, begann ich zu glauben, ich hätte Eliud fast gewonnen, ich hätte ihn fast dazu gebracht, seine Liebe einzugestehen und sich mit mir zu verbinden, diese schreckliche Verlobung zu brechen und um mich anzuhalten. Dann wurde er als Geisel für diesen unglückseligen Austausch fortgeschickt, und alles war dahin. Und jetzt ist es Elis, der den Knoten durchschneidet und uns alle befreit.«

»Es ist zu früh, um schon von Befreiung z sprechen«, warnte Cadfael sie ernst. »Bisher ist noch keiner der beiden aus den Schwierigkeiten heraus — keiner von uns ist es, solange nicht die Angelegenheit des toten Sheriffs zu einem gerechten Ende gebracht wurde.«

»Ich kann warten«, sagte Cristina.

Es war sinnlos, dachte Cadfael, irgendeinen Zweifel über ihre Hoffnung zu legen. Sie hatte zu lange im Schatten gelebt, um sich einschüchtern zu lassen. Was bedeutete ihr schon ein ungelöster Mordfall? Er bezweifelte, ob Schuld oder Unschuld für sie einen Unterschied machten. Sie hatte nur ein Ziel, von dem sie nichts abbringen würde. Keine Frage, daß sie von klein auf ihre Spielkameraden richtig verstanden hatte: der eine, der das Recht auf sie besaß, das er jedoch nicht wahrnahm, und der andere, an dem der Kummer nagte, sie zu lieben und zu wissen, daß sie dem Ziehbruder versprochen war, den er fast genauso liebte. Kleine Mädchen sind immer um Jahre älter als ihre Brüder, die nach Jahren genauso alt sind, und vor allem sind sie scharfsinniger und eifersüchtiger.

»Da Ihr nun zurückreist«, sagte Cristina, während sie mit einem freundlichen Lächeln zum Getriebe in den

Ställen blickte, »werdet Ihr ihn wiedersehen. Sagt ihm, daß ich jetzt eine erwachsene Frau bin oder es bald sein werde und mich dem versprechen kann, den ich will. Und ich werde mich niemand außer ihm geben.«

»Das will ich ihm sagen«, versprach Cadfael.

Auf dem Hof sammelten sich Männer und Pferde. Das Morgenlicht erhob sich klar und bleich über den Holzgebäuden, und das Grün des Waldes im Tal war mit den blassen Punkten frischer Blattknospen durchsetzt, die wie zartgrüne Schleier zwischen den dunklen Stämmen leuchteten. Ein leichter Wind wehte, gerade stark genug, um zu erfrischen, ohne zu stören. Ein guter Tag für einen Ritt.

»Welches Pferd ist das Eure?« fragte sie.

Cadfael führte das Pferd heraus, damit sie es sah, und gab es an einen Burschen ab, der sofort herbei kam, um es aufzusatteln.

»Und wem gehört dieses große, grobknochige graue Vieh? Das habe ich noch nie hier gesehen. Der sollte schnell sein, selbst unter einem Gepanzerten.«

»Das ist Hugh Beringars Lieblingspferd«, sagte Cadfael, als er den Apfelschimmel freudig erkannte. »Und für alle anderen Reiter ist er ein schlechtgelauntes Biest. Hugh hat ihn wohl in Oswestry ausruhen lassen, sonst würde er ihn jetzt nicht reiten.«

»Wie ich sehe, wird auch für Einon ab Ithel gesattelt«, sagte sie. »Ich glaube, er will nach Chirk zurückreiten, um Beringars Nordgrenze zu bewachen, während dieser woanders zu tun hat.«

Ein Bursche war an ihnen vorbeigegangen; er trug Geschirr auf dem einem und eine Satteldecke auf dem anderen Arm und legte sie über ein Geländer, um dann zurückzugehen und das Pferd zu bringen, das beides tragen sollte. Es war ein sehr schönes Tier, ein großer Brauner, den Cadfael schon einmal im Klosterhof in Shrewsbury gesehen hatte. Er beobachtete erfreut seine lebhaften Bewegungen, als der Bursche die Satteldecke aufhob und über den breiten, glänzenden Rücken warf; ja, er war so von dem Pferd eingenommen, daß er kaum auf das Rüstzeug achtete. Am weichen Lederzügel hingen Fransen, das Stirnband war mit kleinen Goldknöpfen besetzt. In Einons Land gab es Gold, erinnerte er sich. Und die Satteldecke...

Er starrte und starrte sie reglos an und hielt einen Augenblick den Atem an. Ein dickes, weiches Tuch aus gefärbter Wolle, aus schwerem Garn zu einem komplizierten Blütenmuster gewebt, hellrote Rosen, deren Farbe schon etwas verblaßt war, und tiefblaue Iris. Durch die Blumen und rundherum liefen dicke Goldfäden. Das Tuch war nicht neu, es war schon häufig benutzt worden, und die Wolle war hier und dort zu dichten Knoten aufgerauht; einige Fäden waren ausgefranst, so daß kurze, feine Fädchen in der Luft zitterten.

Es war nicht einmal nötig, zum Vergleich die kleine Schachtel herauszuziehen, in welcher er die an dem Toten gefundenen Fäden aufbewahrte. Nun, da er diese Farben endlich sah, erkannte er sie ohne jeden Zweifel. Er betrachtete genau das Ding, das er suchte, und das hier viel zu gut bekannt, viel zu oft gesehen und zu wenig beachtet worden war, um irgend jemandes Erinnerung zu wecken.

Er erkannte außerdem augenblicklich und ohne Irrtum die Bedeutung dessen, was er sah.

Cristina hatte er von dem was er nun wußte, kein Wort verraten, als sie zusammen zurückgingen. Warum auch? Besser, er behielt alles für sich, bis er eine klare Richtung erkannte und wußte, was zu tun war. Zu niemand ein Wort, außer zu Owain Gwynedd, mit dem er gleich darauf sprach.

»Mein Herr«, sagte er zu ihm, »ich habe gehört, Ihr hättet gesagt, die einzige Sühne für den ermordeten Mann, für Gilbert Prestcote, sei das Leben des Mörders. Wurde mir dies wahrheitsgetreu berichtet? Muß es denn einen weiteren Toten geben? Das walisische Gesetz erlaubt es, einen Blutpreis zu bezahlen, um ausgedehntes Blutvergießen bei einer Blutfehde zu vermeiden. Ich glaube nicht, daß Ihr das normannische mit dem walischen Recht verwechselt.«

»Gilbert Prestcote lebte nicht nach dem walisischen Gesetz«, sagte Owain, der ihn scharf musterte. »Und ich kann ihn nicht mehr bitten, nach diesem Gesetz zu sterben. Von welchem Wert wäre auch eine Bezahlung in Form von Gütern oder Vieh für seine Witwe und die Kinder?«

»Und doch glaube ich, die *galanas* kann auch in anderer Münze gezahlt werden«, sagte Cadfael. »Mit Buße, Kummer und Schande, was so hoch ist wie der höchste Preis, den ein Richter je festsetzen könnte. Was ist damit?«

»Ich bin kein Priester«, sagte Owain, »und niemandes Beichtvater. Buße und Absolution liegen nicht in meiner Gewalt. Gerechtigkeit schon.«

»Und Gnade auch«, sagte Cadfael.

»Gott verhüte, daß ich je willkürlich eine Hinrichtung befehle. Ein vermiedener Tod, ob durch Gut oder Kummer, durch Pilgerschaft oder Gefängnis, ist weitaus besser als viele Tode über lange Zeit. Ich würde alle am Leben lassen, die einen Wert für diese Welt und für die, mit denen sie in dieser Welt vereint sind, besitzen. Das Jenseits ist die Angelegenheit Gottes.« Der Prinz beugte sich vor, und das Morgenlicht, das durch eine Schießscharte fiel, fing sich in seinem flachsblonden Haar. »Bruder«, fuhr er leise fort, »hattet Ihr nicht etwas, das wir heute morgen bei besserem Licht noch einmal betrachten wollten? Wir sprachen gestern abend davon.«

»Das ist jetzt nur noch von geringer Bedeutung«, entgegnete Cadfael, »wenn Ihr Euch damit zufrieden geben wollt, es mir noch eine Weile zu überlassen. Ihr sollt bald ins Bild gesetzt werden.«

»So sei es!« sagte Owain Gwynedd und lächelte plötzlich. Die kleine Kammer war erfüllt von der Ausstrahlungskraft seiner Persönlichkeit. »Nur eine Bitte habe ich: Bewahrt es sorgfältig auf — um meinetwillen und zweifellos auch um anderer willen.«

13

Elis war so klug, nicht geradewegs zur Klause der Benediktinerschwestern zu hasten, erschöpft und schmutzig, wie er nach dem Lauf war; außerdem dämmerte es gerade erst. Er war nur wenige Meilen von Shrewsbury entfernt, und doch schien alles hier so einsam und ungeschützt! Warum nur, hatte er sich beim Rennen zornig gefragt, warum nur hatten sich diese Frauen entschlossen, ihre kleine Kapelle an einem so gefährlichen Ort zu errichten? Das war eine Provokation! Man sollte die Äbtissin in Polesworth dazu bringen, ihren Irrtum einzusehen und die bedrohten Schwestern zurückzuziehen. Diese augenblickliche Gefahrensituation würde sich immer wiederholen, die unruhige Grenze lag ja so nahe.

Er wandte sich stromauf zur Mühle am Bach, wo er in der Obhut eines muskulösen Riesen namens John in jenen Tagen im Februar gefangengehalten worden war. Widerwillig beäugte er das Gewässer, das jetzt gefallen und gezähmt war und ruhig in seinem gewundenen, steinigen Bett dahinfloß, das nicht mehr die Wassermassen führte, an die er sich erinnerte. Wenn die Männer nun kamen, konnten sie bequem durch den Fluß waten, wo er sich zu einer leicht zu überwindenden Furt öffnete; sie würden kaum bis übers Knie naß werden. Nun, diese flachen Stellen konnte man ausheben und mit Stacheln oder Fußangeln schützen. Und die bewaldeten Ufer boten auf jeden Fall gute Deckung für Bogenschützen.

John Miller, der im Mühlhof Pfähle anspitzte, ließ sein

Beil fallen und langte nach der Mistgabel, als hastige, stolpernde Füße über die Bretter polterten. Er fuhr mit einer für einen so großen Mann erstaunlichen Geschwindigkeit herum und riß die Augen auf, als er seinen ehemaligen Gefangenen mit leeren Händen und zielstrebig auf sich zukommen sah. Und dann begrüßte ihn der ehemalige Gefangene auch noch mit lauten, fordernden englischen Worten, obwohl er noch vor wenigen Wochen völlige Unkenntnis dieser Sprache vorgespiegelt hatte.

»Die Waliser aus Powys — eine Kriegertruppe — ist keine zwei Stunden entfernt! Wissen die Frauen davon? Könnte man sie noch in die Stadt bringen? Dort wird ein Aufgebot zusammengestellt, aber vielleicht ist es dafür schon zu spät...«

»Immer mit der Ruhe!« sagte der Müller, ließ seine Gabel fallen und wies auf einen Stapel gefährlich zugespitzter Pfähle. »Anscheinend habt Ihr Eure Zunge recht schnell wiedergefunden! Und auf welcher Seite steht Ihr wohl diesmal und wer hat Euch freigegeben? Hier, tragt diese Pfähle, wenn Ihr Euch schon nützlich machen wollt.«

»Die Frauen müssen fortgeschafft werden«, drängte Elis verzweifelt. »Es ist noch nicht zu spät, wenn sie sofort aufbrechen... Gebt mir die Erlaubnis, mit ihnen zu sprechen, sie werden gewiß zuhören. Wenn *sie* in Sicherheit sind, dann können wir sogar einer Kriegstruppe Widerstand leisten. Ich bin gekommen, um sie zu warnen...«

»Oh, sie wissen schon Besheid. Wir haben seit dem letzten Mal gut acht gegeben. Doch die Frauen werden nicht weichen, also könnt Ihr Euch den Atem sparen und unsere Seite um einen Mann ergänzen. Wenn das Eure Absicht ist, dann seid willkommen. Mutter Mariana hält es für ein Schwanken im Glauben, auch nur eine Handbreit nachzugeben, und Schwester Magdalena meint, daß sie dort, wo sie nun einmal sind, den größeren Nutzen bringen, und die meisten Menschen hier in der Gegend würden sagen, daß das ganz einfach die Wahrheit ist. Kommt, laßt uns die Pfähle einsetzen — die Furt ist schon ausgehoben.«

Elis lief schwerbeladen neben dem großen Mann her. Der flachste Teil des Baches befand sich hinter der Kapellenmauer des Hofes, und als er auf Geheiß des Müllers die Pfähle dort einsetzte, bemerkte er, daß zwischen den Büschen und dem Krüppelholz auf beiden Seiten des Wassers viel Bewegung war. Die Waldleute waren sich der Bedrohung wohl bewußt und hatten ihre Vorbereitungen getroffen, und nach ihrem letzten Auftreten war Schwester Magdalena gewiß ebenfalls für die Schlacht bereit. Mutter Marianas Glaube an den göttlichen Schutz mochte gut sein, aber es war gewiß besser, ihn durch den praktischen Beistand zu stärken, den der Himmel mit Recht von vernünftigen Sterblichen erwartet. Aber konnten sie einer Kriegertruppe von über hundert Männern standhalten, die sich zudem für eine schmähliche Niederlage rächen wollten? Wußten sie überhaupt, mit wem sie es da aufzunehmen hatten?

»Ich brauche eine Waffe«, sagte Elis, als er breitbeinig hoch auf dem Ufer stand und nach Nordwesten blickte, woher die Gefahr kommen mußte. »Ich kann mit Schwert, Lanze und Bogen umgehen, was immer man mir gibt... Dieses Beil, das Ihr da habt, mit einem langen Stiel versehen...« Und dann hatte er noch eine andere gute Waffe, wie ihm gerade einfiel. Wenn er die Feinde nur rechtzeitig bemerkte und sich ihnen als erster entgegenstellte, wenn sie kamen, dann konnte er ihnen mit lauten walisischen Worten begegnen, wo sie mit erschrockenen Engländern rechneten. Er besaß die Zungenfertigkeit seiner bardischen Ahnen, kannte all die Schmähungen und den angsteinflößenden Hohn, die er in einem Sturzbach über die feigen Räuber ausschütten konnte, die fromme Frauen angreifen wollten. Eine Zunge wie ein Peitschenschlag! Vielleicht sollte er sich sogar betrinken, um die wahren Höhen sengender Beleidigungen zu erreichen, aber selbst in diesem Zustand verzweifelter Nüchternheit mochte es ausreichen, um sie zu entnerven und aufzuhalten.

Elis watete ins Wasser und suchte eine passende Stelle, wo er einen Pfahl zwischen den Wasserpflanzen mit schräg nach oben geneigter Spitze einsetzen konnte, so daß sich jeder aufspießte, der voreilig den Bach durchqueren wollte. Nach der Vorsicht zu schließen, mit der John Miller sich bewegte, war die Furt in der Mitte des Stromes ausgehoben worden. Wenn die Angreifer beritten waren, reichte ein Fehltritt in eines dieser Löcher, und das Pferd würde straucheln und den Reiter nach vorn in die Pfähle schleudern. Wenn sie zu Fuß kamen, würden wenigstens einige in den Löchern versinken und ihre Gefährten mit sich reißen, so daß genug Verwirrung entstand, die sich die Bogenschützen zunutze machen konnten.

Der Müller stand mitten im knietiefen Bach und sah Elis kritisch zu, als dieser seinen mörderischen Pfahl in den Boden trieb und ihn durch die zähe Decke der Wasserpflanzen ins Erdreich unter dem Ufer drückte. »Gute Arbeit!« sagte er mit mildem Wohlwollen. »Wir werden Euch eine Hippe geben; vielleicht haben die Waldleute auch eine Axt für Euch übrig. Wenn Ihr guten Willens seid, dann sollt Ihr nicht waffenlos in den Kampf ziehen.«

Schwester Magdalena war wie die anderen Mitglieder des Haushaltes seit dem Morgengrauen auf den Beinen und legte Leinen, Scheren, Messer, Tinkturen, Salben und Stärkungstränke und alles andere bereit, was in wenigen Stunden gebraucht würde. Währenddessen überlegte sie, wie viele Betten wo mit Anstand bereitgestellt werden konnten, wenn einer der Männer aus ihrer Waldarmee zu schwer verletzt wurde, um transportiert zu werden. Magdalena hatte ernsthaft erwogen, die beiden jungen Postulantinnen nach Beistan im Osten zu schicken, doch sie hatte sich dagegen entschieden, da sie überzeugt war, daß die beiden am Ende hier sicherer waren. Vielleicht kam der Angriff überhaupt nicht. Und wenn er kam, dann war man wenigstens bereit, und die beherzten Waldleute waren auf die Verteidigung vorbereitet. Wenn die Räuber aber direkt nach Shrewsbury zogen und einer Truppe begegneten, mit der sie sich nicht messen konnten, dann würden sie zurückweichen, sich verstreuen und nach Hause fliehen; zwei Mädchen, die durch die Wälder nach Osten eilten, waren dann eine leichte Beute für sie. Nein, es war besser, sie hier zu behalten. Und überhaupt überzeugte sie ein Blick auf Melicents gerötetes und empörtes Gesicht, daß zumindest dieses Mädchen nicht gehen würde, selbst wenn man es ihr befahl.

»Ich habe keine Angst«, sagte Melicent verächtlich.

»Um so dümmer«, erwiderte Schwester Magdalena einfach. »Es sei denn natürlich, Ihr lügt. Und wer von uns täte das nicht, wenn ihm seine Angst vorgehalten wird! Aber nachdem sich Generationen mit gutem Grund fürchteten, haben wir begonnen, über Verteidigungsanlagen nachzudenken.«

Sie hatte bereits alle Vorkehrungen getroffen und stieg jetzt die Holztreppe in den kleinen Glockenturm hinauf. Von dort blickte sie über das offene Stück des Bachs zum steil ansteigenden Ufer dahinter, das dicht mit Büschen bewachsen war und weiter zu einem Abhang anstieg, auf dem einmal ein gepflegter junger Wald gestanden hatte, der jetzt aber verwildert war. Landbewohner, die die Tagesstunden gut ausnützen müssen, um sich ihren Lebensunterhalt zu verdienen, können nicht außerdem auch noch Tag und Nacht Wache halten. Sollten sie lieber heute kommen, wenn sie überhaupt kommen wollen, dachte Schwester Magdalena, denn nun sind wir aufs äußerste entschlossen und bereit und können nichts weiter tun; wenn wir zu lange warten müssen, werden wir nur achtlos.

Ihr Blick wanderte vom gegenüberliegenden Ufer zum Bach selbst, zum tiefeingeschnittenen und felsigen Bachbett, das unter den Mauern breiter wurde und in der Furt ruhiger strömte. Und dort watete gerade John Miller vorsichtig ans Ufer. Hinter ihm wirbelte das Wasser auf, als ein anderer Mann, ein junger Bursche mit einer dichten Mähne schwarzer Locken, sich über den letzten Pfahl beugte und ihn mit kräftigen Armen und Schultern in den Grund trieb, tief unter das Ufer, wo er von Gräsern bedeckt war. Als er sich mit gerötetem Gesicht aufrichtete, erkannte sie ihn.

Sie ging nachdenklich zur Kapelle hinunter. Melicent war gerade damit beschäftigt, die wenigen wertvollen Schmuckgegenstände des Altars und des Hauses in einem Kasten zu verstauen, der mit starken Klammern und Bändern an der Wand verankert war. Es sollte den Angreifern wenigstens so schwer wie möglich gemacht werden, diese bescheidene Kirche zu plündern.

»Habt Ihr nicht hinausgesehen, um die Männer beim Arbeiten zu beobachten?« fragte Schwester Magdalena freundlich. »Wie es scheint, haben wir einen neuen Verbündeten gefunden. Der junge Waliser, den wir beide kennengelernt haben, arbeitet dort draußen mit John Miller. Er hat die Seiten gewechselt, und wie es aussieht, ist er lieber auf unserer als auf der Seite der Männer, mit denen er beim erstenmal kam.«

Melicent fuhr herum und starrte sie mit weiten, traurigen Augen an. »*Er?*« fragte sie mit spröder, leiser Stimme. »Er war Gefangener im Schloß. Wie kann er hier sein?«

»Anscheinend hat er den Kopf aus der Schlinge gezogen. Und wie seine Stiefel und Hosen aussehen, ist er auf dem Weg hierher durch einige Schlammlöcher gewatet«, entgegnete Schwester Magdalena sanftmütig. »Nach seinem schmutzigen Gesicht zu schließen, ist er auch mindestens in eines hineingefallen.«

»Aber warum ist er hergekommen? Wenn er geflohen ist... was tut er hier?« fragte Melicent gespannt.

»Wie es aussieht, bereitet er sich darauf vor, gegen seine eigenen Landsleute zu kämpfen. Und da ich bezweifle, daß er sich an mich mit genug Wärme erinnert, um aus dem Gefängnis auszubrechen und für mich zu kämpfen«, erwiderte Schwester Magdalena mit einem kleinen, wehmütigen Lächeln, »gehe ich davon aus, daß es ihm um *Eure* Sicherheit geht. Aber Ihr könnt ihn selbst fragen, wenn Ihr Euch über den Zaun lehnt.«

»Nein!« rief Melicent, wich abrupt zurück und ließ den Deckel der Kiste mit einem Knall zufallen. »Ich habe ihm nichts zu sagen.« Und sie verschränkte die Arme und umklammerte sich selbst, als wäre es kalt und als könnte ein verräterischer Teil von ihr ausbrechen und sich eilig in den Garten stehlen.

»Nun, wenn Ihr mir die Erlaubnis geben wollt«, sagte Schwester Magdalena heiter, »ich habe ihm etwas zu sagen.« Sie ging hinaus, zwischen frisch umgegrabenen Beeten und der ersten Salataussaat im umfriedeten Garten hindurch, um auf den Steinblock zu klettern, auf dem sie hoch genug stand, um über den Zaun zu blicken. Und plötzlich hatte sie Elis ap Cynan fast Nase an Nase vor sich, der sich begierig reckte, um hereinzublicken. Verschmutzt und erschöpft und verzweifelt ernst wie er war, kam er ihr so jung vor, daß sie, die nie ein Kind geboren hatte, für ihn eher großmütterliche als mütterliche Gefühle verspürte. Der Junge wich erschrocken zurück und blinzelte, als er sie erkannte. Er errötete unter dem grünlichen Schmutz, der sich ihm über Wangen und Stirn gelegt hatte, und streckte flehend eine Hand zum Zaun zwischen ihnen aus.

»Schwester, ist sie... ist Melicent da drin?«

»Das ist sie, und sie ist gesund und munter«, entgegnete Schwester Magdalena, »und mit Gottes und Eurer Hilfe und der Hilfe aller anderen unbeirrbaren Seelen, die so eifrig für uns sorgen wie Ihr, wird sie dort auch sicher sein. Ich will nicht weiter fragen, wie Ihr hergekommen seid, Junge, aber ob Ihr nun ausgebrochen seid oder nicht, Ihr seid sehr willkommen.«

»Ich wünschte bei Gott«, sagte Elis fiebrig, »daß sie in diesem Augenblick in Shrewsbury wäre.«

»Das wünschte ich auch, aber immer noch besser hier als irgendwo dazwischen. Und außerdem würde sie auch nicht von hier weggehen.«

»Weiß sie denn«, fragte er demütig, »daß ich hier bin?«

»Das weiß sie, und sie weiß auch, was Ihr wollt.«

»Will sie nicht... Könntet Ihr sie nicht bitten..., daß sie mit mir spricht?«

»Dazu ist sie nicht bereit. Aber sie denkt sich sicher ihren Teil«, meinte Schwester Magdalena aufmunternd. »Wenn ich an Eurer Stelle wäre, dann würde ich sie eine Weile in Ruhe lassen, damit sie nachdenken kann. Sie weiß, daß Ihr hier seid, um mit uns zu kämpfen – darüber kann sie nachdenken. Aber jetzt bleibt besser auf festem Boden und in Deckung. Geht und schärft die Klinge, die man Euch geben mag, und schützt Eure Haut. Diese Verwirrungen dauern nie sehr lange«, sagte sie resigniert, »aber was danach kommt, währt ein Leben lang, Eures und ihres. Nun achtet also auf Elis ap Cynan, und ich gebe acht auf Melicent.«

Hugh und seine zwanzig Männer hatten die Breidden Hills schon vor der Morgenandacht umrundet und diese gewaltigen, geduckten Erhebungen auf dem Weg nach Westbury rechts liegengelassen. In Westbury bekamen sie einige neue Pferde, doch nicht genug, um alle müden Tiere zu ersetzen. Aus diesem Grund hatte Hugh eine erträgliche Reisegeschwindigkeit eingeschlagen und legte eine Rast ein, damit Männer und Pferde Atem schöpfen könnten. Es war die erste Gelegenheit, ein Wort zu wechseln, doch nun, da sie da war, hatte kein Mann viel zu sagen. Erst wenn das Geschäft, in dem sie unterwegs waren, abgeschlossen und erledigt wäre, würden sich die Zungen wieder frei bewegen. Selbst Hugh, der sich unter den knospenden Bäumen flach auf dem Rücken liegend neben Cadfael ausruhte, fragte diesen nicht nach seinen Aufträgen in Wales.

»Ich reite mit Euch, wenn ich meine Aufgabe hier abschließen kann«, hatte Cadfael gesagt. Hugh hatte ihn nicht weiter gefragt, und er fragte auch jetzt nicht; vielleicht, weil seine Gedanken ausschließlich um das kreisten, was getan werden mußte — nämlich die Waliser von Powys nach Caus und noch weiter zurückzutreiben. Vielleicht auch, weil er diese andere Angelegenheit hauptsächlich für Cadfaels Sache hielt und bereit war zu warten, bis dieser ihm die endgültige Aufklärung geben konnte.

Cadfael lehnte den schmerzenden Rücken gegen den Stamm einer Eiche, die gerade die ersten festen Blattknospen ausbildete, bewegte die wunden Füße in den Stiefeln und spürte seine einundsechzig Jahre. Er fühlte sich um so älter, da all die bejammernswerten Geschöpfe, die in diesem Gewirr von Liebe und Schuld und Schmerz hierhin und dorthin gezogen wurden, so jung und verletzlich waren. Alle bis auf das Opfer, Gilbert Prestcote, der in hilfloser Schwäche gestorben war — und für den Hugh, weil er es mußte, Vergeltung fordern würde. Es konnte keine Milde geben, dafür war kein Raum. Hughs Herr war getötet worden, und Hugh wollte die Schuld beglichen sehen. Es war seine Pflicht, er hatte keine Wahl.

»Auf!« sagte Hugh, der schon über ihm stand und jenes abwesende, doch wohlmeinende Lächeln zeigte, das wie ein Reflex an der Oberfläche seines Bewußtseins aufblitzte, während seine ganze Sorge etwas anderem galt. »Die Augen auf! Wir reiten weiter.« Und er streckte eine Hand aus, um Cadfaels Handgelenk zu packen und ihn auf die Beine zu ziehen, so sanft und vorsichtig, daß Cadfael beinahe beleidigt war. So alt und so steif war er doch noch gar nicht! Aber er vergaß seinen kleinen Kummer, als Hugh sagte: »Ein Schafhirte aus Pontesbury hat eine Nachricht gebracht. Sie haben ihr Nachtlager abgebrochen und ziehen weiter.«

Cadfael war sofort hellwach. »Was wollt Ihr nun tun?«

»Zwischen ihnen und Shrewsbury zur Straße vorstoßen und sie zurückschlagen. Alan wird schon alarmiert sein, vielleicht treffen wir ihn unterwegs.«

»Wagen sie es etwa, die Stadt anzugreifen?« fragte Cadfael verwundert.

»Wer weiß? Sie sind von ihrem Erfolg berauscht, und sie glauben, ich sei weit entfernt. Unser Mann sagt, sie wären Minsterley ausgewichen und hätten die Männer des Nachts um den Ort herumgeführt. Anscheinend planen sie wenigstens einen Überfall auf die Vororte, auch wenn sie sich danach wieder zurückziehen. Es gefällt ihnen, Städte auszurauben, aber wir werden schneller sein. Wir reiten nach Hanwood oder in die Nähe und schneiden ihnen den Weg ab.«

Hugh machte sich einen milden Scherz daraus, Cadfael in den Sattel zu helfen, aber trotzdem gab Cadfael für die nächste Meile die Geschwindigkeit vor, denn er war etwas mürrisch, da man so mit ihm umging und ihn für einen alten Mann hielt. Mit einundsechzig war er noch nicht alt, höchstens ein wenig über die Blütejahre hinaus. Schließlich war er in den letzten paar Tagen viel und schwer geritten und hatte das Recht, steif und wund zu sein.

Hinter einer Hügelkuppe konnten sie die Straße nach Shrewsbury überblicken und sahen, schmal und träge in der Luft über einer fernen Baumgruppe, eine kleine Rauchsäule aufsteigen. »Von ihren gelöschten Lagerfeuern«, sagte Hugh, während er sein Pferd zügelte, um sich zu orientieren. »Und ich kann noch andere Brände riechen. Irgendwo in der Nähe des Waldrandes sind Scheunen in Flammen aufgegangen.«

»Älter als einen Tag, und der Qualm hat sich verzogen«, sagte Cadfael, während er in der Luft schnüffelte. »Wir sollten sie besser direkt angehen, solange wir wissen, wo sie sind, denn man kann nicht ahnen, wo sie als nächstes zuschlagen werden.«

Hugh führte seine Gruppe zur Straße hinunter und hinüber auf die andere Seite, wo sie am Saum des Waldes ausschwärmen und auf festem Waldboden schnell aber leise vordringen konnten. Sie hielten sich eine Weile in Sichtweite der Straße, ohne jedoch eine Spur von den walisischen Räubern zu sehen. Anscheinend zielte ihr augenblicklicher Vorstoß gar nicht auf die Stadt und auch nicht auf die Vororte. Hugh führte seine Streitmacht tiefer ins Waldland und hielt geradewegs auf das verlassene Nachtlager zu. Hinter dem zertrampelten Platz gab es genug Spuren für Augen, die es gewohnt waren, in Büschen und Gräsern zu lesen. Eine große Anzahl von Männern war hier zu Fuß durchgekommen, und zwar vor gar nicht so langer Zeit; sie hatten einige Ponys bei sich gehabt, die kleine Äste und knospende Zweige von den Büschen abgerissen hatten. Die aschgrauen, geschwärzten Trümmer einer Kate und der angebauten Ställe verrieten, wo das letzte Opfer Heim, Lebensgrundlage und alles, womöglich auch sein Leben, verloren hatte; auf dem Boden sah man einen getrockneten Blutfleck, wo ein Schwein geschlachtet worden war. Sie folgten rasch der Spur, die die Waliser hinterlassen hatten, denn nun waren sie sicher, wohin es ging: Der Weg führte tiefer ins nördliche Hochland des großen Waldes, und Godric's Ford war kaum zwei Meilen entfernt.

Die schändliche Niederlage, die ihnen durch Schwester Magdalena und ihre Bauernarmee beigebracht worden war, hatte tatsächlich an ihnen genagt. Die Männer aus Caus waren nicht abgeneigt, ein paar Stück Vieh wegzutreiben und unterwegs die eine oder andere Farm niederzubrennen, aber was sie vor allem wollten, was sie vor allem hierher geführt hatte, war der Wunsch nach Rache.

Hugh gab seinem Pferd die Sporen und suchte sich im Galopp einen Weg durchs offene Waldland; sein Reitertrupp folgte ihm eilig. Sie hatten etwa eine weitere Meile zurückgelegt, als sie voraus, fern und verschwommen, eine trotzig erhobene Stimme brüllen hörten.

Die Stunde des Hochamtes war schon fast gekommen, als Alan Herbard sein Aufgebot aus den Burgmauern führte. Er war im Zweifel was tun, weil er keinen klaren Hinweis darauf hatte, in welche Richtung sich die Räuber bewegen wollten; es hatte wohl wenig Sinn, ziellos an der westlichen Grenze herumzurennen, um sie dort zu jagen. Wenn er mehr wissen wollte, mußte er sich auf seinen Verstand verlassen. Als die Truppe aus der Stadt ritt, hielt sie sich also zunächst direkt nach Pontesbury, bereit, entweder nach Norden abzuschwenken, um den Räubern den Weg nach Shrewsbury abzuschneiden, oder nach Südwesten zu reiten, nach Godric's Ford — je nachdem, welche Nachrichten unterwegs von den Boten kamen, die vor Tagesanbruch ausgesandt worden waren. Die erste Meile legten sie sehr schnell zurück, bis ein atemloser Landmann aus den Büschen stürzte und sie kurz hinter dem Dörfchen Beistan aufhielt.

»Mein Herr, sie sind von der Straße abgeschwenkt. Sie sind von Pontesbury nach Osten in den Wald in Richtung Hochland gezogen. Sie haben der Stadt den Rükken gekehrt, um eine andere Beute aufzuspüren. Haltet Euch an der Gabelung nach Süden!«

»Wie viele sind es?« fragte Herbard, während er schon sein Pferd in die neue Richtung lenkte.

»Mindestens hundert. Sie halten eng zusammen und erlauben es nicht, daß Nachzügler hinterdrein schlendern. Sie rechnen wohl mit einem Kampf.«

»Den sollen sie bekommen!« versprach Herbard, führte seine Männer auf den Weg nach Süden und ritt, wo immer das Gelände einigermaßen offen war, im Galopp.

Eliud trabte in der Vorhut mit und fand selbst deren

Geschwindigkeit zu gering. Er trug den Makel eines schweren Verdachtes und der Schande, wie er es gewünscht hatte: Das Seil hing zusammengerollt an seinem Hals, so daß jeder es sehen konnte, und der Bogenschütze, der ihn niederschießen würde, wenn er zu flüchten versuchte, hielt sich dicht hinter ihm; doch er trug auch ein geborgtes Schwert an der Hüfte, hatte ein Pferd unter sich und war unterwegs. Er sorgte sich, und trotz der Kälte des Märzmorgens war ihm siedendheiß. Elis hatte wenigstens den Vorteil, schon einmal über diese Pfade geritten und in dieses Waldland vorgedrungen zu sein. Eliud war noch nie südlich von Shrewsbury gewesen, und obwohl die Schnelligkeit, mit der sie ritten, seinem ängstlichen Herzen viel zu gering erschien, konnte er nichts gewinnen, wenn er ausbrach, denn er wußte nicht genau, wo Godric's Ford lag. Der Bogenschütze, der ihm folgte, mochte ein guter Schütze sein, aber er war gewiß kein guter Reiter; sicher wäre es möglich gewesen, etwas Geschwindigkeit zuzulegen, vorzustürmen und ihm zu entkommen — aber was hätte das genützt? Die Zeit, die er damit gewann, würde er unweigerlich wieder verlieren, wenn er sich in diesem Wald verlief. Er hatte keine Wahl, als sich von den anderen führen zu lassen, zumindest nahe genug, um die Richtung mit Auge oder Ohr zu finden. Es würde schon Anzeichen geben. Er lauschte beim Reiten angestrengt auf jedes verräterische Geräusch, aber da war nichts zu hören außer dem Rauschen und Knacken der abgestreiften Äste, dem Donnern der Hufe auf dem tiefen Boden und hin und wieder dem einsamen Ruf eines Vogels, der ungestört von dieser Invasion verblüffend laut klang.

Es konnte nicht mehr weit sein. Sie ritten jetzt über ansteigende Heide, die danach wieder zu dichtem Waldland und feuchtem Morast absank. Elis mußte den ganzen Weg in der Nacht zu Fuß gerannt sein, er mußte durch diese Löcher mit dem stehenden grünen Wasser geplatscht sein und sich die plötzlichen Anstiege voller

Heide und Buschwerk und einzelner Felsen hinaufge-
quält haben.

Mitten auf der Heide zügelte Herbard plötzlich sein
Pferd und gebot den Männern Schweigen. »Hört! Da
vorn zu unserer Rechten — da ziehen Männer.«

Sie strengten ihre Ohren an und hielten den Atem an.
Es war nur ein leises, beständiges Raunen von Geräu-
schen, zusammengesetzt aus dem Rauschen von Zwei-
gen, dem Rascheln der Blätter des letzten Herbstes unter
vielen Füßen, dem Knacken eines toten Astes, einem
kurzen und leisen Wortwechsel, einem schrillen und
empörten Vogelschrei. Deutliche Anzeichen dafür, daß
sich eine große Gruppe von Männern fast geräuschlos
und ohne Hast durch den Wald bewegte.

»Jenseits des Baches und ganz nahe an der Furt«, sagte Herbard scharf. Und er schüttelte den Zügel, gab dem
Pferd die Sporen und stürmte, die Männer dicht auf seinen Fersen, voran. Vor ihnen öffnete sich ein schmaler
Reitweg zwischen hohen Bäumen, eine lange Allee, an
deren fernem Ende sie flache, verwitterte, dunkelbraune
Holzbauten erkannten und dahinter zwischen den Bäumen, ein Flechtwerk aus Tageslicht, wo der Einschnitt
des Baches ihren Weg kreuzte.

Sie hatten den Reitweg halb durchmessen, als das bro-
delnde Gemurmel aufgeregter Männer, die aus ihrer
Deckung brachen, am unsichtbaren Wasserlauf aufbran-
dete; dann erhob sich eine einzige Stimme laut über die
Geräusche und ließ eine trotzige Herausforderung er-
schallen. Und noch seltsamer war der Augenblick absoluter Stille nach dem Schrei.

Herbard hatte die Herausforderung nicht verstanden.
Eliud aber desto besser. Denn es waren walisische Worte, und die Stimme gehörte Elis, der sich in einem von
Verzweiflung geschärften Ton an seine Landsleute
wandte: »Bleibt stehen und macht kehrt! Schande über
Eure Väter, daß Ihr Euch die Zähne an frommen Frauen
wetzen wollt! Geht zurück, dorthin, wo ihr hergekom-

men seid, und sucht Euch einen Gegner, der Euch zur Ehre gereicht!« Und noch überheblicher und anmaßender fuhr er fort: »Den ersten Mann, der den Fuß auf dieses Ufer setzt, werde ich mit dieser Pike aufspießen, denn ob Waliser oder nicht, er ist nicht mein Landsmann.«

Und das rief er einer Kriegertruppe zu, die gut ausgerüstet war und nach Blut gierte!

»Elis!« rief Eliud zornig und entsetzt und beugte sich über den Hals des Pferdes vor. Er gab ihm die Sporen und klatschte wild mit dem Zügel. Der Bogenschütze hinter ihm befahl ihm anzuhalten, er hörte und spürte das Vibrieren des Pfeilschaftes, der an seiner rechten Schulter vorbeifuhr und ein Stück Tuch wegriß, doch kümmerte er sich nicht darum, sondern stürmte wildentschlossen weiter, den steilen grünen Reitweg hinunter zum Bachufer hin.

Sie waren durch die dichtere Deckung ein Stück stromab gekommen, um sich dem Hof und der Furt zu nähern, ohne entdeckt zu werden, und um den Verteidigern, die womöglich an der Mühle, wo Bogenschützen ein gutes Schußfeld hatten, aufgestellt worden waren, kein Ziel zu bieten. Die kleine Brücke war noch nicht repariert, aber da der Fluß nach dem Winterhochwasser so weit gefallen war, brauchten sie auch keine Brücke. Man konnte an zwei oder drei Stellen das Wasser von Stein zu Stein überspringen, aber die Angreifer bevorzugten die Furt, weil dort viele Männer gleichzeitig Schulter an Schulter den Fluß überqueren und einen Wald von Lanzen auf das andere Ufer bringen konnten. Die Bogenschützen der Waldleute lagen in Gräsern und Büschen am Ufer verteilt, aber eine solche Flut von Speeren mit genug Männern und Wucht dahinter konnte durchbrechen und binnen Sekunden an ihnen vorbei in den Hof stürmen.

Sie täuschten sich, wenn sie glaubten, die Waldleute

hätten ihren Aufmarsch nicht bemerkt, aber als die Angreifer sich leise einen Weg durch die Bäume suchten, um sich am Ufer für die Überquerung zu sammeln, war nichts von den Verteidigern zu sehen gewesen. Etwa zwanzig Bauern, Waldleute und Holzhacker von verschiedenen Anwesen aus dem Wald lagen gegen mehr als hundert Waliser in Deckung, und jeder der zwanzig spannte sich an und wußte nur allzu gut, welch großer Bedrohung er entgegensah. Sie wußten, wie man sich still verhielt, bis der richtige Augenblick gekommen war. Doch als die Angreifer in den Bäumen auf ein Signal hin sich plötzlich zusammenschlossen, um am Rande der Furt ins Freie zu stürzen, erhob sich auf der anderen Seite ein Mann aus dem Gebüsch und stellte sich auf die grasbewachsenen Uferkante. Er schwenkte eine lange Pike mit zwei Spitzen, die an einer sechs Fuß langen Stange befestigt war, in Brusthöhe über die Furt.

Das reichte aus, um sie vor schierer Überraschung einen Augenblick aufzuhalten, doch was sie mitten im Schritt wirklich innehalten und einen Schritt zurückweichen ließ, war die empörte Stimme, die sie auf Walisisch anbrüllte: »Bleibt stehen und macht kehrt! Schande über Eure Väter, daß Ihr Euch die Zähne an frommen Frauen wetzen wollt.«

Und der Mann war noch nicht fertig, er verfügte über noch mehr Worte, die unablässig über seine beflügelte Zunge strömten – vielleicht hatte er nur Angst, eine Pause zu machen, oder sie kamen mit solcher Gewalt, daß er unfähig war, innezuhalten. »Feiglinge aus Powys, habt Ihr etwa Angst, nach Norden zu ziehen und Euch mit Männern anzulegen? Man wird in Gwynedd von diesem Eurem edlen Wagnis singen – wie Ihr über einen Bach gesprungen seid und Euch gegen Frauen als Helden erwiesen habt, die älter sind als Eure Mütter und unendlich viel ehrbarer. Selbst Eure Schlampen von Müttern werden Euch dafür enterben. Ihr und Eure Bastarde von Abkömmlingen sollt ewig geschmäht werden in den Liedern, die von Euren Schandtaten berichten werden...«

Die Angreifer begannen erstaunt einander anzustoßen, sie runzelten finster die Stirn und grinsten verlegen. Immer noch hielten sich die in den Büschen versteckten Bogenschützen zurück und warteten aufmerksam, die Pfeile schon angelegt und die Bogen teilweise gespannt, den richtigen Augenblick ab, um den Pfeil fliegen zu lassen. Warum sollten sie Pfeile verschwenden oder Klingen stumpf schlagen, wenn dieses Unheil durch ein Wunder aufgelöst werden konnte und die Feinde sich zurückzogen?

»Bist *du* es?« rief schließlich ein Waliser verächtlich. »Cynans kleiner Junge, den wir wasserspuckend zurückließen und den die Nonnen leerpumpten? Ausgerechnet der will uns aufhalten! Ein Speichellecker der Engländer!«

»Ein Gegner für dich und für bessere«, fauchte Elis zurück und schwenkte die Pike in Richtung der Stimme. »Und jedenfalls mit Ehre genug im Leibe, um die Schwestern hier in Frieden zu lassen und ihnen dankbar zu sein für ein Leben, das so leicht hätte im Strom beendet werden können. Und für alles andere, was sie mir Gutes getan haben. Was wollt Ihr hier? Was gibt es hier zu plündern, hier unter den armen Leuten? Und, um Himmels willen und beim Namen Eurer walisischen Väter, welchen Ruhm gibt es hier zu erwerben?«

Er hatte alles getan, was er tun konnte, und vielleicht ein paar Minuten herausgeschunden, aber mehr vermochte er nicht. Es reichte nicht, das wußte er. Er sah sogar den Bogenschützen auf der anderen Seite des Baches am Waldrand, der ohne Eile den Pfeil einlegte und ihn gleichmütig und ruhig aufs Korn nahm. Er sah es aus dem Augenwinkel, während er sich den gegen ihn gerichteten Lanzen entgegenstellte, aber er konnte nichts tun, um den Pfeil abzuwehren oder um ihm auszuweichen, er mußte stehenbleiben und Widerstand leisten, solange er konnte, ohne einen Fuß zu rühren oder das Auge abzuwenden.

Da hörte er hinter sich Hufe trommeln und jemand schwang sich mit einem gewaltigen Sprung schluchzend aus dem Sattel und rannte am Ufer über dem Wasser entlang, wo jetzt die Bogenschützen der Waldleute die Sehnen spannten und die ersten Pfeile abschossen. Der Bogenschütze auf der anderen Seite hatte sein Ziel gefunden und hielt voll auf Elis Brust. Waliser aus Powys waren es, die jetzt ungerührt Waliser aus Gwynedd niederschossen. Eliud stieß einen zornigen und trotzigen Schrei aus, warf sich dazwischen, umklammerte Elis Brust an Brust und deckte ihn mit dem eigenen Körper; sein Schwung riß sie beide halb um und ließ sie einen Schritt zurücktaumeln, bis sie an eine Ecke des Gartenzaunes der Schwestern prallten. Elis wurde die Pike aus der Hand gerissen, sie klatschte in den Strom, daß das Wasser spritzte. Der Pfeil des Walisers steckte unter Eliuds rechtem Schulterblatt, er hatte seinen Körper durchdrungen, war im Fleisch von Elis Oberarm steckengeblieben und nagelte die beiden untrennbar zusammen. Sie rutschten, die Arme umeinandergelegt, am Zaun herunter und blieben im Gras liegen. Ihr Blut vermischte sich und vereinte sie, enger noch als jede Bruderschaft.

Und dann kamen die Waliser auf das andere Ufer herüber. Einige strauchelten zwar in den Fallgruben der Furt oder rissen sich an den Pfählen im Schilf die Haut auf, doch die meisten trampelten über die beiden gestürzten Körper hinweg, und die Schlacht auf den Ufern des Baches begann.

Fast im gleichen Augenblick ließ Alan Herbard seine Männer auf dem östlichen Ufer ausschwärmen und watete dem Kampf entgegen, während Hugh Beringar am westlichen Ufer durch die Bäume herankam und die walisischen Posten in die aufgewühlte, schlammige Furt trieb.

Es war wie ein Hammer auf dem Amboß, und sie selbst waren dazwischen eingeklemmt, die demoralisierten Waliser aus Powys. Die Schlacht um Godric's Ford dauerte nicht lange. Der Lärm und die Wut waren größer als der angerichtete Schaden, wenn man erst die Muße fand, ihn einzuschätzen. Die Waliser standen am Ufer, als der Feind von beiden Seiten zuschlug, und mußten heftig und erbittert kämpfen, um sich aus der Falle zu befreien und Mann um Mann in der Deckung zu verschwinden wie die kleinen Raubtiere des Waldes. Als Beringar die Nachhut der Räuber aufgerieben hatte, trieb er die Männer wie Schafe vor sich her, doch sobald sie flohen, untersagte er unnötiges Töten. Alan Herbard, der jünger und weniger erfahren war, knirschte mit den Zähnen und stieß mit voller Wucht nach, fest entschlossen, bei seinem ersten Kommando einen großen Sieg zu erringen; so ließ er vielleicht aus reiner Angst mehr Männer töten, als nötig gewesen wäre.

Doch wie dem auch war in einer halben Stunde war alles vorbei.

Bruder Cadfaels deutlichste Erinnerung in all dem Durcheinander war die Erscheinung eines großgewachsenen Mädchens, das über den Zaun des Hofes herüberblickte, die Haube vom Kopf gerissen und das schöne Haar im plötzlichen Sonnenlicht silbern glänzend. Sie stieß einen langen und trotzigen Schrei aus, als sie sich einer gierigen walisischen Hand entzog, die nach ihr griff, und sich neben den geprellten und blutenden Körpern von Elis und Eliud, die immer noch in verkrampfter Umarmung am blutverschmierten Zaun lehnten, auf die Knie warf.

14

Es war vollbracht, sie waren fort und verschwanden schnell und still. Nur noch das Rascheln der Büsche am Ufer war zu hören; sie flohen zu einer Stelle, wo sie ungesehen und unverfolgt den Bach überqueren konnten. Auf der anderen Seite ließen die Geräusche ihrer Flucht dann langsam nach, als die Männer in den Tiefen des Waldes verschwanden, wo sie sich verstreuen und unsichtbar machen konnten. Hugh hatte es nicht eilig; er ließ sie ihre Verletzten aufheben und mit sich fortschleppen, einige mochten auch schon tot sein. Auch bei den Verteidigern hatte es einige Schnitte und Kratzer und Wunden gegeben, und so sollten die Waliser ihre Gefährten selbst versorgen oder begraben. Aber er schickte seine Männer und etwa ein Dutzend Krieger aus Herbards Truppe wie Treiber aus, um die Waliser methodisch in ihr eigenes Land zurückzuscheuchen. Er hatte nicht die Absicht, mit Madog ap Meredith eine erbitterte Blutfehde vom Zaun zu brechen und hoffte, daß diese Lektion verstanden worden war.

Die Verteidiger des Hofes kamen aus ihren Verstecken, die Nonnen verließen die Kapelle, und alle waren ein wenig benommen, ebenso von der plötzlichen Stille wie von der Gewalt, die sie vorher erlebt hatten. Die, die nicht verletzt worden waren, legten Bogen und Mistgabeln und Äxte weg und kamen denen zu Hilfe, die verwundet waren. Bruder Cadfael kehrte der verschlammten Furt und den blutigen Pfählen den Rücken und kniete sich neben Melicent ins Gras.

»Ich war im Glockenturm«, sagte sie mit einem heiseren Flüstern. »Ich sah, wie edelmütig er kämpfen wollte... er für uns und sein Freund für ihn. Sie werden überleben, sie *müssen* leben... alle beide, wir dürfen sie nicht verlieren. Sagt mir, was ich tun soll.«

Sie hatte sich gut gehalten, keine Tränen, kein Zittern, kein weiterer Aufschrei nach jenem ersten. Vorsichtig hatte sie einen Arm um Elis Schultern gelegt, um ihn aufzurichten und zu verhindern, daß die beiden umstürzten und den Pfeil, der sie zusammengenagelt hatte, noch tiefer hineindrückten. Das linderte zumindest die Schmerzen und verringerte die Gefahr, daß die Verletzungen schlimmer wurden. Auch hatte sie ihre Leinenhaube unter Elis Arm um den Pfeilschaft gewickelt, um so gut wie möglich die Blutung zu stillen.

»Die Spitze ist glatt durchgeschlagen«, sagte sie. »Wenn Ihr den Schaft erreichen könnt...«

Schwester Magdalena stand jetzt an Cadfaels Seite, entschlossen und praktisch wie immer, doch nachdem sie einen verstohlenen Blick auf Melicents gespanntes und resolutes Gesicht geworfen hatte, überließ sie dem Mädchen den Platz und ging sanftmütig davon, um anderen zu helfen. Es wäre dumm, Melicent oder die beiden jungen Männer, die sie mit den Armen und einem hochgestellten Knie stützte, zu stören, wo doch jede Bewegung die Schmerzen nur verschlimmern konnte. Statt dessen rannte sie ins Haus, um eine kleine Säge und das schärfste Messer zu suchen und genug Leinen, um den ersten Blutschwall aufzuhalten, wenn der Schaft herausgezogen wurde. Melicent hielt dann Elis und Eliud, während Cadfael sich zum Pfeilschaft vortastete und das Holz tief einsägte, um die Spitze danach mit einer raschen Bewegung abzubrechen. Sie war trotz ihres Weges durch Fleisch und Knochen kaum verformt, und er ließ sie ins Gras fallen.

»Legt sie jetzt nieder — so! Laßt sie einen Moment liegen.« Der feste, mit Gras gepolsterte Abhang nahm das Gewicht sanft auf, als Melicent ihre Last senkte. »Gut gemacht«, sagte Cadfael. Sie hatte die blutverschmierte Haube zusammengeknüllt und drückte sie unter die Wunde, während sie zurückwich und ihren verkrampften und schmerzenden Arm löste. »Und nun ruht auch Ihr. Bei dem einen hier ist nur das Fleisch des Armes getroffen, und er hat eine Menge Blut verloren, aber sein

Körper ist gesund und sein Leben sicher. Der andere — da gibt es keinen Irrtum, er ist schwer verletzt.«

»Ich weiß«, sagte sie und starrte zu den beiden hinunter, die sich immer noch eng umarmten. »Er hat ihn mit dem eigenen Leib geschützt«, sagte sie leise und bewundernd. »So sehr liebte er ihn!«

Und so sehr liebt *sie* ihn, dachte Cadfael, daß sie auf ganz ähnliche Weise aus der Deckung gestürmt war und trotzig und zornig geschrien hatte. Um den Mörder ihres Vaters zu verteidigen? Oder glaubte sie das schon lange nicht mehr, egal, welch drückende Beweise gegen Elis sprachen? Vielleicht hatte sie auch ganz einfach alles andere vergessen, als sie Elis so mutig am Ufer stehen sah. Alles bis auf die drohende Gefahr und ihre Angst um ihn.

Es war nicht nötig, daß sie das, was jetzt kam, noch weiter miterleben mußte. »Geht und holt mir meinen Ranzen vom Sattel da drüben«, sagte Cadfael, »und bringt mir noch mehr Tuch, damit wir die Wunden der beiden abdecken und verbinden können; wir brauchen viel Verbandszeug.«

Sie blieb lange genug aus, damit er den Pfeilschaft fest packen und schnell und kraftvoll aus der Wunde ziehen konnte, während er eine Hand gegen Eliuds Rücken stemmte. Trotz Cadfaels Vorsicht stieß Eliud einen scharfen, schmerzerfüllten Schrei aus. Der Blutschwall, der darauf folgte, ließ rasch nach. Es war eine saubere, glatte Wunde, und gesundes Fleisch schließt sich rasch über Rissen; aber man konnte nicht sicher sagen, welcher Schaden im Innern des Körpers angerichtet worden war. Cadfael hob Eliud vorsichtig zur Seite, damit die beiden besser atmen konnten. Ihre ineinander verflochtenen Arme gaben nur widerstrebend nach. Er drückte ein sauberes Tuch auf die Wunde Eliuds und legte ihn vorsichtig auf den Rücken. Melicent kam mit den Dingen zurück, um die er gebeten hatte; wild und verschmutzt sah sie aus, mit bleichem, entschlossenem Gesicht. An ihren Händen und Handgelenken klebte getrocknetes Blut, ihre Tracht war am Saum und am Knie hart und krustig und ihre Haube lag, ein gefleckter roter Ball, im Gras. Es spielte keine Rolle. Sie würde niemals diese oder irgendeine andere Haube mehr tragen.

»Wir schaffen die beiden am besten hinein, wo ich sie ausziehen und die Wunden richtig reinigen kann«, sagte Cadfael, als er sicher war, daß die heftigste Blutung gestillt war. »Geht und fragt Schwester Magdalena, wohin wir sie legen können, und ich suche unterdessen ein paar kräftige Männer, die mir beim Tragen helfen.«

Schwester Magdalena hatte mehrere Zellen in der Klause räumen lassen, und nun, da Furcht und Kampf vorbei waren, hielten sich Mutter Mariana und die Nonnen des Hauses bereit, um alles Nötige herbeizuholen, um Wasser aufzuwärmen und kleinere Verletzungen zu verbinden. Man trug Elis und Eliud ins Haus und legte sie in benachbarte Zellen, denn wenn man die beiden Liegen nebeneinandergestellt hätte, wäre für Cadfael und seine Helfer zu wenig Platz geblieben, um sich frei zu bewegen. Dies galt um so mehr, als auch John Miller, der die Schlacht ohne Kratzer überstanden hatte, zu den Helfern zählte. Der sanfte Riese konnte nicht nur kräftige junge Männer wie Kinder hochheben, er hatte auch bei Verletzungen eine zupackende, sichere Hand.

Sie kleideten Eliud zu zweit aus, indem sie die Kleider aufschnitten, um ihm schlimmere Schmerzen zu ersparen. Dann wuschen und versorgten sie die Wunden auf Rücken und Brust und legten ihn mit gepolstertem und ruhiggestelltem rechtem Arm auf die Liege. Beim Vorsturm der Waliser ans Ufer war er niedergetrampelt worden, und nun zeichneten sich überall schwarze Blutergüsse ab, doch hatten die trampelnden Füße anscheinend keine Knochen gebrochen. Die Pfeilspitze war auf der rechten Brustseite unterhalb der Schulter wieder ausgetreten und hatte dann Elis Oberarm durchbohrt.

Cadfael überlegte, welche Organe der Pfeil verletzt haben könnte und schüttelte angesichts der Chancen von Leben oder Tod zweifelnd, aber nicht ganz hoffnungslos den Kopf. Er würde bei Eliud bleiben und den ganzen Abend bei ihm sitzen — wenn nötig auch die Nacht —, um die Rückkehr von Bewußtsein und Verstand abzuwarten. Ob der Junge nun lebte oder starb, es gab Dinge, die sie einander zu sagen hatten.

Elis war ein anderes Kapitel. Er würde überleben, sein Arm würde heilen, seine Ehre würde gerettet und sein Name von jedem Makel rein sein, und soweit Cadfael sehen konnte, gab es keinen Grund dafür, daß er Melicent nicht bekommen sollte. Kein Vater, der es ihm verweigern konnte, kein Oberherr, der ein Vorrecht auf das Mädchen besaß, und Lady Prestcote würde gewiß nicht im Wege stehen. Und wenn Melicent schon an seine Seite geeilt war, bevor der Schatten von ihm genommen war, wieviel freudiger würde sie ihn dann akzeptieren, wenn er wieder von Kopf bis Fuß in Sonnenlicht getaucht wäre. Ein glücklicher junger Mann also mit keinen schlimmeren Sorgen als einem verletzten Arm, einer kleinen Schwäche durch den Blutverlust, einem verstauchten Knie, das bei unbedachten Bewegungen schmerzte, und einer Rippe, die unter trampelnden Füßen gebrochen war. Diese Blessuren mochten ihn eine Weile am Reiten hindern, aber es waren kleine Kümmernisse. Er öffnete gerade die benommenen dunklen Augen und blickte überrascht in ein bleiches, schönes Gesicht, das dicht über seines gebeugt war. Und er hörte eine Stimme, an die er sich so gut erinnerte, die einst hart und kalt wie Eis gewesen war, die nun aber weiche und zärtliche Worte sprach: »Elis... still, lieg still! Ich bin hier, und ich werde dich nicht wieder verlassen.«

Es dauerte noch länger als eine Stunde, bis auch Eliud die Augen öffnete. Sein Blick war fiebrig und seine Augen funkelten grünlich im Licht der Lampe neben dem

Bett, denn in der Zelle war es sehr dunkel. Er schien so verzweifelt, daß Cadfael ihn mit einem Schluck Mohnsirup beruhigte. Die tiefen Linien des Schmerzes glätteten sich langsam in seinem schmalen, angespannten Gesicht, und die Augenlider schlossen sich über dem verzweifelten Glanz. Einem Menschen, der an Seele und Körper so verletzt war, durfte man keinen weiteren Schmerz zufügen. Seine Zeit würde kommen, wenn er wieder soweit bei sich war, daß er das Gewand seiner eigenen Würde um sich legen konnte.

Andere kamen herein, um ihn einen Augenblick zu betrachten und um still wieder zu gehen. Schwester Magdalena brachte Cadfael Essen und Dünnbier und blieb eine Weile stehen, um das flache, schmerzvolle Heben und Senken von Eliuds Brust und das nervöse Flattern der Nasenflügel bei jedem pfeifenden Atemzug zu beobachten. Die Rekruten ihrer Freiwilligenarmee gingen wieder ihren eigenen Geschäften nach, alle Wunden waren versorgt, die Pfähle aus der Furt genommen, das Bachbett wieder glatt geharkt, das Tagewerk war vollbracht. Wenn sie müde war, dann ließ sie es nicht erkennen. Morgen war eine ganze Reihe von Verletzten zu besuchen, doch es hatte nur wenige Schwerverletzte und keine Toten gegeben. Noch nicht! Es sei denn, dieser Junge entglitt ihrer Fürsorge.

Hugh kam gegen Abend zurück und suchte Cadfael in der stillen Zelle auf. »Ich breche jetzt wieder in die Stadt auf«, flüsterte er in Cadfaels Ohr. »Wir haben sie mehr als den halben Weg nach Hause gescheucht, von denen werdet Ihr nichts mehr sehen. Bleibt Ihr hier?«

Cadfael nickte zum Bett hin.

»Ja — eine Schande ist es! Ich lasse Euch ein paar Männer da, über die Ihr nach Belieben verfügen könnt. Und danach«, sagte Hugh grimmig, »werden wir sie aus Caus vertreiben. Sie sollen wissen, daß es noch einen Sheriff in der Grafschaft gibt.« Er drehte sich zum Bett herum und betrachtete düster den Schläfer. »Ich habe gesehen, was er tat. Ja, es ist eine Schande...«

Eliuds verschmutzte und zerfetzte Kleidung war entfernt worden; er hatte nun nichts mehr als den Körper, mit dem er in diese Welt geboren worden war. Das Seil, das er um den Hals getragen hatte, hing zusammengerollt an der Wandklammer, die die Lampe hielt. »Was ist das?« fragte Hugh, als sein Blick darauf fiel, und verstand dann sofort. »Ah! Alan hat es mir erzählt. Ich will es fortnehmen; soll er es als Zeichen auffassen. Wir werden es nicht brauchen. Sagt es ihm, wenn er aufwacht.«

»Ich bete zu Gott!« sagte Cadfael so leise, daß Hugh es nicht mehr hörte.

Melicent kam aus der Zelle, in der Elis lag. Er hatte Schmerzen und war doch übervoll von unerwartetem Glück. Sie sollte auf seinen Wunsch hin nach Eliud sehen und fand Cadfael vor, wie er an die Wand gelehnt döste. Stumm segnete sie Eliuds reglosen Körper und bückte sich plötzlich, um seine Stirn und die eingefallenen Wangen zu küssen, bevor sie sich schweigend zu ihrer eigenen Nachtwache davonstahl.

Bruder Cadfael öffnete nachdenklich ein Auge und sah zu, wie sie leise die Tür schloß. Er fand keinen Trost, aber er hoffte von ganzem Herzen und betete, daß Gott mit ihm wachte.

Im ersten bleichen Licht vor der Dämmerung regte Eliud sich und zitterte. Seine Augenlider begannen gequält zu flattern, als müßte er schwer darum kämpfen, sie zu öffnen und sich dem Tag zu stellen, besäße aber noch nicht die nötige Kraft. Cadfael zog seinen Hocker näher und beugte sich vor, um die faltige Stirn und die zitternden Lippen abzuwischen, während er den Wasserkrug im Auge behielt, der bereitstand, falls der gequälte Körper eine Erfrischung brauchte. Eliud schlug die Augen weit auf, starrte die hölzerne Decke der Zelle an und durch sie hindurch und bemerkte seine Umgebung erst wieder, als Cadfael sich, zum Sprechen bereit, über ihn beugte und die Verzweiflung in den haselnußbraunen Augen entdeckte, hinter denen etwas heranreifte, das unbedingt ausgesprochen werden mußte.

»Ich habe meinen Tod gefunden«, flüsterte die hauchdünne Stimme, die Eliuds trockenen Lippen entfloh. »Holt mir einen Priester. Ich habe gesündigt − ich muß all jene erlösen, die an Zweifeln leiden.«

Nicht seine eigene Erlösung kam an erster Stelle, sondern die all jener, die unter einer schweren Last litten.

Cadfael beugte sich näher über ihn. Eliud hatte ihn noch immer nicht erkannt. Doch nun richteten sich seine Augen auf ihn und blickten ihn verwundert an. »Ihr seid der Bruder, der nach Tregeiriog kam. Waliser?« Ein sorgenvolles Lächeln glättete sein verzweifeltes Gesicht. »Ich erinnere mich. Ihr habt Nachrichten von ihm gebracht... Bruder, ich schmecke den Tod im Munde, ob er mich nun aus diesem Kummer erlöst oder mich noch Schlimmerem ausliefert... eine Schuld. Ich habe mich verpflichtet...« Er versuchte einen Augenblick, die rechte Hand zu heben, doch gab er den Versuch mit einem keuchenden Atemzug des Schmerzes wieder auf und benutzte die Linke, um den Hals abzutasten, wo das zusammengerollte Seil liegen sollte. Cadfael legte ihm eine Hand aufs erhobene Handgelenk und drückte den Arm auf die Bettdecke zurück.

»Still, bleibt ruhig! Ich wache über Euch, und es gibt keinen Grund zur Eile. Ruht aus, denkt nach und fragt mich, was Ihr wollt, und bittet mich um alles, was Ihr braucht. Ich bin da, und ich werde Euch nicht verlassen.«

Der junge Mann glaubte ihm. Der schlanke Körper unter den Tüchern schien nach einem langen Seufzer zu erschlaffen. Ein kleines Schweigen folgte. Die nußbraunen Augen ruhten vertrauensvoll und bekümmert, doch ohne Anst auf ihm. Cadfael bot ihm einen Schluck mit

Honig gesüßten Wein an, doch Eliud wandte den Kopf ab. »Ich will beichten«, sagte er schwach, aber deutlich. »Ich will meine Todsünde beichten. Hört mich an!«

»Ich bin kein Priester«, sagte Cadfael. »Wartet, es soll einer gerufen werden.«

»Ich kann nicht warten. Weiß ich, wieviel Zeit mir bleibt? Wenn ich überlebe«, sagte er einfach, »dann werde ich es immer und immer wieder sagen – solange es nötig ist –, denn ich bin fertig mit der Heimlichtuerei.«

Keiner der beiden hatte bemerkt, wie sich die Tür der Zelle langsam öffnete. Sie wurde zögernd und vorsichtig aufgeschoben wie von jemand, der sich über Stimmen in der Morgendämmerung sorgt und einerseits niemand stören will, der vertraulich redet, andererseits aber nicht jene vernachlässigen möchte, die Hilfe brauchen. Melicent kam herein, als würde sie von einer himmlischen Inspiration geführt, demütig und bereit, zu dienen. Sie hatte das blutige Gewand abgelegt und trug ein einfaches Wollkleid. Schweigend und wie gebannt stand sie da, weil die Stimme des Kranken so drängend und beunruhigt klang.

»Ich habe getötet«, sagte Eliud deutlich. »Gott weiß, daß ich es bereue! Ich bin mit dem Sheriff geritten, habe ihn umsorgt, sah ihn stürzen... Wußte, daß Elis frei sein würde, wenn Prestcote lebend heimkäme..., und daß Elis dann Cristina heiraten konnte...« Ein Schauder durchlief ihn von Kopf bis Fuß und ein schmerzvolles Stöhnen entrang sich ihm. »Cristina... ich habe sie schon immer geliebt... seit wir Kinder waren. Aber ich habe niemals, niemals darüber gesprochen... Sie war ihm schon versprochen, bevor ich sie kennenlernte, von der Wiege an. Wie konnte ich berühren, wie konnte ich begehren, was ihm gehörte?«

»Sie liebt Euch auch«, sagte Cadfael, um ihm weiterzuhelfen. »Sie ließ es Euch wissen...«

»Ich wollte nicht zuhören, ich wagte es nicht, ich hatte kein Recht... Und trotzdem war sie so liebreizend, ich konnte es nicht ertragen. Und als die Männer ohne Elis zurückkamen und wir glaubten, daß wir ihn verloren hätten... o Gott, könnt Ihr Euch meine Sorge vorstellen, als ich um seine sichere Rückkehr betete und ihm gleichzeitig den Tod wünschte? Denn trotzdem liebte ich ihn, und ich konnte endlich ohne Ehrverlust aufrichtig für meine Liebe eintreten... und dann – Ihr wißt es, Ihr selbst überbrachtet die Nachricht. Und ich wurde hergeschickt, mein Mund verschlossen, wo er doch so voller Worte war... und die ganze Zeit kamen mir Gedanken, die ich nicht verdrängen konnte, nämlich daß der alte Mann so krank war, so hinfällig, und wenn er starb, dann gab es keinen Austausch gegen Elis... wenn er starb, dann konnte ich zurückkehren und Elis mußte bleiben... und nach einer Weile würde ich sprechen können... ich brauchte nur etwas Zeit, nun, da ich entschlossen war. Und am letzten Tag, als sein Pferd strauchelte... ich tat alles, was ich konnte, ich hielt den Mann am Leben, und die ganze Zeit, die ganze Zeit tobte es in mir: Laß ihn sterben! Doch wir brachten ihn lebend heim...«

Er lag eine Minute still und schöpfte Atem. Cadfael wischte ihm die Mundwinkel ab, die vor Erschöpfung zitterten. »Ruht Euch etwas aus. Ihr überfordert Euch.«

»Nein, laßt es mich vollenden. Elis... ich liebte ihn, aber Cristina liebte ich mehr. Und er hätte sie geheiratet und wäre zufrieden gewesen, aber sie... er wußte nichts von dem Feuer, das wir spürten. Jetzt weiß er davon. Ich wollte nicht, daß er es erfuhr... was ich tat, war nicht geplant. Ich erinnerte mich an den Mantel des Herrn Einon und ging, um ihn zu holen. Ich hatte seine Satteldecke über den Arm gelegt...« Er schloß die Augen, als die Erinnerung allzu deutlich wurde, und unter den gequälten Lidern quollen Tränen hervor und rannen die Wangen herab. »Er war so still, er atmete kaum – als wäre er schon tot. Und in einer Stunde würde Elis nach Hause aufbrechen, und ich würde an seiner Stelle zurückbleiben. Ein so kurzer Schritt war es! Ich wünsche bei Gott, ich hätte mir lieber die Hände abgeschnitten, als das zu tun, was ich dann tat. Ich hielt ihm das Satteltuch über das Gesicht. Ich habe in jedem wachen Augenblick gewünscht, ich hätte es nicht getan«, flüsterte Eliud, »aber etwas ungeschehen zu machen ist nicht so leicht, wie etwas zu tun. Sobald ich das Ausmaß meiner Missetat begriff, riß ich die Hände fort, aber er war tot. Und ich hatte schreckliche Angst und ließ das Tuch liegen, denn wenn ich es genommen hätte, dann wäre bekanntgeworden, daß ich dort gewesen war. Es war zu dieser Stunde still, niemand sah mich kommen oder gehen.«

Abermals wartete er und sammelte mit einer schrecklichen, ernsten Geduld seine Kräfte, um auch das Ende zu berichten. »Und das alles für nichts und wieder nichts! Ich wurde für nichts zum Mörder. Denn Elis kam zu mir und erzählte mir, wie sehr er des Herrn Gilberts Tochter liebte, weshalb er sich aus seiner Bindung mit Cristina befreien wolle, und er wollte das ebenso dringend wie sie und ich. Und er wollte sich ihrem Vater vorstellen... ich versuchte ihn aufzuhalten... es mußte jemand hingehen und den Toten finden und es herausschreien, aber nicht Elis, nein, nicht Elis! Aber er wollte gehen. Und selbst da dachte man, der Herr Gilbert lebte noch und schliefe nur. So mußte ich später den Mantel holen, wenn noch niemand seinen Tod bemerkt hatte — aber nicht allein... ein Zeuge mußte da sein, mit dem ich die Entdeckung machen wollte. Ich dachte immer noch, Elis sollte festgehalten werden, während man mich nach Hause schickte. Er wollte auch bleiben, und ich wollte gehen... Ein Teufel hat diesen Knoten geknüpft«, seufzte Eliud, »und ich habe es verdient. Alle leiden wir jetzt meinetwegen. Und Ihr, Bruder, ich habe Euch Unrecht getan...«

»Indem Ihr mich zum Zeugen wähltet?« fragte Cadfael sanft. »Und trotzdem mußtet Ihr den Schemel umwerfen, damit ich genauer hinsah. Euer Teufel hatte Euch immer noch in der Hand, denn hättet Ihr einen anderen gewählt, dann wäre nie von Mord die Rede gewesen und Ihr zwei wäret nie festgehalten worden.«

»Da war es mein Engel, nicht mein Teufel. Denn ich bin froh, nun alle Lügen aufgedeckt zu haben und als das erkannt zu werden, was ich bin. Ich konnte nicht zulassen, daß Elis die Schuld zugewiesen wurde – ihm nicht und keinem anderen Mann. Aber ich bin ein Mensch, und ich hatte Angst, und ich hoffte davonzukommen. Nun ist alles erklärt. Auf die eine oder andere Weise werde ich ein Leben für ein Leben geben. Ich wollte nicht, daß Elis beschuldigt wurde ... Sagt es Melicent.«

Es war nicht nötig, sie wußte es bereits. Aber das Kopfende der Liege zeigte zur Tür, und Eliud hatte nichts außer der groben Decke der Zelle und Cadfaels herabgebeugtem Gesicht gesehen. Die Flamme der Lampe hatte nicht geflackert, und auch jetzt flackerte sie nicht, als Melicent sich leise und vorsichtig von der Schwelle zurückzog und sachte die Tür hinter sich schloß. »Man hat meinen Strick abgenommen«, sagte Eliud, während seine Augen forschend durch den kleinen Raum wanderten. »Jetzt müssen sie einen neuen für mich finden.«

Als alles erzählt war, lag er ausgezehrt, schwach und bejammernswert im Bett, jeder Hoffnung beraubt und nur noch auf die Buße wartend. Er ließ sich willig behandeln, wenn auch mit einem trostlosen Lächeln, das Cadfael sagte, daß er seine Heilkunst auf einen Toten verschwendete. Er half nach Kräften bei der Behandlung und ertrug die Schmerzen, als seine Wunden untersucht und gereinigt und neu verbunden wurden, ohne Klagen. Er versuchte, die Tränke zu schlucken, die ihm an die Lippen gehalten wurden, und bedankte sich auch für die kleinste Handreichung.

Nachdem er in einen unruhigen Schlaf gesunken war,

suchte Cadfael die beiden Männer, die Hugh ihm für Botengänge zurückgelassen hatte, und schickte einen der beiden nach Shrewsbury, um die Neuigkeit zu überbringen, die Hugh in großer Hast wieder hertreiben würde. Als er in die Klause zurückkehrte, erwartete Melicent ihn in der Tür. Sie erkannte die Mischung aus Abscheu und Resignation in seinem Gesicht, als er daran dachte, daß er alles noch einmal erzählen mußte, nachdem es bereits schlimm genug gewesen war, es anzuhören, und bot ihm augenblicklich Trost an.

»Ich weiß es. Ich habe es gehört. Ich habe Euch und ihn reden gehört... ich dachte, Ihr braucht vielleicht jemanden, der Euch einige Handreichungen abnimmt, und deshalb kam ich herüber. Ich hörte, was Eliud sagte. Was soll jetzt geschehen?« Trotz ihrer Ruhe war sie verwirrt und verloren bei den Gedanken an den ermordeten Vater und den geretteten Geliebten und dem Wissen um die leidenschaftliche Liebe der Ziehbrüder füreinander. Überall war nur Unheil zu sehen und jede Ausflucht war versperrt. »Ich habe es Elis erzählt«, sagte sie. »Es ist besser, wenn alle wissen, woran wir sind. Gott weiß, wie verwirrt ich bin; ich kann nicht mehr Recht von Unrecht unterscheiden. Wollt Ihr zu Elis kommen? Er macht sich Sorgen um Eliud.«

Cadfael ging ebenso verwirrt mit ihr. Ein Mord ist ein Mord, aber mußte denn noch ein Leben ausgelöscht werden? War ein weiterer Tod zu rechtfertigen? Er setzte sich mit ihr ans Bett, in dem Elis hellwach im vollen Besitz seiner Sinne auf sie wartete und sie fiebrig anredete.

»Melicent hat es mir erzählt«, sagte Elis, während er aufgeregt an Cadfaels Ärmel zerrte. »Aber ist es wahr? Ihr kennt ihn nicht, wie ich ihn kenne! Seid Ihr sicher, daß er die Geschichte nicht erfindet, weil er fürchtet, ich könnte doch noch angeklagt werden? Glaubt er vielleicht sogar noch, daß ich es war? Es sähe ihm ähnlich, alles auf seine Kappe zu nehmen, um mich zu decken. So hat er es früher oft getan, als wir noch Kinder waren,

233

und er mag es heute noch tun. Ihr habt gesehen, Ihr habt selbst gesehen, was er schon für mich getan hat! Soll ich denn auf Eliuds Kosten weiterleben? Ich kann das nicht so einfach hinnehmen...«

Cadfael brachte ihn auf die einfachste Weise zum Schweigen, indem er den Verband am Arm untersuchte und ihn in Ordnung und den Patienten fast schmerzfrei fand. Für den Augenblick war er gut versorgt. Der feste Verband um die angeschlagene Rippe hatte ihm einiges Unbehagen und Atemnot beschert und konnte etwas gelockert werden, um ihm Erleichterung zu verschaffen. Die Medikamente, die ihm gegeben wurden, schluckte er fast abwesend, während er den Blick nicht von Cadfaels Gesicht wandte und Antworten auf verzweifelte Fragen verlangte. Die nackte Wahrheit würde ihm kaum Trost bieten.

»Sohn«, sagte Cadfael, »es ist keine Tugend, die Wahrheit zu verleugnen. Die Geschichte, die Eliud erzählt hat, paßt zu allen Details und ist wahr. Ich muß es leider sagen, aber sie ist wahr. Schiebt alle Zweifel beiseite.«

Sie nahmen dies mit gespannter Ruhe auf und protestierten nicht weiter. Nach langem Schweigen sagte Melicent: »Ich glaube, Ihr wußtet es schon lange.«

»Ich wußte es von dem Augenblick an, als ich Einon ab Ithels besticktes Satteltuch sah. Das und nichts anderes brachte Gilbert den Tod, und es war Eliuds Pflicht, Einons Pferd und Gerät zu versorgen. Ja, ich wußte es. Aber er machte sein Geständnis von sich aus und bereitwillig, bevor ich ihn fragen oder anklagen konnte. Das müssen wir ihm zugute halten und ihm hoch anrechnen.«

»Gott weiß«, sagte Melicent, während sie die Hände vor das bleiche Gesicht schlug, als wollte sie ihren Verstand beisammen halten, »für welche Seite ich sprechen soll, da ich so zerrissen bin. Alles, was ich weiß, ist, daß Eliud nicht allein die Schuld trägt. Wer von uns ist in dieser Angelegenheit schon unschuldig?«

»*Du* bist es!« sagte Elis grimmig. »Wo hättest du gefehlt? Aber wenn ich etwas nachgedacht und wenn ich gesehen hätte, wie die Dinge zwischen ihm und Cristina standen... Ich war zu oberflächlich, zu unbekümmert, zu sehr in mich selbst verliebt, um darauf zu achten. Ich hatte nicht einmal von einer solchen Liebe geträumt, ich wußte es nicht... Ich habe so viel zu lernen.«

»Wenn ich nur stärker an mich selbst und meinen Vater geglaubt hätte«, sagte Melicent, »dann hätten wir in aller Ehrlichkeit eine Nachricht nach Wales zu Owain Gwynedd und zu meinem Vater schicken können, daß wir uns liebten und die Erlaubnis zur Heirat erbaten...«

»Wenn ich nur genauso rasch erkannt hätte, was Eliud Kummer machte, während er stets versuchte, alle Sorgen von mir fernzuhalten...«

»Wenn wir alle niemals versagten oder vom rechten Weg abkämen«, meinte Cadfael traurig, »dann wäre in dieser großartigen Welt alles gut, aber wir straucheln und fallen, jeder von uns. Wir müssen uns mit dem abfinden, was wir haben. Er tat es, und wir alle müssen die Bitterkeit teilen.«

Nach einem ängstlichen Schweigen fragte Elis: »Was wird aus ihm werden? Wird es Gnade geben? Er muß doch nicht sterben?«

»Das liegt beim Gesetz, und vor dem Gesetz hat mein Wort kein Gewicht.«

»Melicent erbarmte sich meiner«, sagte Elis, »bevor sie noch erfuhr, daß ich nicht das Blut ihres Vaters an den Händen habe...«

»Ah, aber ich wußte es!« sagte sie rasch. »Mein Geist war verwirrt, als ich zweifelte.«

»Und ich liebte sie um so mehr dafür. Und Eliud hat gestanden, als kein Mensch ihn anklagte, und das muß ihm hoch angerechnet werden, wie Ihr sagtet, und es spricht für ihn.«

»Das und alles andere, was für ihn spricht«, erwiderte

Cadfael energisch, »soll zu seiner Verteidigung vorgebracht werden. Dafür werde ich sorgen.«

»Aber Ihr habt keine Hoffnung«, sagte Elis unverblümt, während er mit scharfen Augen den Mönch beobachtete.

Er hätte es gern geleugnet, aber es war sinnlos, nachdem Eliud selbst resigniert und demütig den unaus-
weichlichen Tod hingenommen und begrüßt hatte. Cadfael tröstete sie, soweit er konnte, ohne zu lügen, und
ließ sie dann allein. Sein letzter Blick, bevor er die Tür
schloß, fiel auf die beiden gefaßten, besorgten Gesichter,
die ihm mit ruhigem, verschleiertem Blick nachsahen,
die Gedanken verschlossen und verriegelt. Nur die
grimmige Allianz zweier Hände, die auf dem Tuch verschränkt waren, verriet sie.

Hugh Beringar kam am nächsten Tag in großer Eile und
lauschte in düsterem Schweigen, während Eliud sich mit
verzweifelter Geduld ein zweites Mal durch die Geschichte
kämpfte, wie er es bereits für den alten Priester getan hatte,
der für die Schwestern die Messe las. Während Eliuds Seele
demütig auf den Rückzug aus der Welt gerichtet war, bemerkte Cadfael, wie der zerschundene Körper zu heilen begann und sehr langsam zur Ruhe kam, obwohl der Junge
jenseits jeden Zweifels war. Sein Geist hatte sich aufs Sterben eingestellt, sein Körper war entschlossen zu leben. Die
Wunden waren gesäubert, seine Jugend und seine großarti-
ge Gesundheit kämpften schwer, und wer konnte sagen, ob
sie für oder gegen ihn kämpften.

»Nun, ich höre«, sagte Hugh besorgt, während er mit
Cadfael am Bachufer entlangschritt. »Sagt, was Ihr zu
sagen habt.« Cadfael hatte sein Gesicht noch nie so bekümmert gesehen.

»Er hat, sobald er sich dem Tode nahe glaubte, freiwil-
lig ein volles Geständnis abgelegt«, sagte Cadfael. »Er
wollte in verzweifelter Eile allen Gerechtigkeit antun,
nicht nur Elis, die seinetwegen unter dem Schatten eines

Verdachtes leben könnten. Ihr kennt mich, ich kenne Euch. Ich sage Euch aufrichtig, daß ich drauf und dran war, ihm zu sagen, daß ich wußte, daß er getötet hatte. Ich schwöre Euch, daß er mir die Worte geradezu aus dem Munde nahm. Er wollte gestehen, er wollte Buße und Absolution. Und vor allem wollte er die Bedrohung von Elis und jedem anderen nehmen, der verdächtigt werden mochte.«

»Ich nehme Euch beim Wort«, entgegnete Hugh, »und das will etwas heißen. Aber reicht das? Es war kein heißblütiger Streit, der ausbrach, bevor die Vernunft siegte – ein alter Mann, verwundet und krank, der in seinem Bett schlief, wurde ermordet.«

»Es war nicht geplant. Er ging hin, um den Mantel seines Herrn zu holen. Ich bin sicher, daß zumindest dies die Wahrheit ist. Wenn Ihr glaubt, er sei kaltblütig gewesen, guter Gott, wie Ihr Euch irrt! Der Junge war halb wahnsinnig vom langen Aderlaß einer hoffnungslosen Liebe und soweit gekommen, daß er aufbegehren wollte. Der dünne Faden des Lebens – das er zuvor so pflichtbewußt geschützt hatte! – trennte ihn von der Erlösung, nach der er nun mutig verlangte. Gott vergebe ihm, der hatte gehofft, Gilbert würde sterben! Er hat dies aufrichtig gesagt. Der Zufall bot ihm einen Faden, der so dünn war, daß er durch einen bloßen Atemhauch durchtrennt werden konnte, und bevor die Vernunft obsiegte, tat er es! Er sagt, er hätte die Tat seitdem in jedem Augenblick bereut, und das glaube ich ihm. Seid Ihr, Hugh, denn nie einem blinden, unwürdigen Antrieb gefolgt, der Euch danach beschämte und bekümmerte?«

»Nicht so weit, daß ich einen alten Mann in seinem Bett getötet hätte«, sagte Hugh erbarmungslos.

»Nein! So weit gewiß nicht«, erwiderte Cadfael mit einem tiefen Seufzen und einem kurzen Lächeln. »Verzeiht mir, Hugh! Ich bin Waliser und Ihr seid Engländer. Wir Waliser kennen gewisse Abstufungen. Diebstahl, und nur der Diebstahl ist bei uns eine Todsünde, wenn keine guten Gründe dafür vorliegen. Und deshalb gibt es bei uns Abstufungen, Dinge, die man nicht direkt Diebstahl nennt – wenn man etwas offen mit Gewalt nimmt, zum Beispiel, wenn man es aus Unwissenheit nimmt, ohne Erlaubnis nimmt und davon ausgeht, daß der Besitzer einverstanden sei; wenn man etwas nimmt, um zu überleben, nachdem etwa ein Bettler drei Tage gehungert hat – dafür wird in Wales kein Mann gehängt. Und selbst bei Mord, selbst beim Töten erkennen wir Abstufungen an. Wir unterscheiden zwischen Totschlag und Mord, und selbst der schlimmste Übeltäter kann manchmal zu einer geringeren Strafe als dem Hängen verurteilt werden.«

»So könnte ich denn auch Unterschiede machen«, sagte Hugh, während er brütend zur stillen Furt hinüberblickte. »Aber dies war mein Herr, in dessen Fußstapfen ich nun trete, da mein König keine anderen Befehle geben kann. Er war nicht mein engster Freund, aber er war immer gerecht mit mir und hatte stets ein offenes Ohr, wenn ich auch mit manchen seiner strengen Urteile nicht glücklich war. Er war ein Ehrenmann und tat in dieser Grafschaft, die jetzt die meine ist, so gut er konnte seine Pflicht. Sein Tod macht mir zu schaffen.«

Cadfael schwieg respektvoll. Dies war eine Pflicht, von der er jetzt entbunden war, aber einst hatte er solche Bande, solche Gefolgschaft gekannt, und als er sich daran erinnerte, konnte er Hugh verstehen.

»Gott verhüte«, sagte Hugh, »daß ich jemals andere aus der Welt schaffe als jene, die zu gemein sind, um in ihr zu leben. Und dieser hier ist kein solches Ungeheuer. Ein tödlicher Irrtum, eine einzige Sünde... Und dabei ist er kaum ein Mann... Wie alt ist er? Einundzwanzig? Und er stand unter schweren Zwängen, aber wem von uns geht es nicht so? Er soll seine Verhandlung bekommen, und ich werde tun, was ich tun muß. Aber ich bete zu Gott, daß mir die Verantwortung aus den Händen genommen wird!«

15

Bevor Hugh am gleichen Abend aufbrach, erläuterte er seinen Willen. »Owain mag in Schwierigkeiten kommen, wenn Chester wieder vorstößt; er wird seine Männer zurückhaben wollen. Ich habe Befehl gegeben, daß alle, die jetzt unverdächtig sind, übermorgen abreisen können. Ich habe sechs gute Krieger von ihm in Shrewsbury. Sie sind frei, und ich werde sie für die Heimreise ausrüsten. Übermorgen zur Morgendämmerung, so früh sie wollen, werden sie hier sein, um Elis ap Cynan mit sich nach Tregeiriog zu nehmen.«

»Unmöglich«, sagte Cadfael gleichmütig. »Er kann noch nicht reiten. Außer der Armwunde, die allerdings gut abheilt, hat er ein verrenktes Knie und einen Rippenbruch. Er kann in den nächsten drei oder vier Wochen noch nicht reiten. Und er wird weit längere Zeit nicht wieder in den Kampf ziehen können.«

»Das braucht er auch nicht«, entgegnete Hugh knapp. »Ihr vergeßt, daß wir von Tudor ap Rhys Pferde geborgt haben, die inzwischen ausgeruht und einsatzfähig sind; Elis kann auf einer Bahre transportiert werden, wie es mit Gilbert in einem erheblich schlimmeren Zustand möglich war. Ich will alle Männer aus Gwynedd sicher hier heraushaben, bevor ich, wie ich es beabsichtige, gegen Powys ziehe. Wir wollen erst die eine Schwierigkeit ausräumen, bevor wir uns der anderen stellen.«

Also war es unwiderruflich bestimmt. Cadfael hatte erwartet, daß Elis den Befehl mit Entsetzen aufnahm, sowohl wegen Eliuds Schicksal als auch wegen seines eigenen, doch nach einem kurzen, empörten Aufschrei hielt er plötzlich inne, dachte eine Weile nach und bestätigte schließlich mit einem harten, nachdenklichen Blick, daß kaum eine Hoffnung bestehe, daß Eliud der Mordanklage und dem zwangsläufig folgenden Todesurteil entgehen könne. Es war schwer zu akzeptieren, aber am Ende hatte Elis keine Wahl als dies hinzunehmen. Eine seltsame, tiefe Ruhe hatte sich der Liebenden bemächtigt; sie betrachteten einander, als teilten sie Gedanken, die nicht durch Worte mitgeteilt werden mußten, sondern in einer verschlüsselten Sprache ausgetauscht wurden, die kein anderer Mensch verstand. Höchstens Schwester Magdalena mochte diese Sprache verstehen. Auch sie ging in nachdenklichem Schweigen umher und behielt die beiden unauffällig im Auge.

»Also soll ich übermorgen ganz früh fortgebracht werden«, sagte Elis. Er warf einen kurzen Blick zu Melicent, und sie erwiderte den Blick. »Nun, ich kann und ich werde in angemessener Form von Gwynedd aus um sie anhalten, denn es ist nur gut, wenn alles offen und ehrbar geschieht, wenn ich Melicent einen Antrag mache. Und in Tregeiriog gibt es noch einiges richtigzustellen, ehe ich frei bin.« Er erwähnte Cristina nicht, doch der Gedanke an sie hing traurig und bedrückend über ihnen. Vielleicht hatte sie die Schlacht nur gewonnen, um zu sehen, daß der Sieg zu Asche zerfiel und ihr durch die Finger rann. »Ich schlafe tief«, sagte Elis mit einem düsteren Lächeln, »möglicherweise müssen sie mich in meine Decken gerollt und schnarchend hinaustragen, wenn sie zu früh kommen.« Und er fuhr, plötzlich ernst werdend, fort: »Wollt Ihr Hugh Beringar fragen, ob ich für die letzten beiden Nächte, die ich hier verbringe, mein Bett in Eliuds Zelle stellen darf? Das ist gewiß nicht viel verlangt.«

»Ich will ihn fragen«, sagte Cadfael nach einer kurzen Pause, die er brauchte, um die wahre Bedeutung der Bitte zu erfassen, denn sie schien in mehr als einer Hinsicht sinnvoll. Und er ging sogleich hinaus, um die Bitte weiterzugeben. Hugh wollte gerade aufs Pferd steigen und in die Stadt zurückreiten, und Schwester Magdalena war im Hof, um ihn zu verabschieden. Zweifellos hatte sie auf ihre eigene Art all die Gründe für Gnade noch einmal wiederholt, die auch Cadfael vorgebracht hatte, und vielleicht noch andere, an die er nicht gedacht hatte. Es war zu bezweifeln, ob aus diesem wohlgepflanzten Samen je eine Blüte knospen würde, aber wenn man nicht sät, wird man gewiß nicht ernten.

»Laßt sie nur zusammen«, sagte Hugh mit einem wehmütigen Schulterzucken, »wenn sie das tröstet. Sobald der andere bereit ist, fortgebracht zu werden, werde ich ihn aus Euren Händen nehmen, aber bis dahin laßt ihn ruhen. Wer weiß, vielleicht schenkt uns dieser walisische Pfeil doch noch die Lösung — wenn Gott ihm gnädig ist.«

Schwester Magdalena sah ihm nach, bis der letzte Reiter der Eskorte in der Allee verschwunden war.

»Wenigstens«, sagte sie dann, »macht es ihm keinen Spaß. Es ist eine Schande, dort richten zu müssen, wo niemand der Gewinner ist und alle leiden.«

»Eine große Schande! Das sagte er selbst«, erwiderte Cadfael ähnlich gedankenverloren. »Er flehte zu Gott, es würde aus seinen Händen genommen.« Und er blickte über die Schulter zu Schwester Magdalena und begegnete ihrem arglosen Blick. Einen Augenblick gab er sich erstaunt der kleinen Illusion hin, daß sie einander ähnlich sähen und auf ähnliche Weise stumme Blicke wechselten wie Elis und Melicent.

»Hat er das gesagt?« fragte Schwester Magdalena unschuldig und mitfühlend. »Darum lohnt es sich zu beten. Ich will bei jeder Andacht morgen in der Kapelle ein Gebet für ihn sprechen lassen. Wenn man um nichts bittet, bekommt man auch nichts.«

Sie gingen zusammen hinein, und das Gefühl eines beiderseitigen Einverständnisses zwischen ihnen war so stark — wenn auch eines, das besser nicht in Worte gekleidet wurde —, daß er sogar so weit ging, sie in einem Punkt um Rat zu bitten, der ihm Sorgen machte. In den Unruhen des Kampfes und der Belastung, als er die Verwundeten pflegte, hatte er keine Gelegenheit gefunden, die Botschaft zu überbringen, die Cristina ihm anvertraut hatte. Jetzt nach Eliuds Geständnis, war er unschlüssig, ob er es überhaupt noch tun sollte, oder ob das nicht der grausamste Schlag wäre, der Eliud überhaupt versetzt werden konnte.

»Dieses Mädchen in Tregeiriog — das Mädchen, dessentwegen er sich so verrannt hat — trug mir eine Botschaft für ihn auf, und ich versprach ihr, sie ihm zu übermitteln. Aber nun, mit dieser Bedrohung, die über ihm schwebt... Ist es recht, ihm einen Grund zum Leben zu geben, nachdem er sein Leben verwirkt hat? Sollen wir ihm die Welt, aus der er zu scheiden bereit ist, tausendmal erstrebenswerter machen?«

Er erzählte ihr Wort für Wort, welcher Art die Botschaft war. Sie dachte nach, aber nicht sehr lange. »Ihr habt kaum eine Wahl, wenn Ihr es dem Mädchen versprochen habt. Und die Wahrheit sollte nie als schädlich gefürchtet werden. Außerdem ist er nach allem, was ich sehe, zum Sterben bereit, während sein Körper zum Leben entschlossen ist, und ohne einen rechten Antrieb mag er den Kampf über seinen Körper gewinnen, das Gesicht zur Wand drehen und davongleiten. Was vielleicht nicht schlecht ist, wenn die einzige Wahl der Galgen ist. Aber wenn — ich sage *wenn!* — es Milde gibt und er leben darf, dann wäre es eine Schande, ihm nicht jedes Rüstzeug und jede Waffe zu verschaffen, damit er überleben kann.« Sie wandte den Kopf und sah ihn wieder mit dem tiefen, seltsamen Blick an, den er schon zuvor bemerkt hatte. Dann lächelte sie. »Es ist das Risiko wert«, sagte sie.

»Das beginne ich auch zu glauben«, meinte Cadfael und ging hinein, um seinen Einsatz zu wagen.

Man hatte Elis' Liege noch nicht in die Nachbarzelle gebracht; Eliud war noch allein. Manchmal, wenn Cadfael bedachte, welchen Weg der Pfeil durch die rechte Schulter genommen hatte, bezweifelte er, ob Eliud je wieder einen Bogen spannen oder in ferner Zukunft ein Schwert halten konnt. Aber das war im Augenblick sei-

ne kleinste Sorge. Sollte er zum Ausgleich ein Versprechen auf das höchste Glück erhalten.

Cadfael setzte sich neben das Bett und erzählte ihm,
daß Elis um Erlaubnis gebeten hatte, in seine Kammer
verlegt zu werden und daß dem Wunsch entsprochen
worden sei. Das brachte eine seltsame, verlorene Freude
in Eliuds schmales, verletzliches Gesicht. Cadfael vermied es jedoch, ein Wort über Elis unmittelbar bevorstehende Abreise zu verlieren und überlegte einen Augenblick, warum er diese Angelegenheit für sich behielt;
doch sogleich erkannte er, daß es besser war, sich nicht
zu wundern und noch weniger zu fragen. Unschuld ist
ein unendlich zerbrechliches Ding, und Gedanken können sie manchmal verletzen und sogar zerstören.

»Es gibt eine Botschaft, die ich Euch zu übermitteln
versprach und zu der ich bis jetzt noch nicht die richtige
Gelegenheit fand. Sie kommt von Cristina, die sie mir
auftrug, als ich Tregeiriog verließ.« Bei ihrem Namen
würde Eliuds Gesicht zu einer bleichen, besorgten Maske, während seine Augen sich plötzlich erweiterten.
»Cristina läßt Euch durch mich sagen, daß sie mit ihrem
eigenen und Eurem Vater gesprochen hat und überein-
gekommen ist, daß sie in Kürze eine freie Frau sein wird,
die sich dem schenken kann, den sie will. Und sie will
sich niemand anderem als Euch geben.«

Ein Sturzbach überspülte das Funkeln in Eliuds Augen. Seine gesunde linke Hand tastete lahm nach irgend
etwas Menschlichem, das er zum Trost festhalten konnte, und schloß sich gierig um die Hand, die Cadfael ihm
reichte. Er zog sie an sein zitterndes Gesicht und tiefer
hinunter auf sein aufgeregt schlagendes Herz. Cadfael
gab ihm eine Weile Zeit, bis der Sturm abgeflaut war.
Als der Junge wieder ruhig war, zog er sanft die Hand
zurück.

»Aber sie weiß doch nicht«, flüsterte Eliud elend,
»was ich... was ich getan habe...«

»Was sie von Euch weiß ist alles, was sie wissen muß:

243

nämlich, daß sie Euch liebt wie Ihr sie liebt, und daß es niemals einen anderen geben kann. Ich glaube nicht, daß Schuld oder Unschuld, Gut oder Böse Cristinas Gefühle für Euch verändern können. Mein Junge, nach der üblichen Lebenserwartung eines Mannes habt Ihr mindestens noch dreißig Jahre vor Euch, und das ist genug Raum für Ehe, Kinder, Ruhm, Sühne und Heiligkeit. Was getan ist, spielt eine Rolle, aber was noch zu tun wäre, ist weit wichtiger. Cristina weiß um diese Wahrheit. Wenn sie alles erfährt, wird sie bekümmert sein, aber nicht verändert.«

»Meine Lebenserwartung«, sagte Eliud schwach durch die Decken, die sein aufgeregtes Gesicht bedeckten, »zählt nach Wochen oder höchstens Monaten, und nicht dreißig Jahre.«

»Gott allein bestimmt die Zeit«, sagte Cadfael, »nicht die Menschen, nicht die Könige und auch nicht die Richter. Ein Mann muß bereit sein, sich dem Leben genauso zu stellen wie dem Tod, denn beidem kann er nicht entkommen. Wer kennt schon die Länge der Strafe oder die Größe der Wiedergutmachung, die von Euch gefordert wird?«

Dann erhob er sich von seinem Platz, weil John Miller und einige andere Nachbarn, deren kleine Kratzer aus der Schlacht schon fast verheilt waren, Elis auf der Liege aus der Nachbarzelle hereintrugen und ihn neben Eliuds Lager absetzten. Es war ein guter Augenblick, um das Gespräch abzubrechen, denn der Funke der Hoffnung glomm bereits in dem Jungen, wie sehr auch immer die Resignation verlangte, daß er ihn auslöschte; die Vereinigung mit der zweiten Hälfte seiner Seele kam also in einem sehr passenden Augenblick. Cadfael wartete noch einen Augenblick, bis alles eingerichtet war und John Miller Eliud die Verbände abgenommen und durch neue ersetzt hatte; mit Händen, die zart waren wie die eines Kindes und zugleich fest wie die einer Mutter. John war Elis und Melicent nahegekommen und hatte

Elis als einen kühnen und vielversprechenden Jungen von seiner eigenen Art schätzen gelernt. Er war mit seiner großen und ausgeglichenen Kraft ein nützlicher Mann, der fähig war, einen schlafenden Kranken — vorausgesetzt er mochte den Mann! — aufzuheben und fortzutragen, ohne dessen Ruhe zu stören. Und er war Schwester Magdalena ergeben, deren Wort hier so viel galt wie das des Königs.

Ja, ein nützlicher Verbündeter.

Nun...

Der nächste Tag verging in einer Art gespanntem Schweigen. Jeder Mann und jede Frau schien nur vorsichtig und mit angehaltenem Atem aufzutreten und dem Tagesablauf des Hauses mit besonderer Ehrfurcht und Verehrung zu folgen, als ob man dadurch alles Unglück vom Haus fernhalten könne. Noch nie war der Stundenplan des Ordens in Godric's Ford gewissenhafter befolgt worden. Mutter Mariana, die kleine, verwitterte alte Frau, herrschte über eine so musterhafte Schwesternschaft, daß der Himmel entzückt sein mußte. Ihre erzwungenen Gäste in der Zelle lagen still und innig beisammen, und sogar Melicent, die nun ein weltlicher Gast des Hauses und keine Postulantin mehr war, ging den Tagesgeschäften mit reinem, stillem Gesicht nach und überließ die beiden jungen Männer sich selbst.

Bruder Cadfael besuchte die Gottesdienste, sprach einige ganz persönliche Gebete und ging dann hinaus, um Schwester Magdalena bei der Pflege der wenigen Verletzten zu helfen, die in der Umgebung versorgt werden mußten.

»Ihr seid erschöpft«, sagte Schwester Magdalena mitfühlend, als sie zu einem späten Abendbrot und zur Abendmesse zurückkehrten. »Ihr solltet morgen bis zum Morgengebet schlafen, denn Ihr hattet seit drei Nächten keine richtige Ruhe mehr. Verabschiedet Euch heute abend von Elis, denn die Männer werden im Morgengrauen hier sein. Und nun, da ich daran denke«, sagte sie, »ich könnte noch eine Flasche von Eurem Mohnsirup gebrauchen. Meine Flasche ist leer, und ich muß morgen einen Patienten aufsuchen, der vor Schmerzen kaum Schlaf findet. Wollt Ihr mir die Flasche auffüllen, wenn ich sie Euch bringe?«

»Aber gern«, sagte Cadfael und holte den Krug, den er nach der Schlacht von Bruder Oswin aus Shrewsbury hatte schicken lassen. Sie brachte eine große grüne Glasflasche, und er füllte sie ohne Kommentar bis zum Rand.

Am nächsten Morgen stand er nicht früh auf, wenn er auch beizeiten aufwachte. Doch er hörte die Reiter, als sie kamen, und die Stimme der Pförtnerin und andere Stimmen, walisische und englische, und darunter plötzlich die Stimme von John Miller. Aber er ging nicht hinaus, um sich von ihnen zu verabschieden.

Als er wirklich erst zur Prim, zum Morgengebet aufstand, waren die Reisenden schon seit zwei Stunden auf dem Weg nach Wales, gut beritten und ausgerüstet. Die Pförtnerin hatte den Begleitschutz zu der Zelle gebracht, in der ihr Schutzbefohlener Elis ap Cynan im vorderen Bett schlief, und John Miller hatte den dick eingerollten Kranken auf den Armen hinausgetragen und ihn auf die Bahre gelegt, auf der man ihn heimbringen wollte. Mutter Mariana war selbst aufgestanden, um am Abschied teilzunehmen und einen Segen zu sprechen.

Cadfael kümmerte sich nach der Prim um seinen verbliebenen Patienten. Es war nur gut, genauso weiterzumachen wie in den vergangenen Tagen. Zwei Stunden sollten ein guter Vorsprung sein, und irgend jemand mußte als erster hinein — nein, nicht als erster, denn gewiß war Melicent vor ihm dagewesen; doch einer mußte der erste der möglichen Feinde sein — derer, die nicht eingeweiht waren.

Er öffnete die Tür der Zelle und blieb auf der Schwelle stehen. Im düsteren Licht blickten ihm zwei bleiche Gesichter fast Wange an Wange entgegen. Melicent saß auf der Bettkante und stützte den Benutzer des Bettes mit dem Arm, denn dieser hatte sich erhoben und sich einen Mantel um die nackten Schultern gelegt, weil er diesem Augenblick aufrecht entgegensehen wollte. Unter dem Verband auf der gebrochenen Rippe mußte ein aufgeregtes, freudiges Herz schlagen, und die Augen, die Cadfael entgegenstarrten, waren nicht nußbraun, sondern fast so dunkel wie das schwarze Lockengewirr auf dem Kopf.

»Wollt Ihr dem Herr Beringar mitteilen«, sagte Elis ap Cynan, »daß ich meinen Ziehbruder aus seinen Händen genommen habe und hiergeblieben bin, um alles anzunehmen, was gegen ihn vorgebracht werden mag? Er hat für mich den Hals in die Schlinge gesteckt, und ich tue jetzt dasselbe für ihn. Was immer das Gesetz gegen ihn vorbringt, soll mir an seiner Statt geschehen.«

Es war gesagt. Er holte tief Luft und zuckte zusammen, als die Rippe stach, aber in Erwartung seines Schicksals war er nun, da der erste Schritt getan war und es nichts weiter zu verbergen gab, ganz ruhig.

»Es tut mir leid, daß ich Mutter Mariana täuschen mußte«, erklärte er. »Sagt ihr, daß ich sie um Vergebung bitte, aber es gab keinen anderen Weg, der allen hier gerecht geworden wäre. Ich will nicht, daß irgend jemand anders das vorgeworfen wird, was ich getan habe.« Und mit einer plötzlichen impulsiven Schlichtheit fuhr er fort: »Ich bin froh, daß Ihr es wart, der kam. Schickt rasch nach Shrewsbury, denn ich werde froh sein, wenn dies vorbei ist. Und Eliud ist jetzt in Sicherheit.«

»Ich werde Eure Botschaften überbringen«, entgegnete Cadfael ernst. »Beide Botschaften. Und ich werde keine Fragen stellen.« Nicht, ob Eliud in den Plan eingeweiht gewesen war, denn er kannte die Antwort bereits. Für alle, die es nötig gefunden hatten, ihre Augen zu schließen und ihre Ohren taub zu stellen, war Eliud glücklich seiner verzweifelten Lage und seiner erbärmlichen Schuld entronnen. Einer der Träger auf der Straße nach Wales würde sich einem aufgeregten, verwirrten Kranken gegenübersehen, wenn der lange, tiefe Schlaf endete. Aber am Ende dieser erzwungenen Flucht wartete Cristina, egal, welche Maßnahmen Owain Gwynedd ergriff.

»Ich habe so gut wie möglich vorgesorgt«, sagte Elis ernst. »Man hat eine Botschaft vorausgeschickt, sie wird ihm entgegenkommen, um ihn zu treffen. Es wird ein schwerer Weg werden, aber er wird leben.«

Seit jenem Überfall auf Godric's Ford schien Elis ab Cynan sehr gereift zu sein. Dies war nicht mehr der Junge, der seine nervöse Angst in der Gefangenschaft überwinden wollte, indem er seinen Häschern mit unschuldigem Gesicht walisische Beleidigungen entgegenschleuderte. So wie sie nicht mehr das Mädchen war, das ahnungslos dem Traum gehuldigt hatte, den Schleier zu nehmen, bevor sie überhaupt wußte, was Ehe oder Berufung bedeuteten.

»Anscheinend war die Sache gut organisiert«, sagte Cadfael beifällig. »Nun denn, ich muß gehen und sie bekanntmachen – hier und in Shrewsbury.«

Er hatte die Tür hinter sich schon halb geschlossen, als Elis ihm nachrief: »Und würdet Ihr dann zurückkommen und mir helfen, meine Kleider anzulegen? Ich möchte Hugh Beringar anständig bekleidet und auf meinen eigenen Füßen entgegentreten.«

Und das tat er auch, als Hugh am Nachmittag mit grimmigem Gesicht und gefurchter Stirn eintraf, um den Verlust seines Übeltäters zu untersuchen. In Mutter Marianas winzigem, schlichtem, mit dunklem Holz verkleidetem Sprechzimmer standen Elis und Melicent Seite an Seite und erwarteten ihn. Cadfael hatte den Jungen in Hosen und Hemd und Jacke gesteckt, und Melicent hatte sein Haargewirr für ihn durchgekämmt, da er es noch nicht ohne Schmerzen selbst tun konnte. Nach einem abschätzenden Blick auf seine ersten unsicheren Schritte hatte Schwester Magdalena ihm noch einen Stab gegeben, mit dem er sein angeschlagenes Knie stützen konnte, das ihn noch nicht ganz tragen wollte. Als er bereit war, sah er sehr jung, sauber und feierlich aus und verständlicherweise verängstigt. Er hielt sich etwas verkrümmt, um die gebrochene Rippe zu entlasten, die ihm den Atem nahm. Melicent stand dicht an seiner Seite, jedoch ohne ihn zu berühren.

»Ich habe Eliud an meiner Stelle nach Wales zurückgeschickt«, sagte Elis, ebenso sehr vor Entschlossenheit wie vor Furcht stocksteif. »Denn ich schulde ihm mein Leben. Aber hier bin ich, ich stehe Euch nach Eurem Belieben zur Verfügung, damit ihr mit mir verfahren könnt, wie Ihr es für angemessen haltet. Erlegt mir auf, was immer Ihr für ihn für richtig haltet.«

»Um Himmels willen, so setzt Euch doch«, sagte Hugh knapp und fassungslos. »Ich verabscheue es, der Grund Eures selbstauferlegten Leidens zu sein. Es soll mir reichen, wenn Ihr mir Euren Hals anbietet; Eure augenblicklichen Schmerzen brauche ich nicht. Setzt Euch und beruhigt Euch. Ich habe kein Interesse an Helden.«

Elis errötete, zuckte zusammen und setzte sich gehorsam, doch er ließ Hughs grimmiges Gesicht keinen Augenblick aus den Augen. »Wer hat Euch geholfen?« fragte Hugh kalt und ruhig.

»Niemand. Ich entwarf diesen Plan allein. Owains Männer taten, was ich ihnen befahl.« Dies konnte er kühn behaupten, da sie schon lange in ihrem eigenen Land waren.

»*Wir* entwarfen den Plan«, sagte Melicent fest.

Hugh ignorierte sie, oder jedenfalls tat er so. »Wer hat Euch geholfen?« wiederholte er etwas lauter.

»Niemand. Melicent wußte es, aber sie war nicht beteiligt. Die ganze Schuld trifft mich. Befaßt Euch mit mir!«

»Dann habt Ihr also ganz allein Euren Vetter in das andere Bett gelegt! Das allein ist schon ein Wunder, da Ihr verletzt seid und nicht gehen könnt, ganz zu schweigen davon, daß es Euch unmöglich ist, einen anderen Mann zu heben. Wie ich hörte, trug ein gewisser Müller aus dieser Gegend Eliud ap Griffiths Bahre.«

»Es war dunkel in der Kammer, und auch draußen war kaum Licht«, erwiderte Elis gleichmütig, »und ich...«

»*Wir*«, unterbrach Melicent.

»... ich hatte Eliud gut eingewickelt, es war so gut wie nichts von ihm zu sehen. John tat nichts weiter, als seine starken Arme zur Verfügung zu tellen, um mir zu Gefallen zu sein.«

»War Eliud an diesem Austausch beteiligt?«

»*Nein!*« sagten sie gleichzeitig laut und entschieden.

»Nein!« wiederholte Elis so heftig, daß seine Stimme zitterte. »Er wußte nichts. Ich gab ihm in seinen letzten Trank einen großen Schuß von dem Mohnsirup, den Bruder Cafael am ersten Tag benutzte, um den Schmerz zu lindern. Er bringt tiefen Schlaf. Eliud schlief die ganze Zeit. Er wußte nichts davon! Er wäre nie einverstanden gewesen.«

»Und wie seid Ihr, ans Bett gefesselt, wie Ihr wart, an den Sirup gekommen?«

»*Ich* habe die Flasche von Schwester Magdalena gestohlen«, sagte Melicent. »Fragt sie! Sie wird Euch sagen, wieviel aus der Flasche fehlt.« Und das würde sie, mit allem Ernst und aller Sorge. Hugh zweifelte nicht daran, und er wollte ihr die Notwendigkeit des Antwortens ersparen. Auch Cadfael zweifelte nicht daran. Beide hatten sich umsichtig von dieser Verhandlung entfernt und überließen es Richter und Angeklagtem, die Angelegenheit zu klären.

Es folgte ein kurzes, drückendes Schweigen, das schwer auf Elis lastete, während Hugh die beiden mit zusammengezogenen Augenbrauen betrachtete. Schließlich wandte er sich stirnrunzelnd an Melicent.

»Von allen Menschen«, sagte Hugh, »hattet Ihr das größte Recht, von Eliud eine Wiedergutmachung zu verlangen. Habt Ihr ihm so schnell vergeben?«

»Ich bin nicht einmal sicher«, sagte Melicent langsam, »daß ich weiß, was Vergebung ist. Es scheint mir nur eine traurige Verschwendung, daß alle guten Taten eines Mannes nicht die eine böse Tat, wie schlimm sie auch ist, aufwiegen sollen. Das ist ein Makel dieser Welt. Und ich wollte nicht, daß noch jemand stirbt Ein Toter war Kummer genug, und der zweite würde nichts heilen.«

Wieder gab es ein Schweigen, länger als das erste. In Elis war alles in Aufruhr, er erschauerte, er wollte seine Strafe hören, wie immer sie ausfiel, und Gewißheit haben. Zittern überfiel ihn, als Hugh sich abrupt erhob.

»Elis ap Cynan, ich habe von Rechts wegen keine Anklage gegen Euch vorzubringen. Ich will keine Wiedergutmachung von Euch. Ihr sollt Euch eine Weile hier ausruhen; Euer Pferd steht noch in den Ställen der Abtei. Wenn Ihr bereit seid zu reiten, dann mögt Ihr Eurem Ziehbruder nach Hause folgen.« Und bevor sie noch den Atem fanden zu antworten, hatte er den Raum verlassen und die Tür hinter sich geschlossen.

Bruder Cadfael ging ein kurzes Stück mit seinem Freund, als Hugh am frühen Abend nach Shrewsbury zurückritt. Die letzten Tage waren mild gewesen, und die Äste der Bäume trugen den ersten grünen Schleier der Frühjahrsknospen. Auch der Gesang der Vögel hatte den aufgeregt drängenden, unruhigen Klang angenommen wie jedes Jahr vor der Paarung und dem Nestbau und der Aufzucht der Jungen. Dies war die Zeit für alle Arten von Geburten und Anfängen und dafür, den Tod aus den Gedanken zu bannen.

»Was sonst hätte ich tun können?« sagte Hugh. »Dieser hier hat keinen Mord begangen und ist mir den hübschen Hals, den er mir so artig anbietet, nicht schuldig. Und wenn ich ihn hänge, dann müßte ich beide hängen.

Gott allein weiß, ob selbst ein so resolutes Mädchen wie Melicent — oder jene, die nach Eurem Bericht in Tregeiriog wartet — fähig ist, diese beiden Unzertrennlichen zu trennen. Zwei Leben für eines, das ist kein gerechter Tausch.« Er betrachtete sinnend seinen Sattel und den grobknochigen Grauen, sein Lieblingspferd, auf dem er ritt, und lächelte Cadfael an. Es war das erste Mal seit mehreren Tagen, daß er so lächelte, ohne Ironie oder Vorbehalte zu zeigen. »Wieviel wußtet Ihr?«

»Nichts«, sagte Cadfael einfach. »Ich habe einiges vermutet, aber ich kann guten Gewissens sagen, daß ich nichts wußte und keinen Finger dazu gerührt habe.« Mit Schweigen und Taubheit und Blindheit hatte er getäuscht, aber das brauchte er nicht zu sagen. Hugh wußte es ohnehin. Und es war nicht nötig, daß Hugh jemals aussprach, mit welcher heimlichen Dankbarkeit er das Urteil begrüßte, das er aus eigenem Willen nie hätte sprechen können.

»Was soll nun aus ihnen allen werden?« fragte Hugh sich. »Elis wird heimkehren, sobald es ihm gut genug geht, und in aller Form um die Hand des Mädchens anhalten. In ihrer eigenen Sippe gibt es außer dem Bruder ihrer Mutter keinen Mann, der diese Aufgabe übernehmen könnte; und der ist mit der Königin in Kent und außer Reichweite. Ich nehme an, Schwester Magdalena wird dem Mädchen raten, für die Zwischenzeit zu ihrer Stiefmutter zurückzugehen, damit alles in angemessener Form vorbereitet werden kann. Sie hat Verstand genug, auf einen solchen Rat zu hören, und die Geduld, um auf das zu warten, was sie haben will. Nun hat sie ja die Sicherheit, daß sie es am Ende auch bekommen wird. Aber was ist mit den anderen beiden?«

Eliud und seine Gefährten waren inzwischen sicher schon weit in Wales und brauchten sich nicht zu beeilen und den Verletzten nicht über Gebühr zu quälen. Der Trank des Vergessens, den sie ihm gegeben hatten, mochte auch nach dem Aufwachen noch eine Weile seine Sinne trüben, und seine Kameraden würden nach Kräften versuchen, seine Reue und seinen Kummer und seine Angst um Elis zu lindern. Aber würde dieser unruhige und leidenschaftliche Geist jemals ganz zur Ruhe kommen?

»Was wird Owain mit ihm tun?«

»Er wird ihn weder töten noch verkommen lassen«, sagte Cadfael, »vorausgesetzt, Ihr gebt Eure Rechte an ihm auf. Eliud wird leben, er wird seine Cristina heiraten — es wird für Prinz und Priester und die Eltern keinen Frieden geben, solange sie nicht ihren Willen bekommt. Und seine Buße trägt er bereits in sich, er wird lebenslang daran tragen. Außer dem Tod selbst gibt es nichts, was Ihr oder irgendein anderer Mann ihm auferlegen könnte, das er sich nicht selbst auferlegen wird. Aber mit Gottes Willen wird er es nicht alleine tragen müssen. Kein Verbrechen und keine Schuld wird Cristina von seiner Seite weichen lassen.«

Am Ende des Reitweges trennten sie sich. Hinter den Bäumen dämmerte der Abend, doch die Vögel sangen immer noch mit soviel Freude in der Stimme, daß es einem leicht ums Herz wurde. Die Buschwindröschen zitterten im Gras.

»Ich gehe leichteren Sinnes als ich kam«, sagte Hugh, indem er noch einen Augenblick sein Pferd zügelte.

»Und ich werde Euch folgen, sobald der Junge wieder aufrecht gehen und durchatmen kann. Ich freue mich darauf, heimzukehren.« Cadfael blickte zu den niedrigen Holzdächern von Mutter Marianas Hof zurück, und zu den glitzernden Wellen des Baches, in denen sich silbrige, hauchzarte Äste spiegelten. »Ich hoffe, wir alle haben aus einer großen Sünde das Beste gemacht. Wer könnte mehr verlangen? Erinnere ich mich doch daran, wie der Vater Abt einmal sagte, daß es unsere Aufgabe sei, Gerechtigkeit zu finden, während das Privileg der Gnade bei Gott liege. Aber selbst Gott muß, wenn er gnädig sein will, uns als seine Werkzeuge benutzen.«

Ellis Peters

Spannende und unterhaltsame Mittelalter-Krimis mit Bruder Cadfael, dem Detektiv in der Mönchskutte.

»Ellis Peters bietet Krimi pur.« NEUE ZÜRICHER ZEITUNG

Wilhelm Heyne Verlag
München

BÜCHER

Anne Perry

Ihre spannenden Kriminalromane lassen das viktorianische Zeitalter wieder lebendig werden. Ein Muß für jeden Liebhaber der englischen Krimi-Tradition!

Als Heyne-Taschenbuch:

Frühstück nach Mitternacht
01/8618

Die Frau in Kirschrot
01/8743

Die dunkelgraue Pelerine
01/8864

Die roten Stiefeletten
01/9081

Ein Mann aus bestem Hause
01/9378

Der weiße Seidenschal
01/9574

Als Hardcover:

Belgrave Square
43/20

Wilhelm Heyne Verlag
München